JN071122

チャイナウォッチ
矢吹晋著作選集

4

日本－中国－米国、台湾

蒼蒼社
Publisher Michitani

チャイナウオッチ
矢吹晋著作選集　4

日本－中国－米国、台湾

目次

チャイナウオッチ
矢吹晋著作選集

4

日本－中国－米国、台湾

凡例

・原載における誤植、誤字・脱字などは訂正した。
・表記は基本的に原載どおりとしたが、一部の語句は漢字表記を仮名表記に、仮名表記を漢字表記に改めた。なお一部については記述を改めた箇所がある。
・全巻の体裁を整えるため大小を問わず見出しは改めた箇所がある。
・常用漢字以外の略字は、表外漢字字体表に基づいて改めた。
・送り仮名は基本的に「送り仮名の付け方」（内閣告示、１９７３年）に基づいた。
・引用文中の省略の示し方は〔中略〕に揃えた。
・数字表記、また記号類については一部改めた箇所がある。
・著作名・組織名・人名などの表記は基本的に全巻揃えるようにした。
・中国・香港・台湾発行の書籍名および論文名は原書どおりとするよう揃えた（ただし簡体字・繁体字は表外漢字字体表に基づいて改めた）。なお初出時に邦訳名のみ記されているものは邦訳ままとしたものがある。
・慣用されていない中国語句は基本的に日本語句に差し替えた。
・原載の脚注以外に編者による注を付加した。なお編者による注は山括弧〈　〉を用いて示した。
・各著作冒頭の前文は編者による。

日本にとっての台湾の重み――呉濁流の作品が語るもの

中華人民共和国との国交正常化によって政権の正当性は台北政権ではなく北京政権にあるという事実を認めたという意味では「台湾問題」は一応の解決をみた。しかし日本の植民地支配の落とし子としての台湾問題は解決されたのか。台湾を含めて一つの中国という主張のなかで台湾に生きる民衆は置き去りにされているのではないか。台湾訪問や台湾研究自体がタブー視される歪んだ意識は改善されてきたにしても、「成功した植民地支配」なる形容矛盾が跋扈する状況は未だ変わらない。呉濁流の三冊の著作を通して日本にとっての台湾の重みに迫る。

「日中復交」で、いわゆる「台湾問題」は一応の解決をみた。だが、日本の植民地統治の落とし子としての真の台湾問題は決して解決されてはいないのである。れわれが台湾の民衆を忘れ去ろうとしているまさにそのときに、日本は東南アジア諸国との間にさまざまなきしみを生み出しているのはなぜか。われわれが本当にアジア諸国との友好を願うならば、その原因をさぐって原点に立ち返り、台湾問題の本質をとらえ直す必要がある。

日本以上に日本的な台湾

二年間の東南アジアでの留学生活を終えて帰国するとき、私は台湾に立ち寄った。日中復交後の台湾の実情を自分の目で確かめておきたかったからだ。

松山空港で友人の出迎えを受け、安宿に旅装を解くやいなや私は台北の街をぶらついた。街のたたずまいは、私がそれまで暮らしていたシンガポールや香港、あるいは東南アジアのその他の都市のチャイナ・タウンとそう変わりはない。しかし、人は同じ中国人でありながら、かなり違うように思われた。どこがどう違うのか、そのときははっきり自覚できなかったが、私は顔面筋肉がほぐれ、肩の力がすうっと抜けていくのを感じていた。全く台湾でメロメロといったぐあいなのである。

おそらく日本に着いたような錯覚を起こしたのに違いない。私がそう錯覚するほど、台湾の人々は日本的であった。日本人以上に日本人的であったとさえいえるかもしれない。一〇日後、実際に帰国した私は、物価高と空気汚染の東京で人々がガサガサしているのを発見し、逆に肩がこったのを覚えている。シンガポールでは中国語（彼らは華語と呼ぶ）を学び、香港では広東語（正確にいえば広州語）を使って生活していた私は他の日本人と比べたらはるかに自由な生活ができ、言語障害からくるストレスは少なかったに違いない。にもかかわらず、台湾でこのような体験をして、私は五〇年間の日本統治に思いをいたさずにはいられなかった。

この一文を書く動機はもう一つある。ここ一〜二年の中国ブームのなかで、中国についてあるいは日中関係についていてさまざまのことが語られたけれども、今度もまた台湾の民衆は無視された。戦後日本の中国研究者の間で、いつのまにか台湾をタブー視する風潮が形成され、台湾研究は少数の例外を除いてほとんど行なわれなかった。

日本政府は台湾政権を唯一の中国政府と認めるという虚構のうえに戦後の日中関係を展開したのであるが、これを批判した中国研究者の論理は、政府の論理の裏返し以上のものではなく、台北ではなく北京こそ正統であると主張することによって、台湾を中国研究の対象から外してしまった。台湾を含めの一つの中国という主張のなかで、台湾は事実上、忘れ去られ、一九六九年の日米共同声明の重大性を見落とし、七〇年春、周恩来四原則をつきつけられて、初めてあわてるという醜態を演じたのである。

いま「南進する日本資本主義」は東南アジア各地でさまざまな矛盾を生んでおり、これをめぐっていくつかの議論が行なわれているが、これらは弥縫策（びほうさく）、でなければ、現状では実現不可能のものが多い。われわれが真に日本と東南アジアとの矛盾を解決するためには、やはり原点に立ち帰って、問題の本質をとらえ直すことから着手しなければならないだろう。

この意味では、いまこそ台湾に関心を向けることがどうしても必要である。かってそうであったのと同じく、戦後も台湾は南進する日本資本主義の原点であるから。

呉濁流の苦渋に満ちた人生

さて、台北で私は旧知の作家・呉濁流氏を訪問し、長いこと話し込んだ。氏が七二年二月東南アジアを旅行された際に、シンガポールでお会いし、シンガポール案内をさせてもらい、そのとき機会があったら台湾でお会いしましょうと約束していたからである（氏はそのとき詠んだ漢詩を『濁流詩草』〔台湾文芸雑誌社刊、一九七三年〕に収めている）。

市内の小さな家の二階で、氏は著書二冊が相次いで東京で出版されたことをたいへん喜んでおり、もう一冊別のが出る予定だと、あとがきの原稿を見せてくれた。こう書いてあった。「およそ人間というものは、自分のしたことが客観的に間違っていても容易にその非を認めない。過去の日本帝国主義者は、東洋平和という偽りのスローガンを掲げて中国を侵略し、戦争を起こし、多くの人民を殺して台湾などを植民地化した。

第二次大戦後にも、やはりかつての日本と同様、強国が弱小国を侵略し、戦争を引き起こして多数の人命を正義の名のもとに殺傷しつづけてきた。このときにあたり、かつて日本の植民地だった台湾の現実を書いた拙著『アジアの孤児』を出版して、植民地体制の本質を新たに考えようとする、心ある日本人がおられることに頭が下がる」。

「心ある日本人」でありたいとは思っていても、そうであるといえる自信のない私は、呉濁流さんよりももっと低く頭を下げるほかなかった。

この三冊の本とは、昨年から今年にかけて東京で出版された『夜明け前の台湾——植民地からの告発』、『泥濘に生きる——苦悩する台湾の民』（以上二冊は社会思想社刊）、『アジアの孤児——日本統治下の台湾』（新人物往来社刊）のことである。

呉濁流氏は一九〇〇年、日本帝国主義下の台湾に生まれ、「公学校」（小学校ではない）、「国語学校」（後に「台北師範」と改称、ここでの国語とはむろん日本語を指す）を経て、「公学校訓導」（教諭ではない）を二〇年勤め、その後新聞記者生活のかたわら作家活動にはいり、現在は季刊雑誌『台湾文芸』を主宰して旺盛な活動をつづけている人物である。

その経歴からうかがわれるように、彼は日本統治下の台湾に育ち、数多くの台湾民衆とともに苦渋に満ちた人生を生きてきた。一例をあげれば、一九四〇年、彼はそれまでの二〇年の教員生活に別れを告げることになるが、これは新埔（彼の故郷）で開かれた郡主催の運動会のとき、郡視学をひやかしたために公衆の面前でなぐられたことがきっかけであった。「内台融和」「一視同仁」のスローガンとはうらはらに、現実には「本島人」への露骨な差別が行なわれており、ふだんから心のなかに鬱積していた不満・憤りが一挙に爆発した。彼は郡視学の謝罪を要求したが容れられず、結局これに抗議して教員を辞任した。

反骨教師が郡視学に抗議して辞任した、というのはごく小さな出来事にすぎず、あえてとりあげるには及ばないエピソードかもしれない。しかし、この郡視学が日本人であり、旧植民地での日本人は多かれ少なかれこのような態度で民衆に接したことを考えれば、このエピソードはかなり普遍性をもつであろう。ここには当時の帝国主義日本対植民地台湾の関係が、直接的に反映しているのである。

それだけでなく、こうした構造は戦後の日台関係あるいは日本と東南アジアとの関係においても、再生産されている事実に注目しなければならない。私はいま、数年前バンコクのナイトクラブで日本人商社員がホステスによって射殺され、同じころシンガポールで、ある日本人主婦が殺された事件を想起している。むろん戦前の日本植民地の民衆と戦後の商社員が全く同じだというのではない。

達意の日本文が語るもの

呉濁流の三冊の本はいずれも日本語で書かれている。彼は「もう官庁では、日本語のできないものは、馬鹿同然だ」といわれる風潮のなかで日本語を学び、「公学校児童の日本語のアクセントが悪いのは、本島人教員の責任だ」という日本人校長のもとで、教員生活を送ったのである。

フランツ・ファノンの『黒い皮膚・白い仮面』と同じく、あるいはアルベール・メンミ、カテブ・ヤシーヌなどのように（島田尚一「重み増す第三世界の文学」『朝日新聞』一九七三年七月一一日夕刊）、台湾の民衆も経済的収奪に加えて、言語と文化を奪われ、日本語という猿ぐつわをはめられた。彼らはいま敵の言語で、その屈辱・苦悩を語っている。こうみてくると、呉濁流の日本文が達意であればあるほど、その〈重さ〉にまず打たれる。

それにしても、私がここで「ファノンやメンミのように」と、はるか遠いアルジェリアを引き合いに出してわが台湾を語るというのは、なんとも奇妙な状況ではあるまいか。朝鮮文学や台湾文学を援用してアルジェリア文学を語るフランス人の話なぞ、私はまだ聞いたことがない。

それはさておき、この三冊に収められた小説、エッセイを執筆順に並べると次のごとくである。「アジアの孤児」一九四三～四五年、「陳大人」一九四四年、「夜明け前の台湾」一九四七年、「ポツダム科長」一九四八年、「泥濘」一九五〇年、「無花果」一九六八年。

この六編のうち、最大の力作であり、よく読まれたのは、やはり「アジアの孤児」であろう。この作品が一九五六年日本で出版（『アジアの孤児』一二三書房）されたとき、呉濁流は次の「自序」をつけている。

「この小説は戦時中、すなわち一九四三年に起稿し、一九四五年に脱稿したものであって、台湾における日本統治の史実の一部分を背景にして小説を綴ったものである。ただし、当時、何人もあえて筆にしなかった史実ばかりであって、これを忌憚なく、ありのままに描写したものである。そもそも胡太明の一生は、この歪められた歴史の犠牲者であって、精神の住み家を求めて故郷を離れ、日本にさまよい、大陸にも渡ったが、どこにも彼を安住させるだけの楽園がなかった。で、彼は一生悶えて、光なき憂鬱を覚え、絶えず理想に憧れ、常に理想からつき離され、ついに戦争の過酷な現実に遭って、もろくも一時は発狂してしまった。〔中略〕

当時、筆者の住んでいる家の前には北警察署の官舎がずらりと並んでいた。その中には顔見知りの特高も二、三人いた。この小説の第四編、第五編を書くのにすこぶる都合の悪い所で、したがって竦まざるを得ない。しかし、案外、灯台もと暗しでかえって安全だと思って別に場所を換えなかった。けれども万一の場合にそなえて、細心の注意だけは払って置いた。二、三枚書いては勝手の炭籠に隠し、これがたまると田舎の故郷へ疎開するようにした。

〔前略〕この小説の良し悪しは別として、第四編、第五編は筆者にとっては命がけの作品である」。

私は文学には不案内であり、この作品のできばえについて論ずることはできないが、日本の台湾統治がどのようなものであったのか、そのなかで台湾の民衆は、知識人はどのように生きてきたのかについては痛いほどよくわかったように思う。いや「ノド元過ぎれば」といわれるくらいで、自分で経験した痛みでさえ忘れてしまうのが人間であるとすれば、他人の、他民族の苦痛なぞ、とうてい理解不可能だといったほうが正しいのかもしれない。

「日本の台湾統治は、植民地支配のもっとも成功した例である」といった類の自己弁護はかなり広く行なわれている。私のような戦後派は、ややもすればこの種の謬論を反駁できず、「ソンナモンカナァ」と無批判に受けとりかねない弱さをもっていたが、この作品を読めば誰でも「成功した植民地支配」なるものが形容矛盾にすぎないこと、コトバの遊戯にすぎないことに気づくであろう。

かつて私は台湾人から「蔣介石よりは日本統治時代のほうがよかった」というのを聞いて、日本の統治はそこまで台湾人を変えてしまったのかと驚いたものだが、この作品で「皇民ボーイ」「皇民文士」を知るに及んで、ようやく彼の発言の背景を理解できたように思う。

「二十年も前から皇民化につとめ、和服と味噌汁の生活をつづけ……自分が任官できない理由が皇民化の不足にあると思いますますそれに精を出し……台湾人に対しては思い切って尊大であり、日本人に対しては思い切って卑屈」である「哀れな皇民派」の悲劇は決して「皇民派」だけの悲劇ではない。日中戦争が拡大するなかで台湾人は「帝国二等臣民」として同胞の殺戮にかり立てられていき、彼らは同胞からさえ敵視・疎外されることになる。

日本はいよいよ破局へ向かって下り坂をころげ落ち始めるが、ここで作者は日本人「佐藤」を登場させ、時局批判を行なわせ、「植民地搾取の合理化、その精神的武装の本拠」としての台湾大学を痛烈に批判させる。

当時このような「佐藤」がどれだけいたか、なにほどのことをなしえたのか、よく知らないが、日本人の読者としては、かろうじてここに救いを見出だすことができる。植民地支配は基本的には抑圧者日本人に対する被抑圧者台湾人という図式に尽きるが、作家の目は、「日本人の手先となって台湾人を苛斂誅求」する台湾人とともに、日本人のなかの「佐藤」をも鋭くとらえている。

「アジアの孤児」の主人公胡太明は、結局発狂して「それ、見給え！　どれもこれも虎の面をしている。人の肉を食う夷の様にあれ狂っている」（『アジアの孤児』、二九九頁）と叫び、やがて失踪するが、「どれもこれも、人の肉を食う虎の面」という妄想は、魯迅の「狂人日記」と酷似している。

歴史を見る目の確かさ

作中人物は失踪したが、作家呉濁流氏はこの狂気の時代を生き抜き、光復後、次々に作品を発表する。まず「陳大人」。典型的な漢奸であった一巡査補の半生を軽快なタッチで描いたもの。領台後間もなく「花はせんだん、人は警察官」といわれた時代に、テニヲハ抜きの迷通訳として名を揚げ、抗日ゲリラを逮捕して手柄をたて、「陳大人」と呼ばれ民衆から恐れられるようになるが、横領罪で検挙され、釈放後は乞食となる男の物語。

次にエッセイ「夜明け前の台湾」。これは二・二八事件の二ヵ月後に書かれたものだが、実に醒めた目で状況を見つめ、台湾青年の歩むべき道を論じている。「外省人」が「本省人」を「奴化」と非難すれば、後者は前者を「豚」と反撃するような状況のなかで、同じ中国人としての協力を説く主張は、実に説得的である。「奴化」をもたらした日本統治の功罪を論ずるくだりにも、歴史を見る確かな目が光っている。

第三、「ポツダム科長」。これは日本軍占領下の中国大陸で督察処特工科長をつとめ、日本降伏後台湾へのがれてきた漢奸范漢智と、夢多き台湾娘玉蘭との恋物語である。恋のきっかけは范が玉蘭にとって、あこがれの「祖国」から来た男であったことによるが、玉蘭の甘い夢はやがて裏切られる。

この漢奸范漢智に代表されるものこそ腐敗と汚職の国民党政権であり、かつて「立派な日本人」となるため、和服の着方まで習った皇民ガール玉蘭が台湾民衆の代表であることは容易に読みとれる。作者は玉蘭を通して、台湾民衆の祖国への期待が国民党政権によって裏切られる過程を描く。

第四、「泥濘」。主人公沈天来はもともと貧農であったが、人並みはずれた勤労と節約によって中農・富農へと上昇していく。やがて高利貸しをテコとして没落村長から土地をまきあげるや、こんどは小作人を骨までしゃぶり沈頭家（頭家とは地主のこと）となり、ついには当時の台湾における最高の名誉である紳章を授与されるに至る。

彼は同胞の小作人からはこのうえなく無慈悲に搾取したが、日本人の「派出所大人」（警察官）に代表される植民地支配者に対しては「賛成先生」とあだ名されるほど、徹底的に協力・迎合した。沈頭家は妾を囲い、さらに貧農の娘に手を出そうとして失敗、水争いで殺された小作人の亡霊に悩まされ狂死する。

作者は日本統治下に生きる台湾農民の姿、特に地主・小作関係を、沈天来の一生を通して生き生きと描いている。

第五、「無花果」。これは作者の自伝的長篇であり、七〇年の「平凡な人生」を淡々と語ったもの。祖父から抗日の物語を聞きつつ成長し、日本人と台湾人の対立する教育界で悩み、「アジアの孤児」を書きつつ光復を迎え、二・二八事件で失望するまでの歩みを身近かな素材に引きつけて展開していく。「無花果」の「私」の歩みは巧まずして領台から没落へ至るまでの日本統治史と重なっており、時代の証言としてたいへん興味深い物語となっている。作者の歴史を見る目の確かさを随所に発見し、大地に根をおろした中国人の強さに驚き、その人柄に親しみを覚えるのは私ばかりではあるまい。

台湾問題をタブー視する事大主義・権威主義がはびこるかと思えば、他方で民衆不在の台湾論が横行するといった状況のもとで、私は「無花果」の次の一段を一人でも多くの日本人にかみしめてほしい、と切に思う。

「台湾は自分たちの祖先が開拓したものであって、われら子孫は、それを守る義務がある。われわれの祖先が幾多の艱難辛苦と努力によって建設してきた村には、一寸の土地に一寸の汗と血と涙が流れている。〔中略〕いま義民廟に祭ってある魂はみな村のために戦った英雄である。〔中略〕この義民爺の精神が知らず知らずのうちに台湾人の血のなかに流れている。〔中略〕それで日本軍が来たというだけで抗日感情が湧き、抗日思想が生まれ、抗日行動となって、みずから進んで抗日戦線にはせ参じて戦ったのである。〔中略〕台湾人はこのような熾烈な郷土愛を持っていると同時に、祖国愛もまた持っている」。

「私は明治三十三年、すなわち日本に領有されてから五年目に生まれたので、もっぱら日本教育を受けて大きくなったのである。祖国の文化に接していないから、祖国の観念があるはずがないようではあるが、ことはそう簡単に理屈だけでは解釈できない。この目に見えざる祖国愛はもちろん観念であるが、しかしなかなか微妙なもので、つねに私の心を引力のごとくひいていた。ちょうど親に別れた孤児のように知りもしない親を慕う気持で、〔中略〕ただ恋しい、懐しい気持で慕い、とにかく親の膝下におりさえすれば温く暮らせるものと一方的に心のなかできめていた。〔中略〕この感情は知るものぞ知るであって、おそらく異民族に統治された、植民地の人民でなければ分からないのだろう。こういう気持はかつて清朝治下の民であったものなら当然であるが、それが私のように日本領台（合湾領有）後に生まれたものに、この気持があるのはじつにふしぎである。〔中略〕これがすなわち民族意識だろう」。

帰国後、私は呉濁流さんにお礼の手紙を啻き、写真を二葉同封した。数日後返信があり、一葉を雑誌に載せる予定だと書いてあった。私はその雑誌の届くのを楽しみに待っている。

（初出：『週刊東洋経済』一九七三年九月一日）

戴国煇との交友

ときに「国民党の特務」と罵倒され、ときに「台湾独立派」と誤解された戴国煇とはアジア経済研究所入所以来の交友である。その戴のお蔭で自称「日中友好派」から距離をおけたという。そして戴の日本帝国主義批判が、侵略者の責任と同時に侵略を許した責任も検討せよという歴史観を学んだことが最良の経験だったともいう。李登輝ならば望ましい両岸政策を採用できるかもしれないという期待から顧問として総統府入りするが、日に日に違和感はつのり三年を経て辞任。あえて虎口に飛び込み、権力と闘った「憤死」に至る経緯をたどり、戴を悼む。

初めての出会い

私は一九六七年一〇月にアジア経済研究所に入所した。大学を出てから五年半勤めた東洋経済新報社の記者生活を終えて、研究者としての生活を始めた。現代中国の研究を志したからには、なによりもまず中国語の学習からスタートしなければならない。机に本を広げて黙読しつつ、発音を確かめていた。そこには「請脱大衣吧」と書かれていた。私の本を覗き込み、傍らの鉛筆をとりあげて、「大」のところに「内」と書き込む男がいた。これによって「コートを脱ぎなさい」というなにげない中国語は、いきなり「下着を脱いでよ」というポルノまがいの一文に変身する。私は中国語の面白さにいまさらながら驚くとともに、それを書き込んだ男の顔をまじまじと見つめた。それが戴国煇との出会いであった。

戴国煇は一九五五年に来日し、東京大学農学部農業経済学科を経て大学院に進学し、六六年に農学博士の学位を得た。学位論文は『中国甘蔗糖業の展開』(アジア経済研究所刊、一九六七年)である。五〇年代後半から六〇年代前半までの約一〇年を戴国煇は東大のなかで暮らした。私は一九五八年に入学し、六二年に卒業した。時期的には重なるが、私は当時は面識がなかった。ただ私の二学年先輩の星野元男兄は文学部の大学院で同じ講義を受けたことがある由だ。研究所に入ってから、経済学部関係では矢内原忠雄教授の『帝国主義下の台湾』の話や、張漢裕教授の話などはしばしば出たが、私は駒場の俗称「矢内原門」を想起するのみであった。

さて博士号を得た戴国煇は農学部の恩師東畑精一教授の縁で同教授が所長・会長を務めたアジア経済研究所に就職した。一九六六年のことである。当時、半官半民の特殊法人が外国籍の職員を採用するのは珍しく、ここには東畑さんの強いリーダーシップがあったはずだ。私は戴国煇よりも一年半遅れて研究所職員となった。入所まもなく研究所には、新人の語学研修のためにいくつかの制度が用意されていることを知った。その一つは、ありがたいことに、中国語学習のために家庭教師を雇う費用を出してくれる制度さえあった。戴国煇に相談して見ると、戴夫人林彩美女史の弟で当時東大大学院で建築を学んでいた林登居氏を紹介してくれた。

アジア経済研究所調査研究部東アジア研究室がわれわれ中国班と韓国朝鮮班の大部屋であり、その隣が調査研究部長室、そしてその一角に戴国煇がいた。東アジア研究室の仲間は、尾上悦三、徳田教之、川村嘉夫、小島麗逸、小林文男、小林弘二の諸氏が先輩であり、年若い組には中兼和津次、加賀美光行、田近一浩がいた。これらは戴国煇といつも昼飯を食うグループ、時には食うグループ、食わないグループの三者に、いつのまにか分かれた。戴国煇を「アクの強い男」、「ずるい男」としか受け取らない向きは、アジ研内外に少なくなかった。あとで知るようになるが、事情は台湾でも同じであった。戴国煇は強い性格をもっており、そこから戴国煇に惹かれる者は惹かれ、逆に反発する者も少なくなかった。

研究所時代の思い出

まず竹内好の主宰する「中国の会」に連れていかれた。私の手元には創刊号以来終巻までの雑誌がある。戴国煇は竹内をひどく尊敬していた。批判と自己批判の論理と倫理などは彼から教わったのではないかと私は思う。たとえば昼休みに連れ立って神田の古本屋に出かけ、ゆっくり昼飯をくい、喫茶店でおしゃべりをするのは日常茶飯事であった。特に、古本市には誘い合って必ず出かけた。さらになにかにかこつけては、中華料理を食う会も頻繁であった。高価なシリーズ本などが出版されると共同購入の奉加帳が回された。仲間の注文をとり、出版社から本を受取り、代金を出版社に支払う。そうした面倒な仕事を彼はみずから買って出て、仲間から重宝がられた。この「世話好き戴さん」のイメージは、かなり印象深い。彼の周りにはいつも内外の客人が絶えなかった。その人脈を通じて、彼は異境にありながら故国やアメリカ、そして中国の最新情勢を学んでいたようだ。

アジ研の仲間との雑談を通じて少しずつ研究者の世界が見え始めた。研究所に入って二年目の秋、私は「現地調査」の機会を与えられた。いろいろ旅行先などを検討しているとき、所長の東畑精一さんの部屋に呼ばれた。「君は戴君と一緒に台湾へ行ってくれるそうだが、まあ何かあったら私に電話をしなさい」。正直のところ、私は当時、旅行を許されないが、報道を通じて知るだけの文化大革命に興味を抱いていたので、台湾行きにはそれほど乗り気ではなかった。とはいえ、兄貴分の戴さんが道案内をしてくれる台湾の旅は魅力的に思えたので、喜んでこれに応じた。東畑さんの所長室に呼ばれたのはこれが初めてではない。私は経済学部時代の恩師大内力先生の紹介状をもって研究所を受験したのであり、東畑先生は当初から私の名を覚えておられ、私の書いたものにまで目を通され、中身について質問されたこともある。そして私が明治期の訳語について関心をもっていたとを知ると、わざわざ明治初期の古い英和辞書を見せてくれさえした。それは中国語の「的」が日本語の「テキ」に変身する過程についての愚説に興味を感じていただいたためであった。

台湾訪問

佐藤栄作首相が沖縄返還交渉に旅立つ日、羽田空港は騒然としていた。われわれは同じ日に台北松山空港に飛んだ。ブラックリストに名のある戴国煇の安全のために、われわれは「アジア経済研究所台湾訪問団」なる代表団をデッチ挙げていた。戴国煇団長、矢吹秘書長、そして団員は図書室の内田君、さらに当時台北で語学研修をやっていた中兼和津次海外派遣員が加わるという、総勢四人の即席「代表団」であった。行政院秘書長蔣彦士や農復会沈宗瀚などを訪問したときの緊張はいまも忘れない。李登輝はコーネル大学で博士号を得て帰国したばかり。「技正」の地位でしかなかった。当然彼は一介のエコノミスト、時間はふんだんにあり、われわれにほとんどフル・アテンドに近い接待ぶりであった。当時の李登輝の言葉で私の記憶に鮮明なのは、『Formosa Betrayed（裏切られた台湾）』（George H. Kerr）をぜひ読んでほしいという言葉であった。私は一九五八年二月二七日、四谷主婦会館で開かれた二・二八記念一一周年集会で廖文毅「臨時総統」の演説を聞いており、二・二八事件について、少しは知識があったので、ではいずれそのうちに、と答えることができた。

台北での表敬訪問ののち、われわれは中壢の生家に向かった。戴国煇は一九五五年に日本に留学して以来、一九六九年秋の初の里帰りまであしかけ一五年ぶりの帰国である。親戚が一同に会して、戴国煇博士帰国歓迎会が開かれた。彼はそこでおよそ四〇分の大演説をした。それまで中国語を話す戴の姿を見ないわけではなかったが、この演説を聞いて私は初めてこの男は紛れもない中国人だと痛感したことを覚えている（ほとんど笑い話だが、アジア経済研究所に入所したばかりの戴国煇に対して、「君は台湾人だから中国語（北京語）を知らないだろう。教えてやろうか」、と優越感をひけらかした日本人の中国研究者がいた由。親しくなってからのある日戴は、はきすてるように私に述懐した）。

それから三〇年を経た一九九九年一一月、戴国煇は『台湾史探微』を出版した。グラビアの最後に五人の写った写真があり、「真ん中が筆者、留学満一三年後の一九六九年初めて中壢の家門に帰る」と説明がある。右から二人目が若き日の矢吹である。

それから台湾人ご自慢の鉄道「光華号」に乗り、高雄、屏東に向かった。屏東では砂糖キビ畑と製糖工場を訪問したことを覚えている。二週間（？）の台湾一周を経て、われわれは香港に向かった。銅鑼湾のアルバー・ホテルに宿をとった。香港大学では羅香林教授を訪問し、客家研究についての教示を受けた。そのときの三名の記念写真を戴国煇は『台湾結与中国結』（一九九四年）のグラビアに収めている。「一九六九年深秋、作者（左二）が香港大学教授羅香林（右二、『客家研究導論』の著者）を訪問」という説明がある。この写真の左側が矢吹である。

香港で戴国煇と分かれて私はバンコクへ飛び、その後クワラルンプールを経て、シンガポールでふたたび戴と合流した。タイ政府の入国ビザの取得が困難であったためか、それともシンガポール滞在を長くするためであったたか、記憶にない。シンガポールで再会すると、李光耀の演説を聞いたと興奮気味に話していた。それから復帰前夜の沖縄を経て帰国した。那覇では戴の東大における「留学生仲間」尚女史の歓待を受けた。パイナップルの缶詰工場では台湾からの移民労働者が働いており、本土とは異なる雇用事情に驚いた。琉球日報社長池宮城氏の著書『沖縄戦記』も頂戴した。那覇から東京へ向かうノースウエスト機では買い込んだ書籍が重すぎて超過料金をとられ、乏しい外貨がすっかり消えた。

一九七〇年一一月、三島由紀夫が割腹自殺した市ヶ谷本部は私の研究室のすぐ隣であり、ヘリコプターの騒音のなかで本を読んだ。

「随園の会」

故松本重治の追悼文集（国際文化会館編、一九九〇年）に私は求められて、次のような駄文を寄せている。「松本重治著『上海時代』（下巻）は一九七五年春に出た。その「あとがき」に「多くの友人知人」への謝意が記されているが、その末筆に光栄なことに私の名が見える。アジア経済研究所の同僚とともに、「随園の会」に加えて頂いたのは、たしか私が香港留学から帰ってまもなくのことではなかったかと思う。この会は若手（当時は）の中国研究者が松本先生を囲んで、中国料理をつつきながら、よもやま話をする楽しい会であった。新宿御苑前の随園別館に集まることが多かったので、いつとはなしにこの名がついた。（以下略）」この随園の会での談話あるいはヒアリングがもとになって松本の体験が回想録としてまとめられるのだが、そのプロモーターは戴国煇その人であった。戴は深い同時代的関心から松本の西安事件スクープを讃えつつ、その背景を熱心にインタビューした。

一九七五年深秋だと思うが、戴国煇の著作が後藤均平教授のお眼鏡にかない、立教大学文学部史学科教授に招かれることが決定した。同じ頃、横浜市立大学の佐藤経明教授がアジア経済研究所を根拠地として続けていた社会主義経済研究会で知り合った矢吹に誰か「中国語と中国経済の教員」を探しているから紹介してほしいという話を持ち出した。あれこれ話しているうちに、佐藤教授がニヤリとした。「なんなら君が来てくれたらありがたいのですがね」という。そこで友人たちに相談してみると、「公立大学なら、いい話ではないか」との声が多かった。そこでその旨、佐藤教授に伝えて、七六年春から移ることになった。

七六年三月、戴国煇と私がいよいよアジア経済研究所を去る準備をしていたさなかに、研究所を揺るがすような大きな騒動がもちあがった。

「アジア経済研究所〝放逐〟事件」

三月二日旧社会党中国派の雑誌と見られる『しんろ』（七六年三月号）が発売され、そのなかにアジア経済研究所動向分析部職員SIの書いた「ソ連社会帝国主義の助演者たち」と題する中傷記事が掲載された。同時に研究所二階に設けられた掲示板に「ア研労組日中交流委員会声明」なるものが貼りだされた。「戴国煇、矢吹晋のアジ研放逐にあたって」と題するビラにはこう書かれていた。「一〇年前有力台湾ロビーのひきで、公開入所試験を経ることなく、隠(ママ)び な型(ママ)でアジ研にもぐりこみ、時に「反日」や「親中」を装い、進歩的にもみせかけてきた両名は、ひそかに渡「台」、蔣経国と会ったり、『毛沢東思想万歳』なる台湾特務文献の流布に大いに走りまわり、陰に陽に、この政府関係機関において、日中離間策動に狂奔してきた。我々が一九七四年一二月二六日声明いらい指弾してきたとおりである。彼らは知らなかったであろうが、彼ら二人の正体については、すでに学界、マスコミ、学生、日中関係機関をはじめ広汎な人士が熟知したうえで、一斉総監視の体制をとってきた。現在彼らには、意を通じた「特定」のルート以外、拾いあげてくれる者はいない。一九七五年一二月中旬東畑、小倉元前会長らは、二人をよびつけ、「何ゆえの転身か」と叱責さえしたことは広く知られているとおりである。今「アジ研を去るにあたって」、いかに美辞を吐こうとも、アジ研放逐の真の事実はすでに周知のところとなっているのである。入り方、去り方ともに人目をはばかるではないか。すでに彼らは矢もタテもたまらず、くだんの「龍渓書舎」（中国側文献を（辞海など）秘かに入手しては無断でズサンな翻訳をし、最近はソ連の代理店であった刀江書院の後身から資金ルートをもち、大出版攻勢をかけてきている）に根城をかまえ世を偽れる限り「親中」の看板のもとに資本づくりに励んでいるわけである。我々は彼らが身は池袋（立大）、六浦（横浜市大）と離れようとも意図を通じあい屠刀をとぐことを知っている。今春以来、中国側と研究大交流の幕開けを迎えた我々は、アジ研において彼らが復活の望みをかけその一味徒党が策動することを決して許さない」。

オソロシイ文面だが、これはいったい何か。戴国煇も私もまるで狐につままれた気分であった。「ア研労組」なるものがアジア経済研究所の第二組合であることは、うすうす承知していたが、「日中交流委」なるものは初耳であり、そのメンバーはIE、HK、SI、この三人だけであった。労働組合を隠れ蓑にして、私利私欲を図る徒党グループによる理不尽ないいがかりであった。中国の文化大革命の模倣熱、あるいは戯画がそこにあった。

立場上、戴国煇はこの動きを黙殺するほかなかったが、私は次のように反駁した。「ア研労組某委声明」について、一九七六年三月六日矢吹晋。「一、私は一九六七年一〇月に入所したが、これは公開入所試験を通じてである。二、私は蔣某なる人物と会ったことはない。三、アジ研の元・前会長が私をよびつけた事実もなければ、叱責した事実もない。四、私が本年三月末をもってアジ研を辞し、横浜市大に移るのは、大学当局の要請に応ずるためである」。これに以下の「所感」を付記した。「一、『毛沢東思想万歳』は現代中国研究にとって不可欠の重要文献である、と私は判断する。それゆえ私は翻訳・研究を行ってきたし、今後もそれを続けていく覚悟である。二、私は、私の中国研究が〝日中離間策動〟なるものとは、およそ正反対のものであり、日中友好の一助となりうるものと考えている。三、事実と論理を重んずべき研究所において「組合活動」の名においてかかる暴挙を行うことが許されるならば、自主・民主・公開の原則は危殆に瀕するであろう。研究の自由を守るために私は闘う」。

三月三一日矢吹と戴国煇はアジア経済研究所を退職し、このトラブルはひとまず終わった。退職前後のある日、当時の小倉武一会長が戴国煇と矢吹などをホテル・ニューオータニの鉄板焼きに誘い、ごちそうして下さったのも懐かしい思い出である。

［追記］小倉武一氏は二〇〇二年二月一四日逝去された。享年九一歳。なお小倉氏は台北における戴国煇告別式の葬儀委員も務められた。東京の「偲ぶ会」がもし昼間に開かれたならば、出席されたはずであった。

戴家「梅苑」サロン

毛沢東の死去（一九七六年九月九日）を契機として、四人組が逮捕され（一〇月六日）、中国の文化大革命が幕を閉じた。文化大革命期の最末期に隣国では、そのカリカチュアにも似た騒動が起こっていたわけだ。いま思うに、戴国煇と私の友情は、このトラブルを契機にいっそう深まったように感じられる。実はこの退職を契機として戴家「梅苑」サロンが始まったのである。これは戴式無尽講であった。退職を機に戴国煇は西荻窪に自宅を新築した。建築資金の不足分を友人からの無尽でまかなった。メンバーは無利子で××万円を融資すること。利子の代わりに月一回、戴家で中華料理のフルコースを用意したパーティに招く、これが条件である。十数人のレギュラーメンバーによる「梅苑」サロンでは、さまざまの話題がとびかい、時にはゲストのスピーチを交えて、たいへん楽しい夕べであった。ちなみに「梅」は広東省梅県を指す。すなわち戴国煇の原籍あるいはルーツである。草風館の内川千裕と矢吹が幹事役を勤めた。当時のメンバーは小倉芳彦、後藤均平、林一など多士済々、戴家客間のスペースの許す限り、ゲストも入れ代わり、立ち代わりの豪華なサロンが毎月続いた。そこで懇意にさせていただいた方々は少なくない。当時のメモが欠けているのが惜しいが、これはまさに戴流「友達の輪」であった。

一九七九年春、矢吹は香港総領事館の特別研究員の身分で香港に赴任した。これを契機に出資金を返済してもらい、サロンから脱退した。まもなくサロン自体も幕を閉じた由。戴国煇は無事に借金を返済し終えた。当時は高度成長期であり、返済は予想外に容易になったとは後日の子息のコメントであった。

霧社事件研究のこと

戴国煇編『台湾霧社蜂起事件』（社会思想社、一九八一年）の「序」に戴国煇はこう記している。「思い出すのに、グループの体らしきものが、形つくられたのが一九七〇年の夏休みだった。本書の若い方の執筆者である宇野利玄、松永正義、河原功の三君がなお学部学生の頃である。執筆陣にこそ加わらなかったが、研究会活動の諸側面で貢献してくれた若林正丈君が、某日、宇野、松永両君と相携えてアジア経済研究所に私をたずねて来た。台湾を研究したいと言う。コーヒーを共にしながら私は、止めた方がよいと答えた。その理由として、「台湾研究では飯が食えない」、「台湾研究をすると否でも応でもあらぬ政治的レッテルをはられる羽目になって不利だ」の二つをあげた」（二頁）。

戴国煇は前の文に続けて、台湾をタブー視する風潮を慨嘆している。「その頃、実に奇妙な雰囲気のなかで日本の中国関係学界は「一つの中国論」を主調音にしていた。そして人びとはただ口先でそれを唱えるだけだった。はじめから「一中一台」論を主張する保守系は論外としよう。だが「一つの中国論」者らが、一方で「台湾は中国の一部である」を既定の前提にしながら、他方で、台湾を研究対象に選ぶことも、台湾への訪問をもタブー視する風潮を自ら瀰漫させ、政治に名を借りたもっとも不毛な非政治的形式論理で自らの「頭」を金縛りにしていた。そのぶざまさは、「奇怪」を通り越して実に痛々しかった。それらの人びとのうち、なかんずくイデオロギー過剰派の一部の人は、いとも単純に台湾からの留学生をば、機械的にそしてアプリオリに「国府支持者」、「国民党の特務」、はたまた分離主義者グループたる「台湾独立派」と決めつけるお粗末な所業すら平然と行なう有様だった。否、今なおその種の人がいるとも伝え聞く。彼らはこの種の非分析的「怠け者」の「論理」で、自らの「一つの中国論」（内実を著しく欠如させた空疎な代物でしかないのが一般だった）を繕い、「安心立命」して、与えられた「日中友好」の「温泉」にナルシストよろしく遊泳してはばからない。そして自ら不毛の環境を研究の場で無意識につくり上げるのでもあった。私には若林、宇野、松永三君は、ぬるま湯的「大池」に「遊ぶ」気がない人びとと見えた」（二頁）。台湾訪問や台湾研究そのものをタブー視する風潮のなかで、時には「国民党の特務」と罵倒され、時には正反対の「台湾独立派」と誤解された戴国煇の嘆きを私は早くから耳にしていたおかげで、自称「日中友好派」と距離をおくことができたのは、大いなる幸運であった。

この霧社事件研究には私は直接は参加していない。一九七九〜八〇年、私は香港総領事館で居候していたことも一因である。ただ、この霧社事件に取り組む戴国煇の姿勢に感動したことだけを記しておきたい。それは漢民族自身の自己批判である。霧社事件が日本帝国主義による台湾の少数民族に対する虐殺事件であることはいうまでもない。問題はこの少数民族抑圧の過程においては、漢民族にもまた陰に陽に抑圧体制に参加した責任があるという自己認識である。日本帝国主義を批判するのは誰でもやることだ。問題は何を根拠として何を批判するかだ。戴国煇が日本帝国主義を批判する時、その批判の刃は同時に抑圧体制に加担したみずからの同胞、族群にも向けられる。つまり、戴国煇はみずからの胸に手をあてつつ、批判の言葉がただちにみずからに跳ね返ることを自覚しつつ、言葉を発しているのに気づく。私が戴国煇から学んだ最良の経験は、この一カ条だと信じている。この論理をより一般化すると、侵略や抑圧を考えるときに、侵略者の責任と同時に侵略を受ける者の、侵略を許した責任をも合わせて検討せよという歴史観につながる。清朝政府の腐敗、民国政府の腐敗こそが侵略を許したもう一つの大きな要因だから、そこにメスを入れることなく、単に日本帝国主義を批判するだけでは、真の批判にならない。戴国煇はこのような歴史観をしばしば私に語った。

台湾睾丸理論

一九八九年一〇月、私は戴国煇夫妻、小島麗逸とともに台湾を訪問した。『中国時報』のシンポジウム「中国民主前途研討会」に招かれたものである。おそらくこれは戴国煇が小島と私を推薦したものである。このシンポジウムには王作栄も出席しており、私は初めてこの人物と会った。

一九九〇年秋、戴国煇は『台湾、いずこへ行く?!——診断と予見』（研文出版）と題した評論集を出版した。数え年なら還暦の戴国煇に大きな心境の変化がみられると私は思う。一九八八年、立教大学国際センター長としての公務で戴国煇は初めて大陸の土を踏んだ。文字通り「走馬看花」には違いないが、大陸の貧しさや官僚主義などに強い衝撃を受けたように思われる。そのイメージをさらに増幅させたのは八九年の天安門事件であった。一方で共産党下の大陸の政治をよりリアルに認識するようになり、他方では九〇年五月二〇日の李登輝総統就任演説から台湾の未来に明るい展望を感じるようになった。この意味で八八〜九〇年は戴国煇の人生にとって大きな転機となったように見受けられる。

「李総統には〝台独〟も〝独台〟のいずれの〝気〟もないように私には見える」（六三頁）。「ゴマすりに有頂天になり、慢心が生じた権力者は、いずれ自滅するのが古今東西の史例だ」（六六頁）。前者は李登輝への期待である。後者は李登輝への警告である。

一方で大陸をみずから観察し、他方で台湾の行方に対して具体的な希望を感ずることによって、彼は「睾丸の理論」を構想した。「香港・マカオと台湾対大陸の関係はまさに睾丸と本体〔身体〕の比喩的関係が成立する」「睾丸を体内に吸い込めば精子が死亡し、機能しなくなる」「香港・マカオと台湾が、〔中略〕中国大陸と「不即不離」の「有機的関連性」を保つことは、むしろ双方にとって望ましい事態といってよいだろう」「伝統的な統一論以外に、邦聯（国家連合）、聯邦（アメリカ合衆国が一つの事例）、それに台湾独立の可能性と空想性、有利性と危険性の諸側面をもあわせて議論されることが、中華民族の若い世代に、大きな理想と「夢」を与えることにつながってゆくと信じ、かつ希望するものである」（七二〜五頁）。

戴国煇はその後一九九四年に『台湾結与中国結――睾丸理論与自立・共生的構図』を出版し、睾丸理論を発展させた。私が『巨大国家 中国のゆくえ』を出版したのは、九六年六月だが、この原稿は九四年ごろ書かれた。戴国煇の「自立・共生」論と私の考え方は発想も論理も異なるが、重なる部分が少なくない。大陸で計画経済を放棄し、市場経済に転換したのは、香港や台湾の経済から教訓を得たものだと私は繰り返し語ってきた。戴国煇は同じような認識を別の言葉で語っているように私には感じられてならない。

李登輝会見（一九九五年秋）

一九九五年一〇月、私は再び戴国煇夫妻と台湾を訪問した。これは台湾大学法学院の許介鱗教授の主催したシンポジウムで「ポスト鄧小平期の海峡両岸関係」について報告するためである。このときは、シンポジウム終了後に、李登輝総統の接見を受けた。その席で、まさに戴国煇は「出エジプトと出エジプト記」の違いを論じた。王作栄も同席した。『王作栄が李登輝を語る』を頂戴した。

一九九七年夏休み、私は台湾大学法学院の許介鱗院長に身元を引き受けてもらい、台湾で一カ月を過ごした。再選された李登輝は台湾をどこへ導くのか、戴国煇はどのようなアドバイスをするのかを観察するためであった。戴国煇と李登輝の間が離れつつあることを強く印象づけられた。そのとき、戴国煇は陳映真や藍博洲に会うよう勧めてくれたので私はこの二人と会った。藍博洲は戴国煇の「総統府入り」にかなり批判的であり、酒席であるとはいえ、「戴国煇もついに閣僚級のポストに目がくらんだ俗物か」、という趣旨の発言さえした。私は妙な立場に立たされたが（一方では、アジ研の先輩滝川勉さんの口真似をして「政治に首などつっこむとロクなことはないよ」と一方で揶揄しながら、他方では敢えて政治に飛び込む旧友の心情を思いつつ）、「まあ、戴国煇には彼なりの計算があるはず。静かに見守るべきだ」と藍博洲に釈明した。

突然の死去

二〇〇一年一月、戴国煇の死去をインターネットの『中国時報』で知り、ひどく驚いた。友人知人に知らせるとともに、矢吹のホームページに台湾各紙に登場した追悼記事などを掲げた。二月一〇日台北で追悼会に出席し、そこでしめし合わせた『聯合報』王震邦記者、『中国時報』夏珍記者、そして映画「悲情城市」の原作たる『幌馬車の歌』の著者藍博洲と昼食をともにしながら、戴国煇の生と死について語り合った。テレビ朝日台北支局長の高橋政陽記者がアレンジしてくれたものだ。私は彼らから、李登輝総統の顧問として「総統府入りしたあとの戴国煇」について、とりわけ「辞任したあとの戴国煇」、そして夏珍記者の手により『李登輝・その虚像と実像　対談戴国煇と王作栄』（草風館、二〇〇二年。原書は台湾版『愛憎李登輝』）が本になるまで、精魂を込めて最後の本を校正した裏話を聞いた。私自身が彼らに説明したのは、滞日四二年の戴国煇の素描と私との交友史である。

旧知の王震邦、そして初対面だが話のはずむ夏珍との会話を聞くばかりで、ずっと沈黙を守っていた藍博洲がいきなり「戴国煇気死了」と叫んだ。「彼は李登輝の行為を支持できず、痛苦を感じていたからだ」と早口に語った。その通りだと私は同意した。東京で訃報に接して、「憤死」の言い方がふさわしいと感じて台北に来たが、いま皆さんとお話をしていて、むしろ「諫死」とさえ言ってよい気がする、と応じた。

私は三年前に藍博洲が戴国煇をきびしく批判したことを想起していたし、藍博洲自身もみずからそれをかみしめているように思われた。口ではいわなかったが「やはり老戴はわれわれの仲間であった」と三年前の発言を悔いていているように思われた。

翌一一日付『中国時報』に夏珍記者はこう書いた。「戴国煇の同学・横浜市立大学教授矢吹晋は追悼会に際してこう表明した。戴国煇は四年前、李登輝に対する満腔の期待を込めて、李登輝ならば両岸問題を解決できるものと信じて顧問となった。しかし、李登輝のその後の言論は、戴国煇にとってますます受け入れがたいものとなった。司馬遼太郎の『台湾紀行』の出版後、戴国煇は憤りをこめてこう表明した。「司馬は小説をもって読者の感情を騙すやり方で台湾についての誤った観点をとりだし、日本人を騙した」。そこで戴国煇は四篇の長文を書いて、司馬遼太郎に対抗しようとした。矢吹晋が考えるには、戴国煇の李登輝に対する期待は失望に変わり、最後は鬱屈して憤死した。いや死を以て諫したとさえいってよい。戴国煇の厳粛公正な史観はやがて歴史によって証明されるであろう」。

戴国煇の判断ミスとその訂正の仕方

戴国煇は李登輝の「台独」あるいは「独台」を頭から決めつけることをせず、顧問として時宜を得たアドバイスを提起するならば、李登輝は望ましい両岸政策を採用できるとその可能性を信じた。一九九六年彼は満腔の期待を込めて立教大学を定年一年前に辞して、総統府国家安全会議諮詢委員の椅子に就いた。身近にみる李登輝は、日本から遥望する李登輝と異なっていた。戴国煇の違和感は日に日につのり、ついに顧問就任満三年を経た五月一九日辞表を提出した。「君に伴うは、虎に伴うごとし」（『愛憎李登輝』一七九頁）。虎に食われる前に、戴国煇は虎口を逃れた。

君主が虎たることをなぜ事前に見抜けなかったのか、という非難・批判は当然甘受しなければならない。これに対する戴国煇の「交代」（説明）は、以下のごとくである。第一に李登輝は司馬遼太郎の甘言以後舞い上がったのであり、その前後を区別しなければならない。第二にもし李登輝の顧問として肉声の聞こえる位置まで近づくことがなければ、権力者としての李登輝を十分に知ることができず、それゆえ的確な批判が不可能である。外在的な批判たらざるをえない。戴国煇にとってはおよそ二つの弁明が可能であり、二点ともそれなりの説得力はある。だが、「台独」（台湾独立）なり「独台」（中華民国の独立）に傾斜しつつある李登輝を正道に戻すことが可能だと信じた彼の判断が大きなところで誤ったことは覆いがたい。そこから彼の痛苦に満ちた反省が始まり、その深刻な悩みこそが彼を死に導いた。戴国煇の志とは異なって、「出エジプト」の新解釈も権力者の花瓶にされてしまったわけだ。「批判はするが造反はしない」、これが王作栄の権力に対する基本的な態度であり、王作栄の李登輝に対するスタンスも同じである。戴国煇は王作栄のこのスタンスを理解しつつ、一歩踏み出して、李登輝神話の破壊に全力を傾注する。その神話の形成にみずからもなにがしかの責任をもつがゆえに、神話の破壊に努める彼の努力は必死である。彼はこうして誤謬の訂正に死力を尽くした。進行する肉体の病いと戦いながら、これに打ち込む戴国煇の決意は悲壮である。

もしここまで李登輝にコミットすることがなければ、そこまで必死に神話の破壊に取り組む必要はなく、安楽椅子に座する歴史家として生涯を終える道もあり得たはずだ。ただ、戴国煇は敢えて虎口に飛び込み、権力という虎と果敢に闘った。藍博洲が「気死了」と叫び、私が「憤死」と応じたのは、この意味である。しかし戴国煇よ、李登輝の影響力は日々衰え、流れは静かに変わりつつある。安らかに眠れ。

（初出：『李登輝・その虚像と実像』草風館、「追悼・戴国煇―解説に代えて」、二〇〇二年五月）

チャイメリカ

冷戦体制下では米ソ間の貿易経済関係は極度に制約を受けていたが、今日の米中関係は軍事的対立を含みながらも経済交流は活発であり、相互補完関係は深まってきた。数年来、貿易摩擦をめぐって米中は激しく対立し、世界はかつての米ソ対峙構造とは似て非なる米中二極からなる構造＝チャイメリカ体制に翻弄されている。米中の協調と対立（決定的対立は回避）、戦略対話という渦に日本は無自覚に巻き込まれているだけではないか。米国の対日軽視、中国の対日不信を解消するには「米国頼り」から脱却し、東アジアにおける平和への努力を積み重ねるしかない。

序に代えて

ロシア革命と中国革命の関係

二〇世紀前半に行われたロシア革命と中国革命との関係を最もわかりやすく説いたのは、毛沢東の次の一言であろう。いわく「ロシア革命の砲声が中国にマルクス・レーニン主義を送り届けてくれた」。中国は以後、ひたすら「ロシアの道」を模倣し続けた。一時、ロシアの道とは異なる中国の道を模索した。毛沢東が主唱した「大躍進政策」と「文化大革命」である。その試みは結局失敗し、二〇〇〇～三〇〇〇万人の餓死者さえ出た（推計方法は、拙著『図説 中国力』四一～四二頁）。理想社会を目指した結果もたらされた地獄絵である。

四分の三世紀の試行錯誤を経て、マルクス・レーニン主義の先達・ソ連は、アメリカ資本主義との生産力競争に敗れて、一九九一年に崩壊した。スプートニクをアメリカに先立って打ち上げ成功し、一時はアメリカをしのぐかに見えたソ連は、結局はアメリカとの生産力競争に敗れ、解体し、いわゆる東欧圏は拡大ＥＵの一角となり、東西ドイツの統合が行われた。

ソ連の崩壊後、中国を襲ったのは「蘇東波」というツナミである。北宋代の詩人「蘇東坡（そとうば）」を一文字変えたこの表現は「ソ連東欧からの民主化の圧力」であった。ポスト冷戦期に誰もが、「次は中国の民主化」を想定したのは、中国の計画経済が基本的にソ連と同じシステムで運営されていたことを裏書するものだ。

しかしながら、中国がソ連解体の道を歩むことはなかった。その理由は、二つ挙げられよう。一つは鄧小平が事態を先取りして、「市場経済の密輸入」にすでに着手しており、これが人々に生活向上への希望を与えていたこと、もう一つは政治支配体制の徹底的な引き締めによる「管理社会」の構築である。この政経分離体制はこれまでのところ功を奏している。すなわち中国共産党の指導下における資本主義的原蓄の発展である。

旧ソ連圏の解体以後、資本主義体制の勝利を語る声が大きくなり、一時は「アメリカの一人勝ち」を称賛する声が世界にこだまして、市場経済の勝利は磐石に見えた。だが、これを契機に加速度を増した新自由主義の暴走は止まるところを知らず、結局「アメリカの一人勝ち」は十数年しか続かず、「驕るアメリカ、久しからず」を絵に描いたようなありさまとなった。二〇〇八年のリーマン・ショックは、世界経済を大恐慌以来の危機に陥れただけでなく、三年後にはギリシャ・ソブレン危機を誘発し、それはEU全体に連鎖反応的な衝撃を与え、今日なお収束の兆候は見えない。

このような状況を踏まえて、『フォーリン・アフェアズ』（二〇一一年一一月／一二月号）は、「アメリカは終わったのか？」を特集し、雑誌『ニューヨーカー』のジョージ・パッカー記者の「破られた契約——不平等とアメリカの凋落」（George Packer, 'The Broken Contract: Inequality and American Decline'）を掲げた。これによると、一九七九年から二〇〇六年にかけて、アメリカ中産階級の所得は四〇％増えたが、最貧層では一一％しか増えていない。これに対して最上位一％の所得は二五六％も増えて、国富の二三％を占めるようになった。これまで最大であった一九二八年を上回るシェアだ。アメリカはすではなはだしい階級社会と化した。まさにアメリカンドリームの終焉を意味する。格差の拡大と富裕階級の固定化がアメリカ人の夢をもはや実現不可能なものとした現実を鋭く指摘したものであった。ニューヨークのウォールストリートを占拠した失業者たちが訴えたのは、まさにこの現実であったと見てよい。

なぜこうなったのか。アメリカンドリームが存在した時代には、政府がさまざまな規制やルールを定め、所得の比較的に平等な配分を保証しようとしていた。商業銀行の資金が投資銀行に流れるのを禁止するグラス・スティーガル法（the Glass-Steagall Act）はその象徴であった。この規制により投機の行き過ぎや過剰競争は規制され、社会を安定させるためのさまざまな機関・制度が存在する国――これがアメリカであった。これらの機関は「公共の利益」を守るために機能した。中産階層の大国であるアメリカは、こうして守られてきた。顧みると、一九七八年頃のアメリカはベトナム戦費で疲弊しどん底にあったが、これは一見アフガンやイラク戦費に悩む現代と酷似する。しかし、決定的な相違点がある。それは一九七八年には「公共の利益」を守る規制や機関が機能し、アメリカンドリームを保証するシステムが生きていたことだ。

なぜか。大恐慌後の一九三三年から一九六六年にかけての三〇年間、連邦政府には消費者・労働者・投資家を守るために、一一の規制機関が設立されたし、さらにその後もこの傾向は続き、一九七〇～七五年には環境保護局（the Environmental Protection Agency, EPA）、労働安全衛生局（the Occupational Safety and Health Administration, OSHA）、消費者製品安全委員会（the Consumer Product Safety Commission, CPSC）を含む一二の規制機関が次々に設立された。

ところがこれらの規制措置や規制機関は、この三〇年間に「新自由主義」なる妖怪の圧力でほとんどつぶされてしまった。「公共の利益」を維持していたシステムのほとんどが大企業によって乗っ取られ、「公共の利益」の分野が、企業が利益を上げるためのビジネスの分野に変化した。かくてアメリカは、もはやアメリカンドリームが生きていた時代に戻ることは不可能だ。「アメリカは終わった」（America is over）。これがジョージ・パッカー記者の結論である。

以上を私なりに要約すれば、二〇世紀世界は「社会主義への希望」に明けた。一九二九年の世界恐慌以後とりわけ、社会主義への対抗を強く意識した資本主義世界の福祉国家を目指す経済政策によって資本主義は補強され繁栄を誇ってきた。資本主義世界は社会主義システムの挑戦を見事にかわして、その生命力を誇示するかに見えた。

しかしながら挑戦者ソ連が力尽きようとした一九七〇～八〇年代に、アメリカは一人勝ちを謳歌してアメリカンドリームを食いつぶす愚行を演じた。その結果、挑戦者ソ連が一九九一年に解体して二〇年経たないうちに、リーマン・ショックに襲われた。とはいえ「アメリカの終わり」は、旧ソ連解体の姿とは異なり、「終わりの始まり」にすぎない。そこに新たな役割を担うべく登場したのが中国である。

『フォーリン・アフェアズ』（二〇一一年一一月／一二月）特集号が掲げたもう一つの論文は、「縮小の英知――アメリカは前進するために縮小せよ」（'The Wisdom of Retrenchment: America Must Cut Back to Move Forward'）で、その筆者はパレント（Joseph M. Parent, Assistant Professor of Political Science at the University of Miami）と、マクドナルド（Paul K. MacDonald, Assistant Professor of Political Science at Wellesley College）である。この論文によると、一九九九年から二〇〇九年にかけて、世界経済に占め

るアメリカのGDPシェアは二三%から二〇%へと三ポイント減少した。そして中国のGDPシェアは七%から一三%へ、ほとんど倍増した。この発展スピードが維持されるならば、二〇一六年には中国のGDPがアメリカを追い越す〔念のために記すが、この種の展望は世界銀行やIMFがしばしば行っており、特に楽観的な見方とはいえない〕。

論文「縮小の英知」によると、アメリカはいま覇権国家に通弊の三つの問題を抱えている。すなわち、①過剰消費（over-consumption）、②過剰（対外）膨張（over-extension）、そして、③過度の楽観主義（over-optimism）である。これに挑戦する中国は四つの矛盾を抱えている。すなわち①国内不安（domestic unrest）、②株式・不動産バブル（stock and housing bubbles）、③汚職・腐敗（corruption）、④高齢化（aging population）である。

「縮小の英知」が指摘したこれらの問題点は、ほとんど常識であろう。それゆえ、論文の新味は、これらの現状分析の論理的帰結として、「縮小」（Retrenchment）以外にアメリカの選択肢はないと明快に論じたところにある。そしてここに、この『フォーリン・アフェアズ』の特集の意味があるわけだ。

中国資本主義の成功とチャイメリカ構造

一九世紀後半から約一世紀の混乱を経て独立した中国の共産党政権は、計画経済という名のアウタルキー経済を指向したが、毛沢東時代の終焉とともに、国際的立ち遅れを痛感した。毛沢東の後継者・鄧小平は一九七八～七九年に、「貧しい平等主義」路線では、政権を維持できないことを察知して、一八〇度の政策転換を行い、改革・開放に転じた。すなわち対外的には鎖国から開放政策への転換であり、国内的には、計画経済システムを市場経済システムに改め、グローバル経済の「軌道」に、中国経済を乗り入れることを企図した。八〇年代初頭の「四つの経済特区」で試行された市場経済化は、沿海の主要都市に拡大され、やがて点から面へと拡大し、中国経済全体の市場経済化が進められた。

遅れてグローバル経済に参加した中国は、豊富な低賃金労働力を十分に活用して、世界の工場となり、人民元安の為替レートでひたすら外貨を蓄積した。これはほとんど飢餓輸出に似た強制貯蓄のメカニズムであった。中南海の指導部にとって九〇年代半ばの台湾の奇跡が実現した外貨一〇〇〇億米ドルは、垂涎の的であり、彼らはほとんど外貨不足トラウマ、「米ドル物神崇拝」に陥った。一九九四年元旦の外貨兌換券廃止により、交換レートが実勢を反映したものになると、輸出入は黒字基調が安定し、これを好感して外資はようやく、人民元への信任を回復し、中国大陸への投資を開始した。

その後、中国は貿易黒字と直接投資の流入を極力活かして外貨準備を積み上げ、二〇〇六年に一兆ドルを超えて、日本のそれをわずかに上回った。これは鄧小平路線の成功であるとともに失敗をも意味する。「成功」とは、経済的発展だが、「失敗」とは、政治改革の失敗である。鄧小平自身は最後まで、経済的成功を踏まえたうえでの政治改革を朱鎔基抜擢等により模索したが、鄧小平の後継者・江沢民と胡錦濤はいずれも政治改革を断念し、あるいは無期延期して、官僚資本主義への道に流された。

その後、米中経済関係は、発展し続けた。第二期ブッシュ政権で「責任あるステークホルダー」(**Responsible Stakeholder**)、オバマ政権で「戦略的確約保証」(Strategic Reassurance) と密着度を深めたあと、二〇一〇年夏の米国防総省（ペンタゴン）報告が「国際公共財」(International Public Goods) のキーワードで中国軍の役割を称賛するところまで発展した。

その直接的含意は、国連の平和維持活動、反テロ活動、災害救援活動において、中国軍がいかに国際貢献を果たしているかを繰り返し強調・称賛したものだ。すなわち中国軍が「中国の国益」を守るために活動することは当然だが、そのほかに「国際秩序を守る」ためにさまざまの活動を行っており、その役割はますます大きくなりつつあると称賛したのである。ペンタゴン報告書が中国軍に対して、このような微笑外交を送ることの遠謀深慮は明らかだ。米中協調（結託）による国際秩序維持の枠組み作りを展望するためにほかならない。

アメリカの従属国・日本がどれほど米国債を保有したとしても、まず政治問題にはなりえない。しかし中国は、場合によってはそれを売却することで対米圧力をかける可能性をもつ。ここで中国が失うのは、さしあたりは一兆数千億ドルだ。アメリカが失うのは、「基軸通貨国としての地位」である。どちらがより多くのものを失うか。いくつかの見方が可能だが、アメリカとしては中国がそのような敵対的行為に走らないように、米中協調のシステムを構築することが喫緊の課題であり、この同床異夢が米中政府当局によって明確に認識され、その努力が続けられた。

このようにして成立した直接対話の枠組みをもつ今日の米中関係を、私は仮に「チャイメリカ（体制）」と呼ぶことにしたい。このチャイメリカは、かつての米ソ冷戦体制と似て非なるものである。すなわち米ソ冷戦体制下では、米ソが二つの陣営に分かれて対峙し、陣営間の貿易など経済関係は、極度に制約を受けていた。しかし今日のグローバル経済下のチャイメリカ構造においては、米中貿易はきわめて活発であるばかりでなく、低賃金と安い人民元レートを用いて、いわば飢餓輸出にも似た政策によって大量に貯め込んだ米ドルの過半部分が米国債などの買いつけに当てられている。

こうして米中関係は、一方ではかつての米ソ関係のように軍事的対立を含みながら、他方経済では、「過剰消費の米国経済」を「過剰貯蓄の中国経済」が支える相互補完関係がこれまでになく深まっている。これがチャイメリカ構造の核心であり、今日の米中関係は、軍事・経済双方の要素についてバランスのとれた観察を行わなければ、理解できない構造になっている。

中国官僚資本主義のゆくえ

では中国経済は、アメリカにとって、世界経済にとって頼りになるか。中国がさまざまの強さとともに弱点をもつ経済であることは、ほとんど常識であろう。とはいえ、中国経済は成長率が多少鈍化するとはいえ、今後少なくとも一〇〜二〇年程度は高度成長を維持するであろう。中国経済において、最も重要な論点は、おそらく生産力の量的発展ではなく、その帰結として成立した特殊な国家資本主義、すなわち官僚資本主義体制ではないか。所得格差の拡大という量的な問題ではなく、すでに「官僚主義者階級」(毛沢東の表現)と呼ばれる階級が成立し、経済政策の中心がこれらの人々の階級的利害によって左右されていることが問題の核心ではないのか。その結果は「労働分配率の激減」や「ジニ係数の極端な悪化」に示されている通りである。

二〇一一年七月一日、中国共産党は建党九〇周年を祝賀したが、祝賀ムードから透けて見えるのは、社会の治安維持のために全力をあげる方針を繰り返す姿である。そのキーワードは、「社会管理」の四文字だ。中国の直面する重大な社会問題群、たとえば①流動人口、②インターネット言論の活発化、③都市・農村境界付近の社会治安問題、④犯罪者の管理、⑤NGO・NPOなどの社会組織に対して、

「ただ管理あるのみ」の政治姿勢である。

市場経済システムの導入のもとで、経済活動に関する限り一定の自由化が進展したが、その背後で着実に進展してきたのは「管理社会」の構築にほかならない。これはほとんどジョージ・オーウェルが一九四八年に描いた未来図『一九八四年』に酷似する世界である。毛沢東は一九六四年五月に「官僚主義者階級と労働者・貧農・下層中農とは鋭く対立した二つの階級である」、「資本主義の道を歩むこれらの指導者は労働者階級の血を吸うブルジョア分子にすでに変わってしまったか、あるいは今まさに変わりつつある」と断言して、文化大革命を発動した。

文革が失敗したのち、ポスト毛沢東期に行われた、中途半端な市場経済への移行政策によって、ノーメンクラツーラと呼ばれる特権階級によって事実上の私物化（制度的な民営化（privatization）ではない）が行われ、「官僚主義者階級」が生まれた。この階級は、アメリカの一％の富裕階級よりも、より巧みに組織された支配階級に成長しつつある。高度成長の過程において労働分配率の激減をもたらし、ジニ係数を悪化させたのは、これら支配階級が経済政策を左右してきたことの帰結にほかならない。中国はいまや「アメリカ以上に所得格差の大きい」国と化しつつある。この文脈では、現存のチャイメリカ経済構造とは、「相互に所得不平等（inequality）を競う体制」でもある。これが二一世紀初頭の現実である。二〇世紀初頭には、人類進歩への希望が存在した。二一世紀初頭の今日、失望・絶望という世紀末的状況が継続し、再生への光はまだ見えない。

補論 「官僚主義者階級」あるいは、国家官僚資本主義について

（1） トロツキーは『裏切られた革命』（一九三七年）で、「官僚制が生産手段を統制している」事実は認めたが、「特定の所有形態を欠いている」との理由によって、支配「階級」を構成しているとはいえないと考えた。したがってソ連にとって必要なのは、「十月革命のような社会革命」ではなく、「官僚制の排除を目的とした政治革命である」と結論した。

（2） その後、イタリアのブルーノ・リッツィは『世界の官僚制化』（一九三九年）において、官僚制はみずからに高い給料を支払うことによって、プロレタリアートの剰余価値を所有するようになった以上、ソ連では「新しい階級が発生した」と論じた。ただリッツイは官僚制の技能を高く評価し、官僚と労働者階級との間のギャップが最小に至るべく労働者生活の物質的条件を高めるうえで官僚制が有効であると考えていた。

（3） リッツィに代表される「新しい階級」論をさらに徹底させたのは、ミロバン・ジラス（ユーゴスラビアの理論家、元大統領補佐）の『新しい階級』（一九五七年）であった。ジラスは「社会主義国家は政党によって運営されており、政党は官僚制である」「官僚制は国有財産を使用、処分する権限をもつがゆえに一つの階級である」「この官僚制は、権力とイデオロギー的独断主義という二つの重要な要素に依拠している」「これは過渡的な現象ではなく、国家制度の特殊類型の一つである」と主張した。

（4） その後、社会主義における官僚制の問題に対して、最も大胆な主張を展開したのが毛沢東であり、一九六四年五月にこう断定した。「現在のソ連はブルジョア独裁、大ブルジョア独裁、ナチスのファシズム独裁、ヒトラー流の独裁である。彼らはゴロツキ集団であり、ドゴールよりもはるかに悪い」（「対

陳正人同志蹲点報告的批示一九六五年一月二九日」『毛主席文選』（出版年月不明、小倉編集企画復刻版、一九七四年）三四頁。「在計委領導小組匯報時的一些挿話一九六四年五月一一日」。拙編訳『毛沢東 社会主義建設を語る』現代評論社、二五五～六頁所収）。

ソ連の現実の姿のなかに、中国の明日を垣間見た毛沢東は同年、こう敷衍した。「官僚主義者階級と労働者・貧農・下層中農とは鋭く対立した二つの階級である」「資本主義の道を歩むこれらの指導者（走資派あるいは実権派）は労働者階級の血を吸うブルジョア分子にすでに変わってしまったか、あるいは今まさに変わりつつある」。

「社会主義における官僚制論」の系譜を考察してくると、二一世紀初頭における中国の現実こそが、まさに「官僚主義者階級」が生産手段を所有し、名実ともにみずからの階級を再生産の条件を整え、中国国家資本主義が官僚資本主義として自立し始めたことを示している。

毛沢東は条件が整う前に誤った戦闘を挑むことによって、戦闘の「主体と組織」、そして「希望」までつぶしてしまったように見える。現代中国の「労働者・貧農・下層中農」は、「血を吸うブルジョア分子」に闘いを挑むイデオロギーも組織もともに欠いている。権力の腐敗は、広がり深まりつつあるが、これに挑み、倒す者がなければ、権力がひとりでに倒れることはありえない。これが中国共産党成立九〇年後の現実である。

（初出：『チャイメリカ――米中結託と日本の進路』花伝社、序に代えて、二〇一二年五月）

一　チャイメリカと日本

1　「抑止力」の対象はどこの国か

鳩山由紀夫元首相は偉大な反面教師であった。普天間基地の辺野古移転騒動を通じて、日米安全保障体制の虚飾を完膚なきまでに暴露してくれた。その功績は、疑いなく歴史に残るであろう。

まず第一は、沖縄密約の暴露である。これによって、歴代政府の詭弁、外務省高官の虚言が白日の下にさらされた。これだけでも政権交代の意味があったと評価できよう。

第二は、二〇一〇年五月末の基地移転締切り近くに突如飛び出した「抑止論」である。日本の安全保障の危機への「抑止力」として、沖縄の米海兵隊が必要だとする議論である。世論が「抑止論」に凝り固まったように見受けられた前後、私は数人の識者に問いを投げかけた。「抑止」というのは、「どこからの攻撃に対する抑止なのか」と。

まさか北朝鮮ではないでしょうね。彼らは異口同音に否と答えた。では、どこか。彼らは黙して答えない。表情は、明らかに中国である。なぜそんな自明のことを聞くのか。「あえて中国の名を口に出さないのが曖昧戦略だ」という答であった。仮想敵の曖昧な安全保障戦略はありうるか。これは素直にいえば、冷戦下のような「ソ連」という敵が消滅して、新しい敵はまだ発見できないということではないか。

敵を想定した安全保障の枠組み自体を再検討すべきときに、それを怠り、無理に敵を作ろうとするから、奇怪な議論になるのではないか。私の立場は、もし中国が仮想敵国ならば、日米安保はまるで役に立たない、という認識である。

例えば南アジア問題は、二〇一〇年五月二四〜二五日に北京で開かれた「第二回米中戦略・経済対話」（China-US Strategic and Economic Dialogue, S & ED）でもテーマの一つとなった。このとき、クリントン国務長官は、中国に五日間（五月二二〜二五日）も滞在したのに日本には三時間余しか滞在しなかったことは記憶に新しい。アメリカは中国に対し、朝鮮半島からインド、アフガニスタン、ネパール、ミャンマーの安定化まで幅広くやらせているのだから、クリントンが中国に何日も滞在するのは当然なのだ。経済対話の内容はあとで紹介するが、その基調は、米中運命共同体がすでに現実化しつつあることを改めて確認するのに十分であった。その前に、中国主敵論の論理が成り立つか、点検してみよう。

（1）「日本の仮想敵は中国である」と前提した場合、ここでアメリカについて。

（1－1）中国という「敵の敵」ならば、それは論理的に「味方」である。

（1－2）中国という「敵の味方」ならば、それは「敵」である。

（2） 上の命題において、抑止力の対象を中国と見る者は、すべて（1－1）の観点に立っている。

ここで私の判断は、（1－2）である。識者の錯覚とは異なり、アメリカはじつは、中国という「敵の味方」なのだ。中国という「敵の味方」役を演じるアメリカは、日本にとっての敵なのだ。それゆえ「中国を敵視しながら、アメリカに救いを求める」のは、「木に縁って魚を求む」類の愚行になる。繰り返すが、日本にとって「中国が敵である」とき、「アメリカは決して味方にならない」という認識が最も重要だ。

なぜか。アメリカは「中国か、日本か」という二者択一を迫られたならば、間違いなく中国を選ぶはずだ。それが国益だからだ。そこを錯覚しているのが日米安保のぬるま湯で頭脳朦朧状態に陥った人々の思考法なのだ。

(3) では、なぜアメリカを「中国という敵」の「敵」である(1-1)と誤解する者が多いのか。戦後ぼけの一語に尽きる。冷戦トラウマから、解放されていないのだ。

そもそも日米安保は、米ソ冷戦体制の下で築かれた。一九九一年一二月に旧ソ連が解体したときに、再検討が必要であった。日本の為政者は、東西ドイツの統合、ハンガリー、チェコ、ポーランドなどのEU統合を単に眺めるだけで、東アジアにおける平和への努力を何一つ行わなかった。それが自民党政権の末路だ。そのような政権が自壊したのは、当然である。それから約二〇年間、なんとかして仮想敵をでっち上げようと空しい努力を重ねた。あるときは、台湾独立論者を守ることを大義名分に掲げ、周辺事態法なる奇怪な法律(周辺事態に際して我が国の平和及び安全を確保するための措置に関する法律、一九九九年五月法律第六〇号)を作った。あるときは、北朝鮮のテポドンや核実験を標的とし、空襲警報発令もどきのパフォーマンスを演じた(二〇〇六年七月)。これらがほとんど日米安保を必要とするような敵にはなりにくいことを踏まえて、ついに登場したのが、本命・中国仮想敵論ではないのか。

図１　日本の対中貿易が対米貿易を上回る
出所）財務省貿易統計

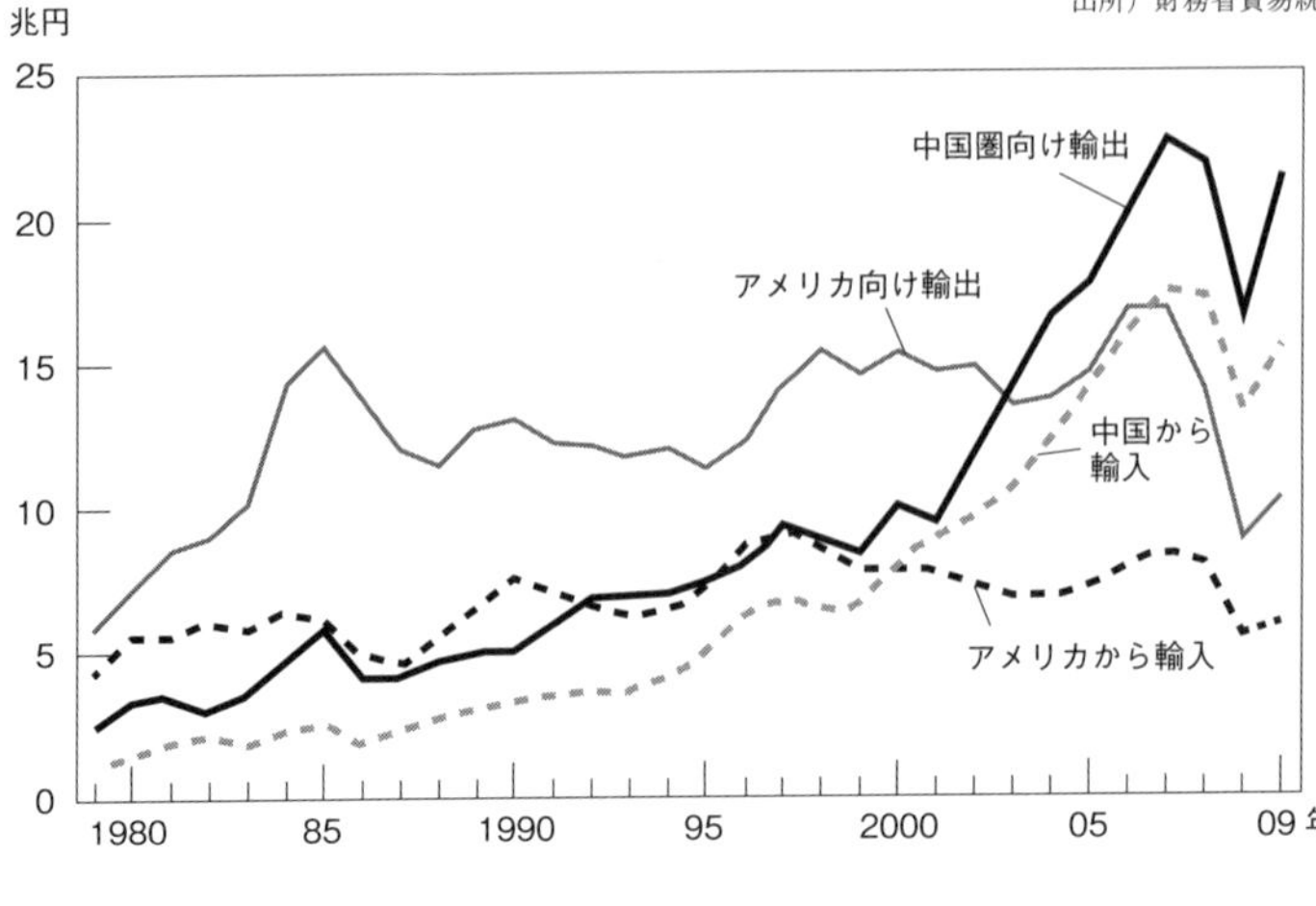

（４）中国脅威論や、その裏返しとしての中国解体論は、中国の改革・開放とともに始まり、およそ三〇年続いている。その集約点が中国仮想敵論であるから、これは日中二人の首脳（中国嫌いの小泉純一郎と日本嫌いの江沢民）が助け合って作り上げた構造だ。

（５）問題の核心は、本当にいま中国を仮想敵扱いできるのか否かであろう。ほとんど不可能な幻想だ（図１）。日本経済がどれだけ中国経済に依存しているかは、東京証券取引所の日経平均株価がどれだけ「中国ファクター」で浮き沈みしているかを見れば、一目瞭然だ。仮に、中国がほんとうに敵国になったとしよう。そのときに米軍はどれほど頼りになるか。米軍はそもそも中国とは戦えない。中国が保有する米国債を売りに出す、と言明しただけで、アメリカ経済は確実に破産する。中国に財布を握られているアメリカが、日本を守るために、日米安保条約における義務を履行してくれると想定するのは、とんでもない白日夢なのだ。いわゆる安全保障の専門家には、この現実がまるで見えない。見ざる、聞かざる、言わざる。このような奇怪なスタンスの上にしか成立しない議論に熱中するのは、専門バカというほかない。

（6）日米中三角関係の現実を直視することがいまほど喫緊の課題となっているときはない。内閣機密費のおこぼれで現体制維持を語ってきた御用評論家や日本の主流メディアの論説は、いまや完全に有害無益の存在になりつつある。

（7）結論。日本は中国とは「戦えない」のであるから、中国を仮想敵国とした日米安保は無用であり、すみやかに条件を整えて廃止すべきだ。では、廃止後のアメリカとはどのような関係をもつべきか。かつてアメリカと戦ってたたきつぶされ、いまだに占領国状態である。アメリカとも戦えない。これも自明である。日本は、アメリカとはむろんのこと、中国とも戦えない。だから戦わない。交戦という選択肢を、選べないのが日本の①地政学であり、②経済構造であり、③憲法の制約だ。憲法を変えれば、道が開けるかのごとき議論は、倒錯している。

それゆえ、国際情勢を的確に分析し、採りうる唯一の手段である外交努力に傾注するほかない。それ以外に日本の選択肢はない。厳しい現実を直視する勇気がなによりも肝要である。

私は中国の産軍複合体の急速な発展を深く憂慮している。中国の軍事大国化を最も力強く支えてきたのは日米安保である。中国は日米安保を口実として軍国主義化を進めてきた。

ここで中国の軍事力に対抗するため、「日米安保をさらに強化せよ」と主張するのは、因果関係を取り違えたものだ。日米安保を見直し、東アジアの地域平和の枠組み構築を模索しつつ、中国に核廃絶を迫り、軍事費の削減を迫るのが日本の安全保障と外交の基軸でなければならない。

2　チャイメリカは広がり深まる

「まるでホワイトハウスが、ワシントンから北京にごそっと引っ越してきたかのような賑やかな二日間」と形容された第二回米中戦略・経済対話（S&ED）が二〇一〇年五月、北京で行われ、ガイトナー財務長官、クリントン国務長官ら八人の閣僚級VIPを含む、総勢二〇〇人の米国政府要人が訪中した。米中戦略・経済対話は「米中双方が関心をもつあらゆることについて二国間で話し合う」目的で行われるものだが、いまや「G8」（主要先進国サミット）と「G20」（主要国サミット）に次ぐ「G2」（米中サミット）と呼ばれるほどの会議に昇格して、ますます上り坂である。

二〇一〇年対話の話題は、①貿易不均衡、②人民元の為替レート、③IMF改革、④ギリシャ破綻以後のヨーロッパ経済危機、⑤新型エネルギー、⑥食品安全、⑦北朝鮮、等々、米中二国間およびグローバル諸問題のほとんどすべてを網羅し、テーブルに載せた。楊潔篪外相は、「キーワードは「率直」（原文＝坦率）と「深入」」の四文字で総括した。日本語ならば、「腹を割って、腹蔵なく語り合う」といったところか。

いまや米中関係はそこまで深まったのだ。日本外務省がギャロップ社に委託して行った米有識者を対象とした世論調査の核心は、図2の衝撃的グラフである。アメリカが日本を重要なパートナーと見たのは、一九九〇年代だけである。このとき、日本の親米派はアメリカを頼りにしていたが、二〇一〇年春、

図２　アジアにおける米国のパートナー（米国有識者の回答）
出所）外務省（ギャラップ社に委託）

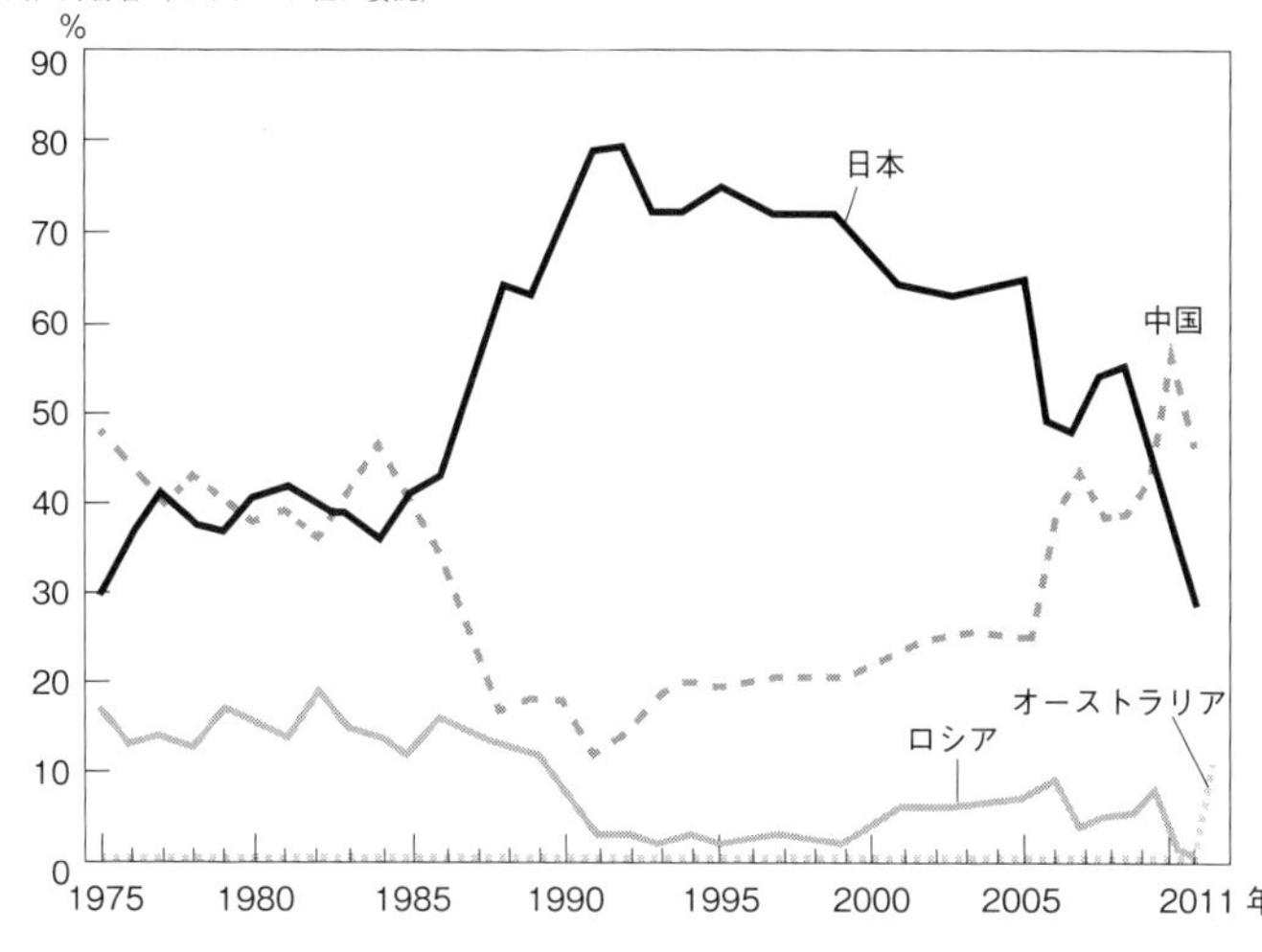

アメリカ人の対中、対日感情は劇的な変化を遂げた。アジアにおけるアメリカのパートナーとして中国をあげた人が四六％、他方、日本をあげた人は二八％にすぎない。

辺野古を決定して鳩山内閣が自滅する前後に、オバマが北京で、「率直で深い」戦略対話を行っていたのは、あまりにも象徴的だ。二〇〇一年にブッシュ政権が発足したとき、アメリカから見て中国は、「準敵対国」だった。ボブ・ウッドワード記者の一連の著作には、北朝鮮・イラク・イラン並みの「悪の枢軸」に近い中国の姿が描かれている。だが、この一〇年間に米中関係は決定的に変貌した。

読者に想起してほしい事実がある。ブッシュ大統領は、選挙演説の第一声で、クリントン対中媚態外交を批判し、共和党は対中政策を変えると宣言した。ところが二期ブッシュ政権で、対中認識は様変わりした。すなわち二〇〇六年秋、対中外交担当のゼーリック国務副長官は「アメリカにとって中国は、ステークホルダー（Stakeholder）である」と宣言するに至った。ステークホルダーとは、「同じ利益を共有する者」という意味であり、「米中の経済的利益が一致した」と確認したのだ。

〔補足〕　習近平副主席が二〇一二年二月一三〜一七日訪米した。その際に、米ギャラップ社は、二〇一一年一二月に行った対中イメージについての世論調査を発表した。米市民は、同盟国一三％、同盟国ではないが友好国六三％、計七六％が、中国に好感を抱いている。米識者（オピニオンリーダー）は、同盟国六％、同盟国ではないが友好国六九％、計七五％が、好感を抱いている。この数字は、尖閣諸島事件を経て中国嫌いが八割を占めるに至った日本世論（図6、71頁参照）と鮮やかな対比をなす。

さて共和党と交代した民主党オバマ政権のスタインバーグ国務副長官は、二〇〇九年九月、「米中両国は、戦略的確約保証（Strategic Reassurance）関係だ」と述べた。一一月に訪中したオバマ大統領は「中国が発展し、アジア域内の超大国となること」を承認する。ただし中国は「アメリカの利権を侵さないこと」を望む。米中両国は「敵でも味方でもない」「互いに戦略的に確約し保証しあう関係」になった旨を語った。

これに先立ち、第一回米中戦略・経済対話（S&ED）（二〇〇九年七月）で、アメリカ側が要求していた①対中投資認可の「審査時間短縮と透明性確保」を中国は約束し、②アメリカ産大豆の対中輸出の検疫方法は、次回の対話で結論を出すことになった。③保険・金融分野における協力も約束された。こうした実務レベルでの交渉が一つ一つ進展している。これが米中経済の現実であり、これを人々は、怪獣キメラを脳裏に想定しつつ、「チャイメリカ」（Chimerica）と呼ぶ。

図3　内閣府による世界のGDP（市場レートベース）の長期見通し

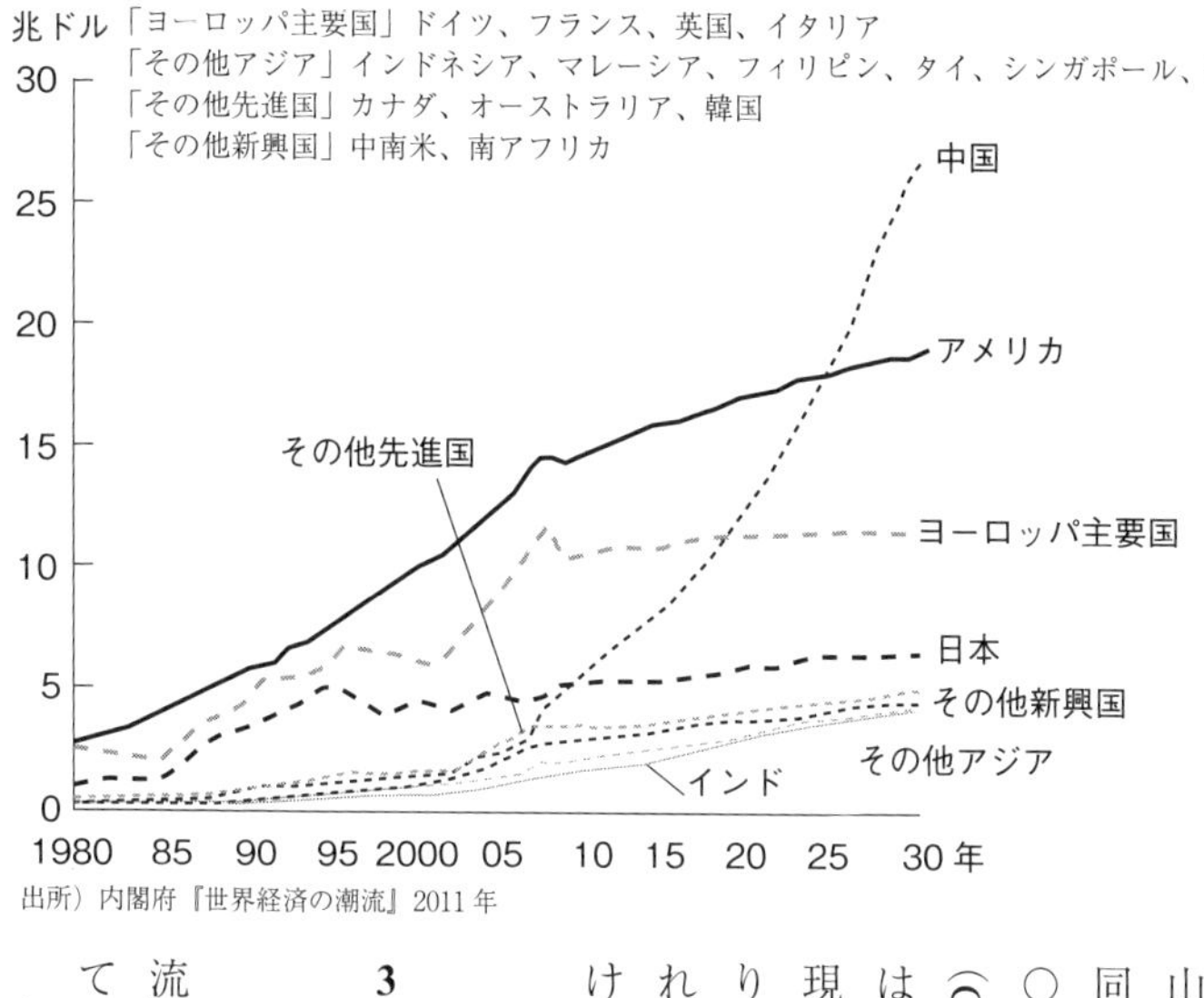

出所）内閣府『世界経済の潮流』2011年

繰り返す。日本が普天間基地問題で揺れ、ついに鳩山政権が自壊する事態に陥っているとき、「(日本の)同盟国アメリカ」は、「日本の仮想敵国・中国」に二〇〇人もの政府首脳を送り込んで、チャイメリカ(Chimerica)のさらなる発展を論じ合っていた。これは、ほとんどマンガみたいな図柄ではないのか。この現実に目を閉じるのが、いわゆる現実主義者たちであり、日米安保万能論者である。その現実的基盤が失われていることを認識できないのは、戦後ぼけ、冷戦ぼけ、利権ぼけである。

3　チャイナ・アズ・ナンバー・ワン

日本の内閣府が世界経済を分析した『世界経済の潮流』は、二〇三〇年の世界経済を図3のように予測している。

中国の推計は、二〇〇〇〜〇九年の年平均成長率実績「一〇％」をベースとして、二〇一〇〜一九年は九・一％に減速し、二〇二〇〜二九年は七・九％に減速するという前提で試算したものだ。要するに、今後およそ二〇年、八〜九％成長が続けば、こうなるという展望である。これは妥当な推計か、それとも楽観的にすぎるのか。見方はさまざまと思われるが、筆者は曲折・減速があっても、このあたりまでは基本的に高度成長が続く可能性があると見ている。むろん、中国の人々もいずれはハングリー精神を失うであろうし、また発展が他の先進国に追いつくことによって「追いつき要因」は消滅する。また甘やかされた一人っ子世代の勤労意欲は疑わしいし、一人っ子政策は劇的な高齢化社会を作り出す。これらの要素が結合して安定成長、低成長の軌道に入るのは、必至だ。しかし、現在の高度成長があと一〇〜二〇年続くと見るのは、それほど非現実的な見方とは思えない――これが長年中国を観察してきた筆者のヤマカンである。伝統的な崩壊論、分裂論に加えて、近年はバブル崩壊論もにぎやかだが、それに筆者は与しない。

ここでもう一つ、楽観論を紹介したい。それはイギリスのジャーナリスト、M・ジェイクスの書いた『中国が世界をリードするとき――西洋世界の終焉と新たなグローバル秩序の始まり』（NTT出版、二〇一四年）で冒頭に用いられた、ゴールドマン・サックスの二〇二五年および二〇五〇年推計である。これによると、中国は二〇二五年にアメリカのGDP二〇兆ドルに近づき、二〇五〇年には七〇兆ドルになるという。ちなみに、二〇五〇年にはアメリカとインドのGDPがおよそ中国の半分であり、つまりは二〇五〇年の中国GDPは、その時点での〈アメリカ＋インド〉の合計に等しいという未来図だ（同書、三頁）。中国の高度成長をあと四〇年続くと見る超楽観論までは、支持できない。これはやはり机上の作文にとどまると見るほかない。しかし、内閣府『世界経済の潮流』の予測は、あながち荒唐無稽と切り捨てることもできまい、と筆者は読む。

ＩＭＦによると、二〇〇九年時点での中国ＧＤＰは世界の八・三％のシェアだが、二〇三〇年には、二三・九％まで増える。日本は八・八％から五・八％に縮小する。インドは二・二％から四％に増加し、アメリカは二四・九％から一七％に縮小する。これらはいずれも、現在のトレンドに即して、他の要素を多少斟酌して延長すればこうなる、という試算にすぎない。それだけの話ではあるが、一つの見方として、参考にしてよいと思われる。これらの推計がどこまで現実化するかは、神のみぞ知る世界に属するが、じつは、現実の国際関係がこの種の見通しに基づいて動いていること、それがここで筆者の強調したい論点である。『中国がリードするとき——西洋世界の終焉と新たなグローバル秩序の始まり』と題した挑発的なタイトルの本が出るような世の中になった点が重要だ。

リーマン・ショック以後の世界経済の動揺に際して「中国頼み」が目立った。その期待に中国は確実に応え、一定の評価を得た。二〇一〇年初夏、ギリシャ経済の破綻を契機とする混乱の中で、中国経済に対する期待は、いよいよ大きい。この大きな期待を直截に表明したものが第二回米中戦略・経済対話（Ｓ＆ＥＤ）（二〇一〇年五月）であったと読むべきなのだ。

4　中国の外貨準備と対米ドル交換レート

二〇一〇年三月末時点の中国の外貨準備高は、二兆四四〇〇億ドルであり、日本の一兆四〇〇億ドルの二倍以上だ。中国の準備高はむろん世界一であり、世界の外貨準備総額（金準備を除く）の三一％を保有している。この金額は、二〜五位（すなわち日本、ロシア、台湾、インド、韓国）という「五ヵ国・地域」の保有する外貨の合計よりも大きい。

リーマン・ショック以後、そして最近のギリシャ破綻以後の世界経済の動揺のなかで、中国頼みが世界にこだまするのは、ズバリこの外貨準備に対する期待にほかならない。

中国の外貨準備高が日本を追い抜いて世界一になったのは二〇〇六年末である。当時日本は、八九五三億ドルであったが、中国は一兆六六三億ドルで、初めて日本を追い抜いた。その後も中国の拡大ペースは止まらず、ついに二〇〇九年末に二兆三九九二億ドルとなり（二〇一一年末三兆一八一一億ドル）、足踏みをしている日本の二倍を超えた。

外貨準備急増の理由は

では、なぜこのように急増したのか。その原因を分析してみよう。中国の場合、外貨準備の増減は、①貿易黒字、②直接投資の純流入、③間接投資などの純流入、以上の三つの要因によって決まる。ここで、①と②については、中国政府が厳しく管理して、統計を毎月公表している。扱いの難しいのは③である。中国政府は資本取引の自由化を原則的に認めていない。したがって、その動きを網羅した統計もない。しかしながら現実には、合法・非合法さまざまの形を通じて、資本は出入りしている。例えば現在は外国人がマンション投資を行うことは禁じられたが、中国の代理人を通じてマンション投資を行うことは（非合法的だが）可能だ（かつて外貨不足の時期には、これも認められていた）。中国人の富豪がビバリーヒルズに豪邸を買ったという話も枚挙にいとまがないほどだ。

外貨準備はなぜ蓄積され続けたのか。第一は貿易黒字（累計）である。輸入を上回る輸出は貿易黒字となり、黒字年が続けば、累積黒字となる。貿易の黒字基調が続くと、外国資本は投資資金の回収に自信を抱き、直接投資にはずみがつく。この二つの要素が外貨準備を積み上げる要素だ。[*1]

貿易黒字は二〇〇三年に初めて二五〇〇億ドルの大台を超えた。このあたりから貿易黒字が確実に貯まるようになり、これを好感して直接投資流入もより安定し、それを好感してホットマネーの本格的流入が始まった。株式や不動産への投資はいうまでもなく、さらに人民元そのものの切上げ期待を狙う投機マネーも、中国に向かった。これらの要素が因になり、果となり、中国の外貨準備高は、過去数年に飛躍的に増加したのである。

以上の分析から明らかなように、最も基本的な事実は、二〇〇二〜〇三年あたりから、貿易黒字が恒常的に貯まり始めたことである。これはメイド・イン・チャイナ産品に輸出競争力がついたためだ。「輸出競争力がついた」というと、よいことのように見えるが、これは基本的には低賃金に基づくコスト競争力と元安政策という人為的な政策に依拠したものだ。

ここで問題は元安の通貨政策である。図４のグラフは、人民元の対ドル交換レート切下げの過程を示したものだ。

一九八五年当時の対ドルレートを一〇〇として、一九九四年には三四％のレベルまで切り下げた。その後二〇〇五年七月に切上げを行ったが、それは二一％にとどまる。こうして現時点での対ドル交換レートは、八五年を一〇〇として四三％台の水準にある。ここで顧みると、一九九四年の朱鎔基による切

図4　人民元の切り下げ過程
1985年を100として

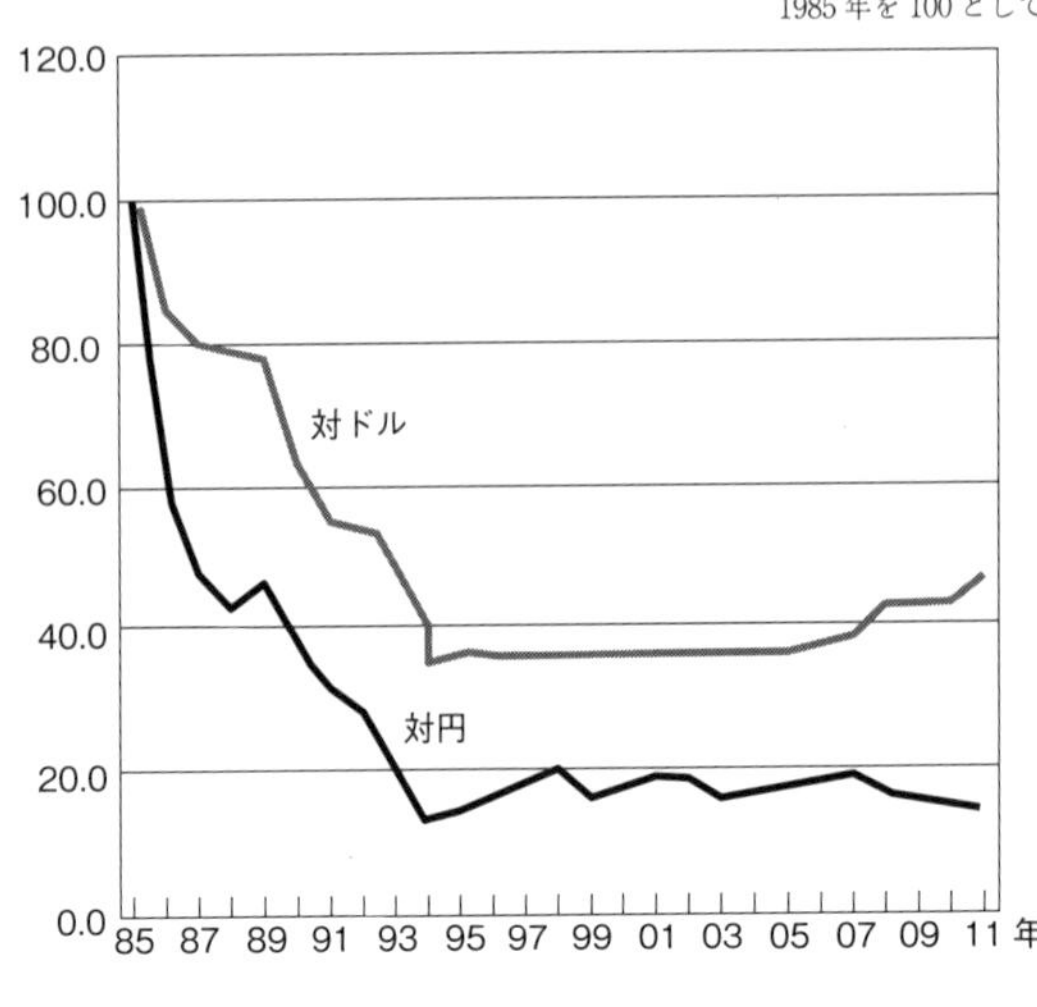

下げは、人民銀行の公認レートと、兌換券レートとを後者に合わせて一本化するものであった。当時公認レートの水準は、八五年を一〇〇として五一%レベルにあった。これを五割方切り下げて、八五年を一〇〇として三四%台まで切り下げたのが、朱鎔基改革であった。つまりここで、人民元の価値は、八五年当時の三分の一に切下げ、以後十数年、八五年水準で見て、四三%のレベルに留まっている。この水準をすみやかに朱鎔基改革前の五一%台に戻し、次いで天安門事件以前の八割レベル程度に戻すことを目標とすべきである。

このグラフからわかるように、中国の輸出の激増の大きな要因は低賃金を除けば、人民元レートが安すぎるためである。これは「合理的な水準」よりもレートが安すぎるために、輸出にドライブがかかり、輸入には「逆の負荷」を与えていることを意味する。率直に表現するならば、これは中国の人々の労働の成果を「安売り」しているわけであり、「飢餓輸出」を意味する。では「合理的な為替水準」とは何か。市場経済のシステムの下では、レートが高すぎるのか、安すぎるのか、そのモノサシの基準は事後的にその性質が明らかになる。中国産品に輸出競争力がありすぎることは、レートが安すぎることと同義である。望ましい選択は、輸出を適度に減らし輸入を適度に増やして、「黒字が貯まりすぎないような人民元レート」を設定することである。そのようなレートに基づく輸出入ならば、世界の貿易秩序を安定的に発展させられる。

人民元レートを段階的に少しずつ上げていくならば、中国にはよりよい商品が輸入され、中国の消費者の消費生活が改善される。人々の生活水準は確実に向上し、「世界第二の経済大国」を「一人当たりベースでは極端に貧しい途上国に見せる」ような作為を改めていくことができよう。

政策転換を怠ってきた理由は

このような新政策への転換は、二〇〇三年前後に行うべきであったが、それを中国当局は怠った。その結果、おそらくは中国当局の意図に反して、貿易黒字と外貨準備は貯まりすぎたのである。人民元は資本取引レベルでは自由化できていないから半人前の通貨である。自国通貨に交換性がない半人前の通貨だから、米ドルという交換可能な外貨を保有しないわけにはいかない。これは独立国中国のメンツに関わる大問題なのに、これを忘れたふりをしているのは、奇怪な神経ではないか。

次に米ドルは長期的に見て、減価する可能性しかない。そのような危うい通貨を膨大に抱え込むのは、健全な政策ではありえない。つまり中国当局は、人民元を交換可能な通貨に育てる努力を放棄して、対米ドル追随一辺倒を続け、もはや泥沼から逃れられなくなったのである。これは通貨政策としてはとんでもない大失敗のはずだ。

日本の場合、敗戦の結果自主性を奪われ、対米従属を余儀なくされて、やむを得ずドルを貯めるほかなかった。しかもそれは意図的な円安政策によるものではない。市場レートによるドル残高の増加だから、政策によっては動かしがたい要素が大きい。中国当局はアメリカの覇権を批判し、アメリカのグローバリズムやその他の規制から自由な独自の経済圏を主張しながら、実際にやっている政策は日本以上の対米追随である。人民元レートの決定は、国家の主権に関わる事柄であるからアメリカの指図は受けないと声高に主張して、一見独自性の錯覚に陥りながら、結果的にはますます深く対米協調の泥沼へ入り込んでいる。これはじつに奇怪な姿ではないのか。

二〇〇三年前後から、為替政策を改革すべき条件が整いつつあるなかで、そのような政策選択を行わなかったのはなぜか。私はその理由を疑ってきたが、最近ようやく一つの答を得た。それは為替政策に象徴される経済の大政策を決定し執行する担い手たちが、中国の広範な大衆の生活を改善することにはほとんど興味がなく、現在の支配体制（共産党官僚資本主義）を維持することを目的としているからだと判断するに至った。このように支配階級の利益という観点から分析すると、事柄の真相がよく見えてくる。人民元は半人前のままでドル保有を増やすことは、一般国民は国内経済の枠内に留めておき、支配階級だけが外貨を自由に扱うことを意味する。端的にいえば、外貨を使う階級と人民元しか使えない階級――これら二つの階級に中国の人々は分断されているわけだ。

人々の生活を貧しい状態に放置したまま、軍事大国化の道を歩む理由もここから説ける。すなわち中国の軍備は外に対するものではなく、外貨を使う支配階級を守るための私兵なのだ。「中国人民解放軍」をあくまでも党の軍隊として位置づけ、「国家の軍隊」に改めないのは、そもそも軍は中国を守る組織ではなく、中国の支配階級を守る組織だからだと考えると辻褄が合う。

中国の軍事費支出は、アメリカに次いで世界第二の地位を占め、すでに軍事大国である。ストックホルム国際平和研究所（ＳＩＰＲＩ）の年鑑（*SIPRI Yearbook 2009: Armaments, Disarmament and International Security*）によれば、堂々第二位に位置している（表1、72頁参照）。すなわち二〇〇八〜〇九年の実績（推計額）は八四九〜一〇〇〇億ドルであり、三〜四位のフランスやイギリスをはるかに上回る。世界全体のシェアを見ると、二〇〇九年は六・六%を占める。日本は五一〇億ドルであり、中国は日本の約二倍である。ただし、中国とロシアは軍事予算の透明度がたいへん低いので、これら二国については、同研究所の推定に基づく数字である。

（初出：「チャイメリカ（Chimerica）と日本」21世紀中国総研篇『中国情報ハンドブック［２０１０年版］蒼蒼社、二〇一〇年七月。のち『チャイメリカ――米中結託と日本の進路』花伝社、第1章、二〇一二年五月）

二　軍事大国中国と日本の安全保障

東シナ海での遠洋訓練

二〇一一年六月八日、中国海軍の駆逐艦など艦艇八隻が沖縄本島と宮古島の間を通過したと防衛省が発表した。二〇一〇年四月にも駆逐艦や潜水艦など一〇隻が同じ海域を通過し、沖ノ鳥島近くで訓練を実施した。中国海軍が「東シナ海での遠洋訓練」を常態化させようとしていることは明らかであろう。

防衛省によると、八日午前〇時ごろ補給艦と潜水艦、救難艦など三隻、正午ごろにはミサイル駆逐艦とフリゲート艦など五隻が通過したのを海上自衛隊の護衛艦が確認した。いずれも沖縄本島南端と宮古島の中間（宮古海峡）の公海上を抜けて南下したものである。潜水艦自体は確認されていないが、「潜水艦救難艦」が含まれていることから潜伏している可能性が大きいと見てよい（このような場合には浮上して航行するのが国際慣例のはず）。

呉勝利・中国海軍司令官は二〇〇九年四月、海軍創設六〇周年の観閲式で「海軍の五大兵種（艦艇や潜水艦など）は毎年数回部隊を組織し、遠洋訓練を行う」と宣言しており、中国海軍の遠洋訓練の活発化は既定路線と見てよい。この「遠洋訓練」とは、九州―台湾―フィリピンを結ぶ「第一島嶼線」（図

図５　中国の第一島嶼線と第二島嶼線

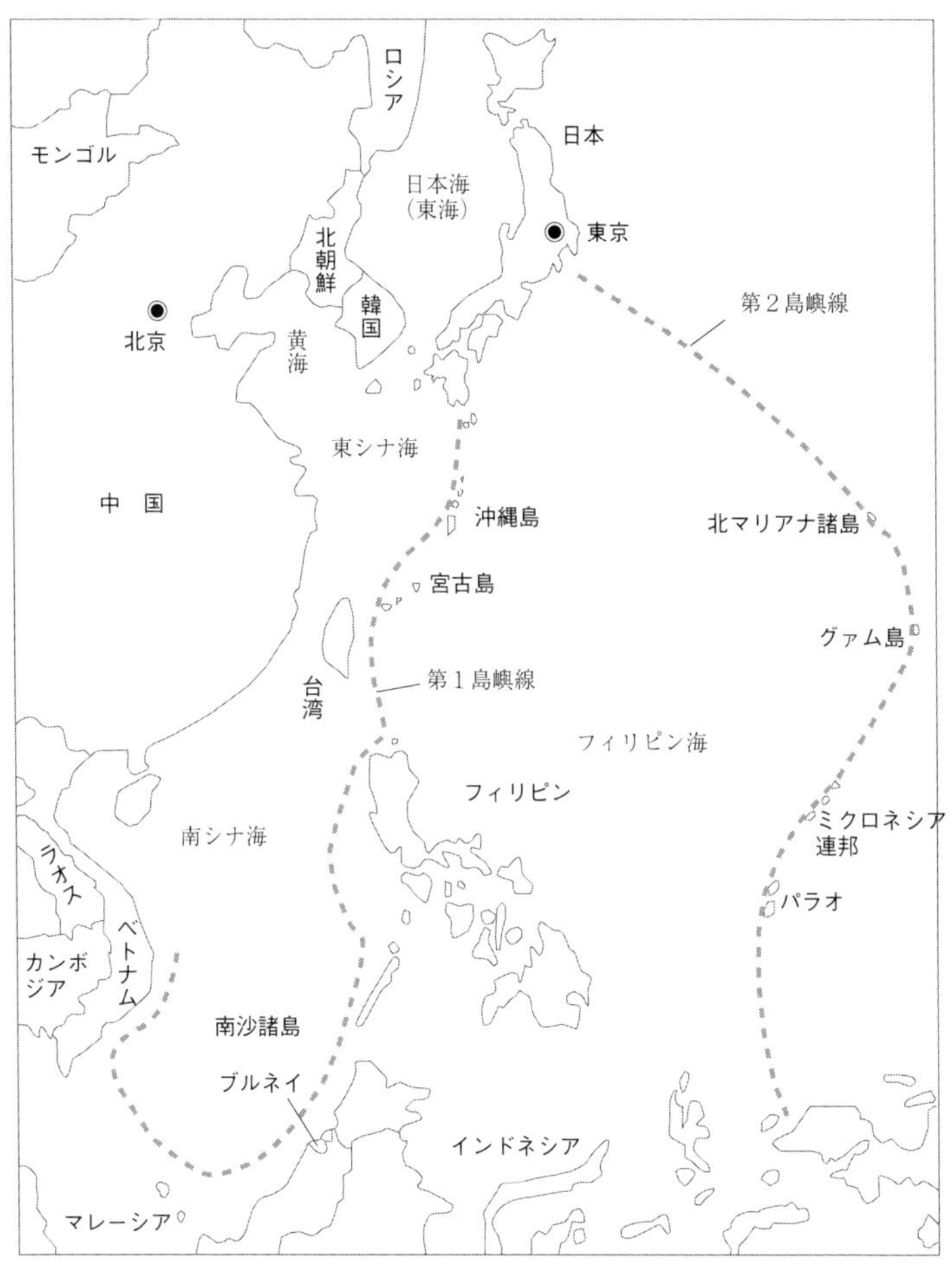

出所） Annual Report to Congress, Military and Security Developments Involving the People's Republic of China, 2011, Office of the Secretary of Defense.

5）を越えるものを指す。沖縄本島と宮古島をつなぐ海域は第一島嶼線に重なるが、今回の艦艇進出も「遠洋訓練」としてあらかじめ予定されていたものと見られる。防衛省・自衛隊当局は、中国海軍が一一年四月に上海沖で二〇一〇年と同様の演習を行った事実に鑑みて、艦艇を「遠洋訓練」に展開させる可能性を警戒していた。外務省は「公海上の訓練は国際法上問題はない」と抗議しない方針と伝えられる。日本側のこのような報道について、二〇一一年六月九日の新華社電は、中国国防部のコメントをこう伝えた。

「（中国海軍の艦艇が沖縄本島と宮古島の間の公海上を航行するのが確認されたとの報道があるが）中国海軍の複数の艦艇が六月中下旬に西太平洋の国際水域で定例訓練を行う予定である。訓練は毎年行っており、これは関係する国際法にのっとり、特定の国を対象としたものではない」（時事北京電二〇一一年六月九日）[*2]。

キーワードは「例行性訓練」（定例訓練）と「符合国際法准則」（国際法に則るもの）であり、「特定の国（日本）を対象としたものではない」という説明である。二〇一〇年九月の尖閣をめぐる日中の衝突は、日中関係を大きく傷つけ、内閣府の世論調査では、「中国に親近感を持たない」層が、ついに八割に達したことはわれわれの記憶に新しい（図6）。東日本大震災をめぐる救援活動などを通じて、日中の和解も一部では見られたが、海軍同士のきわどい関係は、少しも緩和されていない。これは米中の国防相レベルの交流再開と比べて際立った立ち遅れである。

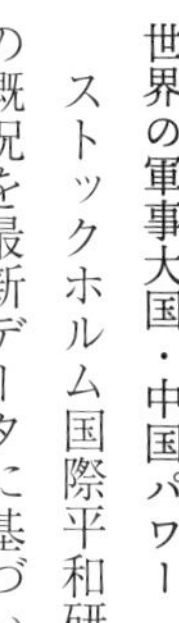

世界の軍事大国・中国パワー

ストックホルム国際平和研究所の年鑑二〇一一年版が出たので、改めて中国の軍事予算、核戦争能力の概況を最新データに基づいて確認しておくことにしよう。**表1**は、世界の軍事大国一〇ヵ国の軍事支出を一覧したものである（二〇一〇年時点）。一位のアメリカは六九八〇億ドルで、世界全体の四三%を占め、「世界の憲兵」であることに変わりはない。アメリカに次ぐ二位に中国が浮上したのは、近年のことだが、二〇一〇年は推計一一九〇億ドルで、世界の七・三%のシェアを占める。世界シェアの一〇%を占めるのは時間の問題と見てよい。中国の高度成長は続いており、対応して軍事予算も増えつづけているからだ。ついでイギリス、フランス、ロシア、日本の四ヵ国が続くが、いずれも三%台であるから、中国の半分だ。「英国＋フランス」の合計額が中国の軍事費に匹敵する。

図6　日本人で中国に親しみを感じるのは26%

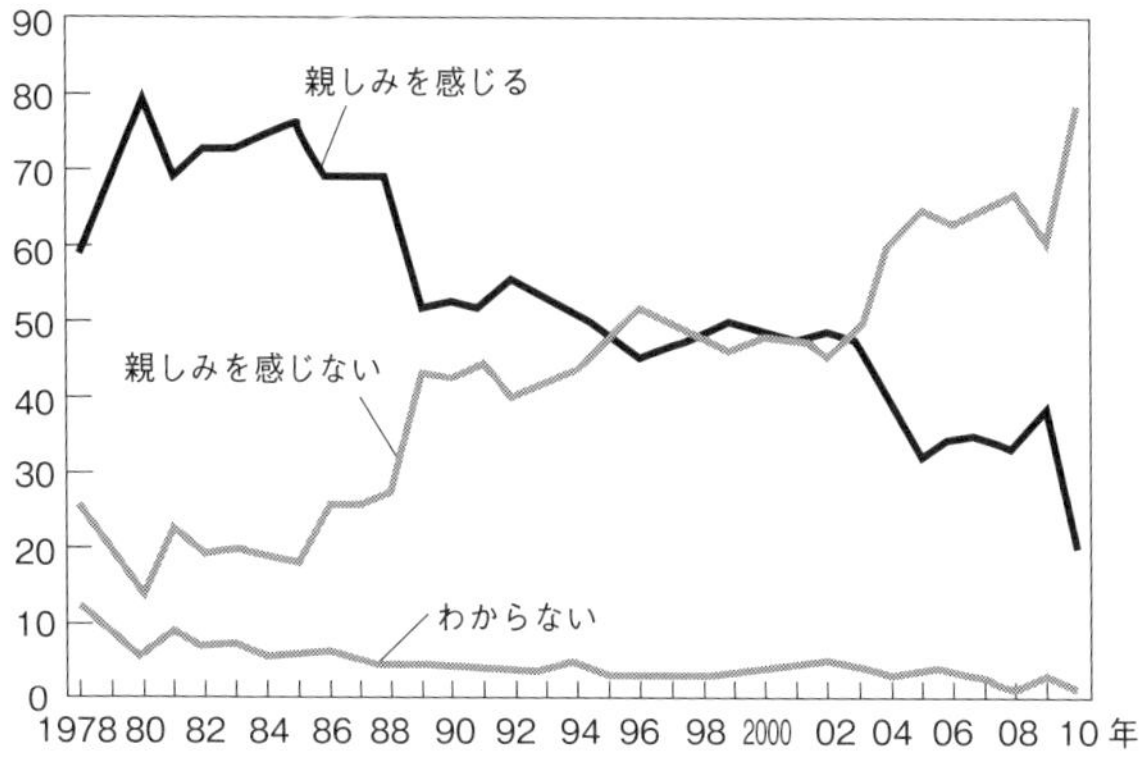

出所）内閣府。

表2は、軍事費の中核ともいうべき「核戦力」にどのように投下されているかを見たものである。一九四五年に最初の核実験を行ったアメリカから、最も新しい核保有国を自称している北朝鮮まで、九ヵ国の核弾頭の配備、貯蔵量を推計したものである。中国の核実験は一九六四年であり、アメリカ

表1　世界10大軍事費大国

順位	国	2020年軍事費 1)	2001～10年の変化	対GDPシェア	対世界シェア	購買力換算軍事費
		億ドル	%	%	%	ドル・ベース
1	アメリカ	6,980	81.3	4.8	43.0	6,980
2	中国	1,190	189.0	2.1	7.3	2,100
3	イギリス	596	21.9	2.7	3.7	576
4	フランス	593	3.3	2.3	3.6	498
5	ロシア	587	82.4	4.0	3.6	882
6	日本	545	-1.7	1.0	3.3	436
7	サウジアラビア 3)	452	63.0	10.4	2.8	646
8	ドイツ	452	-2.7	1.3	2.8	400
9	インド	413	54.3	2.7	2.5	1.160
10	イタリア	370	-5.8	1.8	2.3	322
10ヵ国計算		12,178				
世界計		16.300	50.3	2.6	100.0	

1)　中国、ロシア、ドイツは推定値。
2)　GDPは、IMF World Economic Outlook（2010/10）による推定。
3)　サウジアラビアの軍事費は公安費をふくむ。
出所）SIPRI Military Expenditure Database. IMF World Economic Outlook（2010/10）

表2　世界の核戦力推計（2011年1月）

国	最初の核実験	核弾頭の実践配備　1)	他の核弾頭　2)	貯蔵計
アメリカ	1945年	2,150	6,350	約8,000
ロシア	1949年	約2,427	8,570	約11,000
イギリス	1952年	160	65	225
フランス	1960年	290	10	約300
中国	1964年	—	200	約240
インド	1974年	—	80-100	80-100
パキスタン	1998年	—	90-110	90-110
イスラエル	—	—	80	約80
北朝鮮	2006年	—	—	不明
計		約5,027	約15,500	約20,530

1)「実戦配備」とは、核弾頭がミサイルに設置されるか、あるいは作戦部隊の基地に置かれていることを意味する。
2)「他の核弾頭」とは、ミサイルから外されているか、実戦配備のためには何らかの措置を要する「準備用」を意味する。
出所）*SIPRI Yearbook 2011: Armaments, Disarmament and International Security*. p.320

より一九年遅く、ロシアより一五年遅い。インドと比べると一〇年早く、北朝鮮と比べると四二年早い。核弾頭の実戦配備を見ると、米ロおよび英仏の四ヵ国がこれを行っているのに対して、中国、インド、パキスタン、イスラエルの後発四ヵ国は、「実戦配備の準備」段階に止めており、いわゆる抑止力としての第二撃を目的とした開発であることがわかる。とはいえ、この準備段階とされている核弾頭の数は、実戦配備用五〇二七発の約三倍、一万五五〇〇発である。

こうして世界の核戦力は、米・露・英・仏の先進四ヵ国と中国が国連安保理事会の常任理事国であり、中国は先進四ヵ国と途上国の接点に位置していることがわかる。ただし、実質的には、中国の核弾頭はすでに英仏を超えており、**表1**で見たように、軍事費においてもアメリカに次ぐ地位にあるので、この国力がいよいよ核大国としての中国の地位を固めていることは明らかである。

次の**表3**は、中国自体の核戦力を兵器ごとに見たものである。①地上ミサイルの核弾頭は約一三〇発である。中国のミサイルには「東風DF（Dong Feng）」の呼称で呼ばれるが、二〇〇七年に完成した東風31A型は、射程距離一万一二〇〇キロメートルの大陸間ミサイルであり、北米はもとより、南米の一部まで届く。これを一五基以上擁して、アメリカを牽制している。二〇〇六年に完成した東風31型は、改良前のもので、その射程距離は七二〇〇キロメートルだ。②潜水艦ミサイルとしては巨浪1型と巨浪2型がある。後者は今年ようやく配備される予定だが、射程距離は七二〇〇キロメートルだ。③航空機からの核攻撃は、轟6型および他の戦闘機である。それぞれ約二〇発の核弾頭が用意されている。④巡航ミサイルから発射されるのは、東海10型ミサイルだが、その弾頭は一五〇～三五〇発と推計されている。こうして、地上・潜水艦・航空機・巡航ミサイル、四種類からなる核弾頭は総計約二四〇発と推計

表3　中国の核戦力推計（2011 年 1 月）

兵器中国名（米国名）	配備数	最初の配備年	射程距離 km	核弾頭装備	核弾頭数
地上ミサイル	約 130				約 130
東風 3A 型（CSS-2）	約 12	1971 年	3,100	1 × 3.3 メガトン	約 12
東風 4 型（CSS-3）	約 12	1980 年	5,500	1 × 3.3 メガトン	約 12
東風 5A 型（CSS-4）	20	1981 年	13,000	1 × 4-5 メガトン	20
東風 21 型（CSS-5）	60	1991 年	2,100	1 × 200-300 キロトン	60
東風 31 型（CSS-10 モデル 1）	10 以上	2006 年	7,200 未満	1 ×…キロトン	10 以上
東風 31A 型（CSS-10 モデル 2）	15 以上	2007 年	11,200 未満	1 ×…キロトン	15 以上
潜水艦ミサイル	[36]				[36]
巨浪 1 型（CSS-N-3）	[12]	1986 年	1,770 未満	1 × 200-300 キロトン	[12]
巨浪 2 型（CSS-NX-4）	[24]	[2011 年]	7,200 未満	1 × ? キロトン	[24]
航空機	20 未満				[340]
轟 6 型（B-6）	20	1965 年	3,100	1 ×爆弾	[20]
戦闘機（?）	?	1972 年	?	1 ×爆弾	[20]
巡航ミサイル					?
東海 10 型	150-350	2007 年	1,500 未満	1 × ?	?
計					約 240

注）［　］は推定。
出所）SIPRI, 2011 年版。

されている。

台湾海峡の危機を弄ぶ米軍、これを口実として利用し軍拡に走る中国軍、振り回されるだけの日本

アメリカは台湾への武器売却を決めた二〇一〇年一月、台湾側が強く求めていた最新型F16戦闘機の売却を見送った。売却するほとんどを防御的な装備にすることで対中配慮を示し、F16と潜水艦については売却を断念するとしていた。しかし、中国側はこのような説明に納得せず、五月に北京で行われた第二回米中戦略・経済対話（S&ED）では、馬暁天副総参謀長が秘密会議でアメリカを非難し、さらにその後、シンガポールで行われたシャングリラ会議では、ゲーツ国防長官と馬暁天副総参謀長との間で、南シナ海の「核心利益」（Core Interest）問題も含めて、激しい応酬が公然と行われた。そして九月、尖閣海域での漁船船長逮捕問題は、日中関係を極度に悪化させた。

二〇一一年一月、ゲーツ国防長官の訪中が実現し、五月には中国の陳炳徳総参謀長の訪米も実現させ、両国の軍事交流を修復しつつ、他方で新たな挑戦を両国は狙っている。たとえば米軍に近いランド研究所は、「軍事バランスの問題、台湾海峡の論争をめぐる政治的文脈と軍事的側面」（A Question of Balance Political Context and Military Aspects of the China Taiwan Dispute）と題した報告書を二月に出して、軍事バランスが中国側に有利に傾いていることを重ねて警告した。このランド報告書の筋書きに乗せられたかのように、六月二一日にワシントンDCで開かれた日米の「2+2」会議（両国外務・防衛大臣会合）で、日米は「中国が公海上の軍事活動を活発化し、中国が東シナ海や南シナ海などで国際航路の安全確保を阻害しうる状況になっている」ことを批判し、日米が東南アジア、韓国、豪州などと組んで

中国包囲網を強化する方向性で合意した。

つまり、「公海における航行の自由」を大義名分に掲げ、「航路の安全確保」を日米が主張すれば、中国は「アクセス・デナイアル・ゾーン」（ADZ＝進入拒否領域）という中国にとって近未来の軍事戦略の核になるコンセプトを打ち出し、台湾海峡、尖閣諸島や沖縄周辺海域は言うに及ばず、マラッカ海峡、南シナ海まで中国が勢力圏を築き、外部の干渉を許さない、と声高だ。先に、宇宙空間での偵察衛星迎撃実験で衝撃を与え、初の空母は二〇一二年就役の予定であり、米空軍が誇るステルス戦闘機F22に対抗する最新鋭のステルス戦闘機「殲20」の飛行実験をゲーツ訪中に合わせて行うという即応ぶりだ。

震災直後に外相が前原から松本に代わってから、「日本は地震と原発事故で手一杯」と低姿勢の外交を行ってきたが、今回の「2＋2」では、「中国を仮想敵」とする米側戦略に日本も同意させられ、前原外交が復活した形である。海洋権益の拡大を進める最近の中国の「地域覇権国的行動」は確かに際立つ。日米を軸に韓・豪・印・東南アジアなどと連携して対中包囲網を形成する戦略は、当然の対応に見える。

だが、ここで二つの問題を考慮すべきだ。一つは、ランド報告書「軍事バランス」も指摘するように、沖縄の嘉手納空軍基地や岩国の米海兵隊基地は、中国の近距離ミサイルの標的になっている事実である。これらの冷厳な事実を見極めない安全保障論議は馬鹿げている。

もう一つは、筆者が繰り返して指摘するように、米中戦略対話が着々と進展している事実を、わが親米論者は故意に無視していることだ。初戦で沖縄や岩国が攻撃されたあとでの米中妥協ほど日本の国益を損なうものはあるまい。アメリカの前線基地、つまりは弾除けとされて被害だけを受ける愚劣な戦略は、絶対に避けるべきであろう。文脈は少し異なるが、アメリカ製の原発の安全神話を鵜呑みにした親米派にまるで反省が見られないとすれば、これはかなり重症というほかない。東日本大震災に伴う「トモダチ作戦」程度の災害救援態勢を宣伝して普天間問題の解決をごまかすなどは事柄の軽重をまるで取り違えた、ためにする議論なのだ。

（初出：『中国は大発展・変動した――で、これから何処へ行く？』21世紀中国総研篇『中国情報ハンドブック［2010年版］』蒼蒼社、二〇一一年七月。のち『チャイメリカ――米中結託と日本の進路』花伝社、第2章、二〇一二年五月、所収）

三　深まる米中対話

1　アメリカの中国観

話は「ステークホルダー」から始まる

米国のロバート・ゼーリック国務副長官は、二〇〇五年九月二一日、包括的な対中政策についての演説で「(中国が) 国際社会システムにおける責任あるステークホルダー (responsible stakeholder) となるよう促す必要がある」と言及した ('Whither China From Membership to Responsibility?' Remarks to National Committee on U.S.-China Relations, September 21, 2005, Robert B. Zoellick, Deputy Secretary of State.)。「ステークホルダー」とは「賭け金や係争物の保管人、事業の出資者や利害関係者」などを意味する。米中の「利害関係」とは、何を指すのか。私は直ちにアメリカ財務省証券などの保有リストを想起した。米政府データから「対米債権保有国」(表4) を知りうる。

のちに世界銀行総裁に就任するような国際金融のベテランが、中国の外貨準備高に着目したことは疑いない。二〇〇五年という時点は、中国の対米債権保有がイギリスを超えた年であり、伸び率からして

表4　各国の米国証券保有額（2010年6月30日現在、10億ドル）

国　名	総額	株式	財務省長期債務	政府機関長期債務		企業長期債務		短期債務数
				資産担保証券 1)	その他	資産担保証券 1)	その他	
中国 2)	1,611	127	1,108	298	62	2	9	5
日本	1,393	224	737	106	128	16	114	69
米国	798	324	72	4	6	44	325	22
ケイマン諸島	743	290	36	23	9	99	204	82
ルクセンブルク	622	172	49	10	8	35	267	82
カナダ	424	298	29	1	4	8	73	12
ベルギー	408	19	31	*	9	42	301	6
スイス	397	162	87	5	8	17	94	25
アイルランド	356	77	27	12	11	51	80	99
中東原油輸出国 3)	350	128	107	11	5	6	20	73
香港	293	33	60	82	13	2	14	88
国名不詳	138	1	*	*	*	*	135	2
その他諸国	3,158	959	1,000	161	109	123	411	391
総額	10,691	2,814	3,343	713	372	445	2,047	956
うち外国政府機関	4,346	426	2,617	445	276	21	77	484

＊ゼロよりは大きいが、５億ドル未満。
1）政府機関資産担保証券は主として担保により、企業資産担保証券は自動車ローン、クレジットカード、住宅商業担保、学生ローンなどにより担保される。
2）香港とマカオを除く。
3）バーレーン、イラン、イラク、クェート、オマーン、カタール、サウジアラビア、アラブ首長国連邦。
出所）Report on Foreign Portfolio Holding of U.S. Secutities, as of June 30, 2010.

日本を超えるのも時間の問題と見られた時期だ。オバマ政権が発足して、ゼーリックの後任ポストに就いたスタインバーグ（James Steinberg）国務副長官は、米中関係を「戦略的確約保証」（Strategic Reassurance）と述べ、安全保障用語で説明した（US Calls on China for 'Strategic Reassurance' Washington, 24 September 2009）。中華人民共和国の建国六〇周年を祝賀して、その前夜に米国務省のナンバー2は、中国に向けてどのようなメッセージを発したのか。ボイス・オブ・アメリカ（Voice of America。この放送は「A Trusted Source of News & Information since 1942」というロゴに付された説明からわかるように、米国政府の広報を目的としたラジオ放送）によれば、以下のコラムのごとくである。

「〔前略〕アメリカは米中が一致しない争点を

も含めて、グローバル、リージョナルな問題について、中国とともに解決する努力を続けたい／中国の規模と重要性が競争のリスクとライバルの裏切りのリスクを生み出すからだ／そこで必要とされるのが戦略的確約保証（strategic reassurance）だ／中国の発展とグローバルな役割の増大が他国の幸福を脅かさないように、中国は保証すべきだ／米中は最近、戦略・経済対話の水準を引き上げた／確約保証の側面には中国の軍事費について、支出額とその意図の透明性を深めることが含まれる／海上における事故や台湾への武器売却に妨げられない軍事交流が必要だ／相互不信のリスクは戦略核兵器、宇宙、サイバーの領域で喫緊である／相互保証は難しいが、冷戦期に破滅的な敵対と誤解を避ける教訓を学んだ／アメリカは中国の勃興を歓迎するが、中国は世界に向けて確約保証の意図を明確にすべきだ」。

外交関係において「確約保証」とは何か。しかもそれに「戦略的」の形容句を付すのはなぜか。引用からすでに示唆されるように、これは軍事用語、核抑止力でいう「相互確証破壊戦略」（Mutual Assured Destruction, MAD）の類似コンセプトであろう。「核抑止力」の観念は、辞任直前の鳩山由紀夫首相が沖縄の普天間基地について語ったことで改めて話題になったが、これは核兵器で対峙する双方がともに「相手国が先に攻撃してきても、依然としてお互いの国を完全破壊する能力をもつ」ことで、先制攻撃を阻止する構想である（孫崎享『日本人のための戦略的思考入門』祥伝社新書、二〇一〇年）。

事実、中国の大陸間弾道ミサイルが北米を完全に射程範囲に収め、南米の一部まで到達するようになった時点で、米中の核問題はかつての米ソ冷戦期と同じ構造になった。一九九一年に旧ソ連が解体して、冷戦体制は終焉したが、その後二〇年を経て、ポスト冷戦期の構造に取って代わる新たな二極が生まれつつある。それが米中二極からなる「チャイメリカ構造」だと私は予想している。これは核抑止力による均衡の面では、かつての米ソ関係と酷似しているが、グローバル経済下の条件が伴うので、かつての米ソ対峙構造とは、似て非なる側面をもつ。

現代の米中関係はグローバル経済のなかで、米中の経済関係は貿易品というモノ、貿易黒字を用いて行われるさまざまの資本取引、そしてこれらの活動をになうヒトの移動を通じて、無数の網の目で結ばれている。これはかつての米ソ関係には、まったく見られなかった条件である。これらの経済関係はコマーシャルベースで取り結ばれている。しかしながら米中間の何らかの矛盾が通常の外交交渉では解決不能になったときに、両国はどのような行動をとるのか。中国は二〇〇九年六月の時点で一・五兆ドルに達する対米債権の償還を要求するであろう。

「中国は『銀行』…頭上がらぬ米国務長官、豪首脳に吐露」と題したコラムとも報道とも区別しかねる記事をある新聞が報じた（『朝日新聞』二〇一〇年一二月三〇日付）。これはワシントン発の村山祐介特派員電だが、この古新聞・古いネタを読んでみよう。

米国にとって「銀行」ともいえる中国には強く出づらい。クリントン米国務長官が昨年3月にそんな悩みを外国首脳に吐露していたとの記載が、内部告発サイト「ウィキリークス」が暴露した米外交公電に含まれていた。民主化の進展は中国指導部の「さじ加減」を尊重する、ともとれる発言もあり、経済重視で「人権棚上げ」と批判された当時の心情がにじんでいる。公電は、昨年3月2

8日に国務省が作成したもの。それによると、クリントン氏は同24日、中国通で知られるオーストラリアのラッド首相（現・外相）とワシントン市内で会談した際、経済成長にともない国際社会での発言力を増す中国との関係について、「どうやって銀行に強く対処すればいいのか」とかじとりの難しさをこぼしたという。クリントン氏はその約一カ月前に国務長官として初訪中したばかり。中国は村落レベルでは民主化が「目覚ましく進展している」と評価し、「指導部が許容できるペースで民主化が進み、生活水準が向上することを望む」と述べた、とも記載されている。クリントン氏は初訪中の直前、人権問題で「金融危機などでの米中協力を損ねてはならない」と発言。滞在中の会見では、中国による米国債の大量保有に謝意を示す一方、人権問題では踏み込まず、米国内外で批判を浴びていた。

この朝日電のネタ元は、じつは二〇一〇年一二月四日付の、英『ガーディアン』だ。ワシントン駐在の同紙マカスキル（Ewen MacAskill）記者が「ヒラリー・クリントンからの問い——ペキンとどう渡り合ったらよいのか?〔後略〕」（Hillary Clinton's question: how can we stand up to Beijing? Australia's ex-PM Kevin Rudd advised US secretary of state to welcome Beijing onto world stage but keep force as a last resort）という記事を書いてから、二五日後の報道であった。つまり、ウィキリークスが暴露した資料をもとに、マカスキル記者がこの記事を書いたのは一二月初め。まったく同じ内容、すなわち事後の取材ゼロで、二五日後に、日本の記者がこの英語の記事を抄訳したわけだ。私自身は、たまたまこのテーマに関心があり、英紙報道をこの時点で読んでいたので、年末に『朝日新聞』に接したときには、改めて、大新聞の取材能力や社会的意義を再考した次第である。

『ガーディアン』によれば、話は二〇〇九年一一月、北京でオバマとヒラリーが胡錦濤と国宴（a state dinner）をやっていたときのエピソードに言及しつつ、当時のオーストラリア首相ケヴィン・ラッドに、二〇一〇年三月のランチの際に、ヒラリーがこう漏らしたのだ。「中国の銀行家とタフにやりあうには、どうしたらよいだろうか」（"How do you deal toughly with your banker?"）。中国通を自他ともに許すラッドは、自分は中国に対しては「徹底したリアリストだ」（a brutal realist on China）と語り、「中国を国際社会に効果的に統合していくこと、より大きな責任を示すように仕向けることが肝要だとして、うまくいかない場合は武力を展開すべきだ」と述べたと国務省電（三月二八日）が記録していることを記者が明かしたわけだ。

アメリカが際限もなく中国から借金を重ねていることの功罪を私はかねてから考えていたので、このエピソードに接して、一人うなずいた次第である。「借金も資産のうち」といった開き直りもないではないが、ベニスの商人のシャイロックのように、やはり債権者が強いのが世の常識なのだ。

中国のメディアは、当然のことだが、ヒラリーが「対中国債務のあまりにも大きいことを憂慮した」といささか得意気に伝えた。[*3]

クリントン長官は、「貸し手＝中国と、借り手＝米国との関係」について、自分の夫ビルが大統領を辞めた時点では、対米債務はほとんどなかったとしているが、当時は確かに二〇〇〇億ドル未満であったから、今日の八分の一程度であった。しかしながら、この米中貸借関係は、中国の改革開放路線とともに始まり、広がり深まってきたのであり、その経緯を巧みに説明したのは、アメリカのハーバード大学で経済史を教えるスコットランド人歴史家ニーアル・ファーガソン（一九六四年グラスゴー生まれ）の分析である。金融・経済史、帝国史が専門だが、二〇〇八年に『マネーの昇騰』The Ascent of Money: A Financial History of the World.（邦訳『マネーの進化史』早川書房、二〇〇九年）を出した。この本の最終章は、二一世紀世界が「アメリカ帝国から、チャイメリカへ」変わるという展望で結んでいる。かつて日本経済がジャパンアズナンバーワンなどともてはやされた一時、「ジャパメリカ」なる造語が一部で語られたが、その歴史はあまりにも似ている（加藤哲郎『ジャパメリカの時代に――現代日本の社会と国家』花伝社、一九八八年）。

しかし、いま語られ始めた「チャイメリカ」は、「ジャパメリカ」とは比較にならないほどに世界に大きな影響を及ぼすことになろう。

クリントン長官の懸念する「アメリカにとっての、中国という銀行」

クリントン長官がいみじくも「アメリカにとっての、中国という銀行」と述べた一語は、現在の米中関係を規定する大きな要素の一つなのだ。にもかかわらず、「中国の対米債権は日本のそれをちょっと上回る程度か」とあたかも、日中の差は「量的なもの」にすぎないかのように理解する鈍感症が日本に蔓延している。これは国際環境にあまりにも無知な、ほとんど痴呆症ともいうべき鈍感さではないか。

ほとんど現実にはありえない仮定ではあるが、中国が万一返済を要求した場合に、アメリカは、返済不能に陥り、デフォルトを宣言せざるをえない。基軸カレンシー国としてのアメリカ帝国の崩壊だ。そのような事態を避けるため、中国がそのような行動をとらぬよう、米中関係を敵対関係に陥るのを防ぐには、さまざまな保証装置が必要だ。ずばりいえば「米中蜜月」関係の再構築だ。じつはキッシンジャーの一九七一年訪中以後、旧ソ連の解体までの間は「米中蜜月」であったことが日本人にはよく見えていないことが、日本人の判断を誤りに導いている。

中国の軍事力機能を「国際公共財」と評価したペンタゴン報告

スタインバーグが戦略的確約保証関係の目標を提起した翌年の二〇一〇年八月一六日、国防総省は米議会に「中国に関する軍事・安全保障年次報告書（Military and Security Developments Involving the People's Republic of China）を送り、巻頭の「要約」（Executive Summary）で中国の軍事力を「国際公共財」（international public goods）と評価した。これは軍事面における米中協力の第一歩を明らかにしたもので、オバマ大統領の核廃棄宣言と並んで、二一世紀世界を導く「パクス・シニカ・アメリカーナ」への移行宣言への第一歩でもあろう。このような積極評価は、おそらく朝鮮戦争以来、初めてではないか。米中協調＝結託時代が始まったことを象徴する言い方ではないかと、私は大変驚かされた。

ペンタゴン報告にいわく、「過去一〇年の中国軍の現代化の速度と広がりとは、中国軍が自国の外交上の利益や紛争処理のために軍事力を使うばかりでなく、国際公共財を運ぶ貢献への能力を発展させた」。

これは、むろん直接的には「平和維持活動や災害救助、反テロ作戦における米中協力」を評価したわけだが、話はそこにとどまるはずはない。公共財を運ぶ「軍自体」が公共財と呼ばれるに至るのは時間の問題であろう。そのような「蜜月関係」が不可避なのだ。

私は米中関係再構築のスピードに驚いたのだが、もっと驚いたのは、このペンタゴン報告が日本で読まれていない事実だ。この個所に注目した専門家のコメントや、マスコミの論評が、(管見の限りだが)皆無と感じられた。

尖閣衝突をめぐる一連の事件を通じて、日本の対中国イメージが劇的に悪化したことを示すのは、内閣府「外交に関する世論調査　二〇一〇年」であり(図6、71頁)、これとは対照的な、アメリカの有識者に対するアンケート調査の結果(図2、57頁)がある。後者はわが外務省が「アメリカにおける対日世論調査」として一九七五年から継続的に行ってきたものだが、二〇一〇年二月の結果は驚くべきものであった。これによれば、アメリカの識者のうち、「アジアにおけるアメリカのパートナー」として、日本を選んだ者は三六%にすぎず、中国を選んだ者が五六%に達し、「日中は完全に逆転した」。日本では戦後六〇年を経た今日でも、かつての「鬼畜米英」はあっさり忘れられ、圧倒的なアメリカ贔屓ムードなのに、この片思いは、アメリカには通じていない。尖閣衝突以後、いよいよ「日米同盟の深化」が語られているが、はなはだ危ういのではないか。

中国軍=「国際公共財」論の背景

米国防総省(ペンタゴン)『年次報告書』(二〇一〇年八月一六日)が中国軍の役割を「国際公共財」(international public goods)と、あたかも経済学を想起させる用語で説明しているのは、否応なしに米国債の最大の保有者である中国政府と米国政府との腐れ縁を想起させるが、軍事協力に先立って外交面での協調がどのように行われてきたかを念のために確認しておきたい。

ゼーリック国務副長官が「中国は、ステークホルダー（Stakeholder）だ」と宣言した翌年の『ペンタゴン年次報告書』（二〇〇六年版）は、中国の「平和維持活動」に二回言及した。二〇〇七年版には言及がないが、二〇〇八年版が再び中国の平和維持活動に一回言及した。そして二〇〇九年版、すなわちオバマ政権下初の年次報告は、スタインバーグ国務副長官の説く、米中両国は「戦略的確約保証（Strategic Reassurance）関係だ」とする認識に呼応して、平和維持活動などに一〇回言及するに至った。こうした経緯を踏まえて、年次報告書二〇一〇年版が、前述のように平和維持活動、災害救助、反テロ作戦に触れつつ、「国際公共財」と評価した次第である。

外交（例えば北朝鮮の核問題をめぐる六ヵ国会議）や経済（特に米国債の買い付け）面からスタートした米中協調の枠組みを軍事面においても推し進める姿勢と読むのが自然であろう。中国がもし敵国ならば財務省証券の大量保有を許してはならないはずだ。このようなビジネス行為は「同じ市場経済国同士」という暗黙の前提のもとに行われている経済行為なのだ。中国がもし大量の、破壊的な「米国債売り」に出たならば、中国政府も犠牲は免れないが、それ以上に「基軸カレンシーとしてのドルの権威」は確実に崩壊する。ここまで深い腐れ縁になった米中関係を台湾への武器売却などをめぐる「疑似対立」で隠蔽するのが年次報告書のもう一つの基調である。

ペンタゴン報告書についてのＮＨＫのニュース解説は、台湾海峡の戦闘能力比べを解説するのみで、「国際公共財」（international public goods）には一言も言及しなかった。他方「日米同盟こそが国際公共財」とする議論は、繰り返し報道され続けている。これは公正な報道とは見なしがたい。他の多くの主流メディアにも同じ偏向が見られる。

米中軍事協力の進展は不可避であり、もう後戻りはできない。「ペンタゴンと解放軍の野合」を隠す田舎芝居にだまされてはなるまい。ペンタゴン年次報告書は二〇一一年中に中国が国産空母の建造に着手する可能性があることも指摘し、中国海軍が小笠原諸島と米領グアムを結ぶ第二島嶼線を越える西太平洋まで作戦行動を拡大する動きも指摘している。つまり台湾を含む第一島嶼線はすでにあっさりと越えられたのだ。沖縄の米海兵隊のグアム移転は、中国海軍とミサイルの精度を見据えてのことだ。いまや沖縄からの米軍撤退さえも、想定内のはずだ。

2 米中戦略対話

「米中戦略対話」の前史

今回の本格的な米中対話に至るまでの前史としてどのように米中対話が行われてきたのかを簡単に回顧しておきたい。中国新浪網（二〇〇九年七月二七日）が掲げた「米中戦略対話と戦略経済対話大事記」(http://www.sina.com.cn）によれば、その経緯は次のごとくである。

二〇〇五年八月～二〇〇八年一二月、米中間で六回の「戦略対話」が行われ、それらを踏まえて、二〇〇六年一二月〜二〇〇八年一二月に五回の「戦略経済対話」が行われた。すなわち「六回の戦略対話」は、次のように行われた。二〇〇五年八月一日、米中間で初めての戦略対話が北京で行われた。双方は米中関係とともに関心をもつ重大な国際・地域問題について「率直な、深い意見交換を行った」と発表された。二〇〇五年一二月七〜八日、第二回戦略対話がワシントンで行われた。双方は率直な、深い、建設的な討論を行ったと発表された。二〇〇六年一一月八日、第三回戦略対話が北京で行われた。双方は率直な、深い、建設的な討論を行ったと発表された。二〇〇七年六月二〇〜二一日、第四回戦略対話がワシントンとメリーランドで行われた。双方は米中関係の戦略的、長期的、全局的な問題について率直な、深い、建設的な討論を行ったと発表された。二〇〇八年一月一七〜一八日、第五回戦略対話が貴州省貴陽市で行われた。二〇〇八年一二月一五日、第六回戦略対話がワシントンで行われた。中国国務委員戴秉国（たいへいこく）と米国国務副長官ジョン・ディミトリ・ネグロポンテが共同で対話を司会し、新時期の米中関係を長期的に安定的に発展させるために、率直な深い意見交換を行った。この米中対話はオバマ政権の誕生を前にして終わった。

この「戦略対話」と部分的に重なる時期に「戦略経済対話」も五回重ねられた。すなわち、二〇〇六年一二月一四〜一五日、初めての「戦略経済対話」が北京で行われた。この会議で、中国にニューヨーク証券取引所とナスダック代表事務所を設立することが決定された。また知的財産権の保護などについての交渉が行われた。二〇〇七年五月二二〜二三日、第二回米中戦略経済対話がワシントンで行われた。双方はサービス業、投資、エネルギーと環境などを討論した。

この会議でQＦⅡの投資限度額の引き上げや貨物航空便の自由化などが討論された。QＦⅡとは、「適格海外機関投資家」（Qualified Foreign Institutional Investors）のことだ。中国は、二〇〇二年一二月に、これまで禁じていた、QＦⅡによる中国証券市場への投資を、条件付きで正式開放した。人民元建て中国本土株（上海Ａ株、深圳Ａ株）の売買を可能にする制度である。QＦⅡの対象となるのは、投資信託会社、保険会社、証券会社、およびその他の資産管理機関とされており、QＦⅡの免許取得のための資産規模には条件があるため、大手企業でなければ参入しにくい規模となっている。中国がQＦⅡを導入することは、次の点で意味をもつ。中国の証券市場が、本格的な対外開放への一歩を踏み出したこと、海外投資家を導入することで、上場企業の財務内容の精度が向上したり、情報開示などインフラ面が整備されることが期待できる点である。

さて二〇〇七年一二月一二～一三日、第三回戦略経済対話が北京で行われた。この対話から、双方は一連の共通認識を得た。二〇〇八年六月一七～一八日、第四回戦略経済対話がメリーランド州アナポリスで行われた。この対話で、双方は貿易、投資、金融、エネルギーと食品の五大領域で豊かな成果をあげ、相互理解を深めた。二〇〇八年一二月四～五日、第五回戦略経済対話が北京で行われた。双方はマクロ経済協力と金融サービス、エネルギーと環境協力、貿易と投資、食品と産品安全および国際経済協力の五つの領域で、四十余項の積極的な成果を得た。以上の五回にわたる「戦略経済対話」は、「戦略対話」を踏まえつつ、経済のより実務的な問題について対話を深め、取り決めを行ったものであることが理解できる。

中国の第一一次駐外使節会議（二〇〇九年七月一七～二〇日）

二〇〇九年七月末に予定された大規模な米中戦略対話に先立って、中国当局は、在外大使を北京に呼び寄せて「駐外使節会議」を開いた。いうまでもなく、本格的な米中対話を控えて、どのようなスタンスでこれに臨むのか、その「底線」（ボトムライン）を明確にするために、この会議が開かれたものと見てよいであろう。二〇〇九年七月一七～二〇日、第一一次「駐外使節会議」が北京で開かれ、胡錦濤が「重要講話」を行ったと報じられた（第一一次駐外使節会議在京召開、胡錦濤発表重要講話、中広網中国之声馮悦記者、二〇〇九年七月二〇日[*4]）。

胡錦濤はこう強調した。「新情勢のもとで、外交工作と国家発展の関係はより緊密になっているが、今後の一時期、外交工作は国際金融危機の衝撃に有効に対応し、保持経済の安定発展を維持し、世界経済復興のための国際協力のために各国との実務工作を積極的に推進しなければならない。その重点は大国との関係を巧みにマネージすることだ」。

ここでは、リーマン・ショック以後の国際金融危機に対処するために、大国との関係、すなわちアメリカとの政策調整が指摘されている点が注目される。この記者は外交路線の転換については注意深く論評を避けているが、新華社電は①「政治上更有影響力」、②「経済上更有競争力」、③「形象上更有親和力」、④「道義上更有感召力（感化力、アピール力）」と胡錦濤の講話の核心部分を見出しに掲げている。とはいえ、それ以上の説明は何もしていない。

この胡錦濤の四句の含意を知るには、解説論文しかない（「従韜光養晦到主動出撃的和諧世界――解読胡総在中国第一一次駐外使節会議的講話」二〇〇九年七月二一日）。

いわく、改革開放三〇年、総設計師たる鄧小平同志は、当時の中国内外の環境と条件が比較的に弱く、経済も政治も影響力が弱い事実に鑑みて、「韜光養晦、永不出頭」（才能や地位などを包み隠すことを旨とし、でしゃばらない）の基本的外交原則を提起し、「埋頭苦干」（ひたすら仕事に打ち込む）努力を続けてきたが、これは一部の者には、たいへんな不満であった。その実質は、良い外交環境を勝ち取るために、互いに発展を邪魔せずに、皆が利益を得るためであった。しかしながら、この三〇年、外交は受け身・防衛的になり、「底線」を保持するのみであった。これは改革開放のために、世界の資源を中国を発展させる「核心目的」に利用するためであった――。

ここでは、天安門事件と旧ソ連解体というダブルパンチのもとで、鄧小平がひたすら対外的に「低姿勢」のスタンスをとってきたこと、それが誇り高い中国人にとって不満のタネと化したことが指摘され、いまや積極的・主導的外交に転じるべきだとする意向が示されている。その結論が、①「政治上更有影響力」、②「経済上更有競争力」、③「形象上更有親和力」、④「道義上更有感召力」の四句であった。四句のうち、とりわけ③と④が目新しい。中国の対外イメージを親しみ深いものとし、道義的にもアピール力に富む中国外交だと評価されるような内容としたい。これが外交政策転換の狙いであった。

外交政策の転換から一年余、この転換は、結果的にはまったく裏目に出たと評してよい。「親和力」も「感召力」も著しく傷つけられた。そしていま中国外交は改めて鄧小平路線の復活によって、暴走した部分の軌道修正を行おうとしているように見える。それを示すものが戴秉国講話である（戴秉国「平和な発展の道を堅持する（堅持走和平発展道路）二〇一〇年一二月六日。『中共中央関于制定国民経済和社会発展第一二個五年規劃的建議』輔導読本」と説明されている）。

第一回米中戦略・経済対話（S&ED）、二〇〇九年七月二七〜二八日（ワシントン）

新華社ワシントン七月二八日電（記者　趙毅　劉麗娜　王湘江「中美関係在新起点上再出発」（**http://www.sina.com.cn** 二〇〇九年七月三〇日、新華網）は、七月二七日、二八日の二日間にわたる初めての米中戦略・経済対話（S&ED）が二八日に終わった際に、次のように報じた。

この対話は中国国家主席胡錦濤と米国オバマ大統領が二〇〇九年四月、ロンドンで会談した際の共通認識に基づいて開かれた。世界最大の途上国と最大の先進国間で行われる重要交流であり、両国関係の再出発の新起点である。

——対話に参加する双方代表団は、地位が高く大規模である。中国は一五〇余名の代表団を派遣した。中方の団長は、胡錦濤主席、特別代表の国務院副総理王岐山と国務委員戴秉国である。オバマ政権の出席者は閣僚級が一二名である。米側の団長はオバマ、特別代表の国務長官ヒラリーと財務長官ガイトナーである。

——対話の議題は、二国間問題だけでなく、リージョナル、グローバル問題にわたる。双方は今後の二国間協力、国際的反テロ、多国籍犯罪、核拡散防止など、国際的地域的にホットな問題を討論し、さらにエネルギー安全、気候変化などのグローバル問題を討論した。経済対話の部では、双方は全方位、多角的方面から、各自の経済発展と金融領域において関心のある問題を討論した。

半世紀の米中関係の発展は風雨を経てきた。当初の全面対抗から一九七九年に米中国交に至り、近年は双方の相互訪問と対話が行われている。ガイトナーは開幕式に中国語を用いて「風雨同舟」を語った。双方は「第一回米中戦略・経済対話連合新聞稿」（首輪中美戦略与経済対話聯合新聞稿）を発表し、オバマ大統領が胡錦濤主席の招待により年内に訪中すること、米中両軍は各級別の交流を拡大することを決定した。双方は両国教育部門が調印する「米中工作計画」の目標の達成を約束した。さらに双方は、気候変化、エネルギーと環境協力の覚書に調印し、二〇一〇年に北京で第二ラウンドの米中戦略・経済対話を行うことを明らかにした。

3　核心利益

スタインバーグ、ベーダー訪中（二〇一〇年三月）への憶測

『ニューズウィーク』ジョシュ・ローギン記者は、「中国政府の一貫しない対米政策は、政府内部で強硬派と穏健派が対立している証拠だ」と観測記事を書いた。

「アジア問題を担当する米政府高官二人が今週中国を訪問し、国務省が言うところの米中の緊張関係が修復に向かい始めたと歓迎された。だがオバマ政権内部の当局者たちの眼には、ここ数週間

の出来事がアメリカへの対応に中国政府が内部で苦慮していることを示す証拠に映った」。

「ジェームズ・スタインバーグ国務副長官とジェフリー・ベーダー国家安全保障会議（National Security Council, NSC）アジア上級部長が訪中した第一の目的は、イランへの新たな制裁に協力するよう中国政府を説得することであったが、今回の会談は、アメリカが①台湾への武器輸出を決め、②オバマがチベット仏教の最高指導者ダライ・ラマ一四世と面会した直後のことだった」。

「オバマ政権はこの二つの出来事が中国を刺激するのを最小限に抑えようと努めた。複数の米外交当局者が語ったところでは、中国の反応はほぼ予想通りだったという。中国は報復措置として後述のように、ゲーツ国防長官の訪中をキャンセルする一方で、米原子力空母ニミッツの香港寄港を予定通り許可した。二月初めに予定されていたスタインバーグの訪中は抗議の一部として延期されたが、中国は結局わずか数週間後にスタインバーグを歓迎した。この二つの外交問題に続いて中国が示した態度は、共産党内部で自信を高める強硬派と影響力が衰えつつある穏健派の間で意見対立が激化している証拠かもしれない」（「米中関係・中国外交の仁義なき戦い」（Confusion in China）『ニューズウィーク』（Newsweek）、二〇一〇年三月五日）。

スタインバーグ国務副長官と国家安全保障会議ベーダー上級部長が二〇一〇年三月一〜三日訪中した際に、中国側カウンターパート戴秉国国務委員とどのような対話を行ったのかは不明だが、この対話において、戴秉国が「南シナ海と東シナ海は中国の核心利益と述べた」とする報道が七月ごろから一部で行われた。

発端は共同通信ワシントン電「南シナ海は「核心的利益」と中国、米高官に初表明」（二〇一〇年七月三日）あたりと見られる。

ワシントン共同電、二〇一〇年七月三日。中国政府が二〇一〇年三月、北東アジアとインド洋を結ぶ軍事・通商上の要衝で、アジア各国による係争地域を抱える南シナ海について、中国の領土保全などにかかわる「核心的利益」に属するとの新方針を米政府高官に初めて正式に表明していたことが七月三日、わかった。中国はこれまで台湾や独立運動が続くチベット、新疆ウイグル両自治区などを「核心的利益」と位置付け、領土保全を図る上で死活的に重要な地域とみなし、他国に対する一切の妥協を拒んできた。新たに南シナ海を加えたことで、この海域の海洋権益獲得を強硬に推し進める国家意思を明確に示した。中国は南シナ海に連なる東シナ海でも、日中双方が領有権を主張する尖閣諸島＝釣魚島海域周辺での活動を活発化させており、海洋権益をめぐり日本との摩擦が激化する恐れもある。関係筋によると、中国側は三月上旬、訪中したスタインバーグ国務副長官とベーダー国家安全保障会議アジア上級部長に対し、この新方針を伝達した。両氏は北京で、戴秉国国務委員や楊潔篪外相、崔天凱外務次官らと会談しており、外交実務を統括する立場にある戴氏が米側に伝えたとみられる。

（共同電は、新方針の伝達を三月上旬のスタインバーグ訪中時のこととしているが、そうではなく、五月末の第二回米中戦略・経済対話（S＆ED）の時点での馬暁天発言が発端と推定できることは、後述する。）

そして香港の英字紙『サウス・チャイナ・モーニング・ポスト』（South China Morning Post, SMCP）は七月七日付で共同電と同趣の記事を掲げた。

ＳＣＭＰ電と類似の解説が一〇月二日付共同電で再び掲げられた。当時は、尖閣周辺での漁船衝突事件による日中の緊張が極度に高まっていたので、七月当時は日本ではあまり注目されなかった香港発共同電が一〇月二日付のＳＣＭＰ電をキャリーした当時は、衝突事件の背景を説いた報道として日本世論に大きな影響を与えた。いわく「中国外交筋の話として、中国政府が今年に入り、沖縄県・尖閣諸島の領有権を台湾やチベット、新疆ウイグル両自治区と同列の「核心利益」に位置付けたと報じた。尖閣諸島付近での漁船衝突事件をめぐって中国側が見せた一連の強硬な態度の背景には、この政策変更があるとの専門家の見方を伝えている」。

ところが同じ共同電は、三週間後に「ワシントン共同二〇一〇年一〇月二二日電」として「中国政府が、米政府に対し、南シナ海を台湾やチベットと並び領有権で絶対に譲らない「核心的利益」と位置付けると表明したこれまでの発言を否定し、核心的利益とする立場を事実上取り下げる姿勢を示していたことが一〇月二二日、わかった」と既報の内容を軌道修正した。

その理由を共同はこう解説した。

中国がこの新方針を表明後、米国や東南アジア諸国連合（ＡＳＥＡＮ）の関係国が強く反発。中国国内では強硬姿勢を続けることは外交全体の柔軟性を損なうとの議論もあり、米国などに配慮する形で対外的な立場の変更を決めたとみられる。関係筋によると、中国は今年三月、訪中したスタインバーグ国務副長官らに、南シナ海を「核心的利益」とする方針を初めて伝達。さらに五月の「米中戦略・経済対話」の席で、戴秉国国務委員がクリントン国務長官に対して、政府の立場として正式に伝えたという。だが最近になって、中国側は同対話での発言について米側に対し「南シナ海を「核心的利益」とは言っていない」と否定したという。

SCMP電を踏まえた「南シナ海と東シナ海の核心利益」説は、こうして、三月のスタインバーグ国務副長官らに対する説明、五月の第二回米中戦略・経済対話の場で行われたとする報道を、中国側の抗議を入れる形で、その発言なし、と否定報道を行ったわけである。しかし、この「誤報」はとりわけ日本内外に広く流布された。

私自身は、シンガポール八月二三日電『聯合早報』の評論「南シナ海はなぜ「核心利益」になるのか」(南中国海為何成為「核心利益」?)を読んで、南シナ海と東シナ海を「核心利益」と主張したという報道について、誤報あるいは不十分な解釈であろうと推測していた。

果たして、新日中友好二一世紀委員会第二回会合(二〇一〇年一〇月三〇~一一月二日、東京と新潟)を終えて帰国した陳健委員(元駐日本大使)は、北京で日本記者団と会見して、次のように述べた。

南シナ海は中国の核心利益「である」(原文「是」)というのは、正しくない。南シナ海には中国の核心利益がある（原文「有」）というのが正しい。「是」ならば、南シナ海全体が中国の核心利益になる。だが、われわれの領土ではない部分も多い。さらに南シナ海は国際公海であり、航行の自由がある。それゆえ南シナ海が中国の核心利益「である」というのは間違いだ。南シナ海には中国の核心利益も「ある」（含まれる）と言うべきだ。「有」とすべきところを、「是」と述べた「一字の違い」が大きな誤解をまねいた。

陳健元大使の解説は当然であろう。すなわち南沙諸島（図7）の場合、現在は、ベトナム二七、中国七、台湾一、フィリピン八、マレーシア三、ブルネイ〇の島嶼を各国が実効支配している（表5）。この現状を無視して、「すべての島嶼を中国が実効支配する」などと解する言説は、荒唐無稽なのだ。尖閣諸島の場合は、日本が実効支配を行い、中国も主権を主張している点で南シナ海のケースと似ている。そしてアメリカの立場は南シナ海・東シナ海問題のいずれも、どちらにも与しない立場（takes no position）を、沖縄返還当時以来貫いている。

では、中国の立場はなぜ誤解されたのか。この点について陳健元大使は、『環球時報』の羅援少将の論文「アメリカ空母がもし黄海に入るならば、中国の民意を激怒させる」（羅援「美航母若進黄海　将激怒中国民意」二〇一〇年八月一〇日『環球時報』。羅は軍事科学学会副秘書長、元中央調査部長・羅青長の子）と書いたのを名指しして、南シナ海が中国の核心利益だとした「一部の人々の見方」を批判している。

すなわち南沙、西沙などは中国が実効支配しているが、ベトナムも主権を主張中である。西沙のうち

図７　南沙諸島

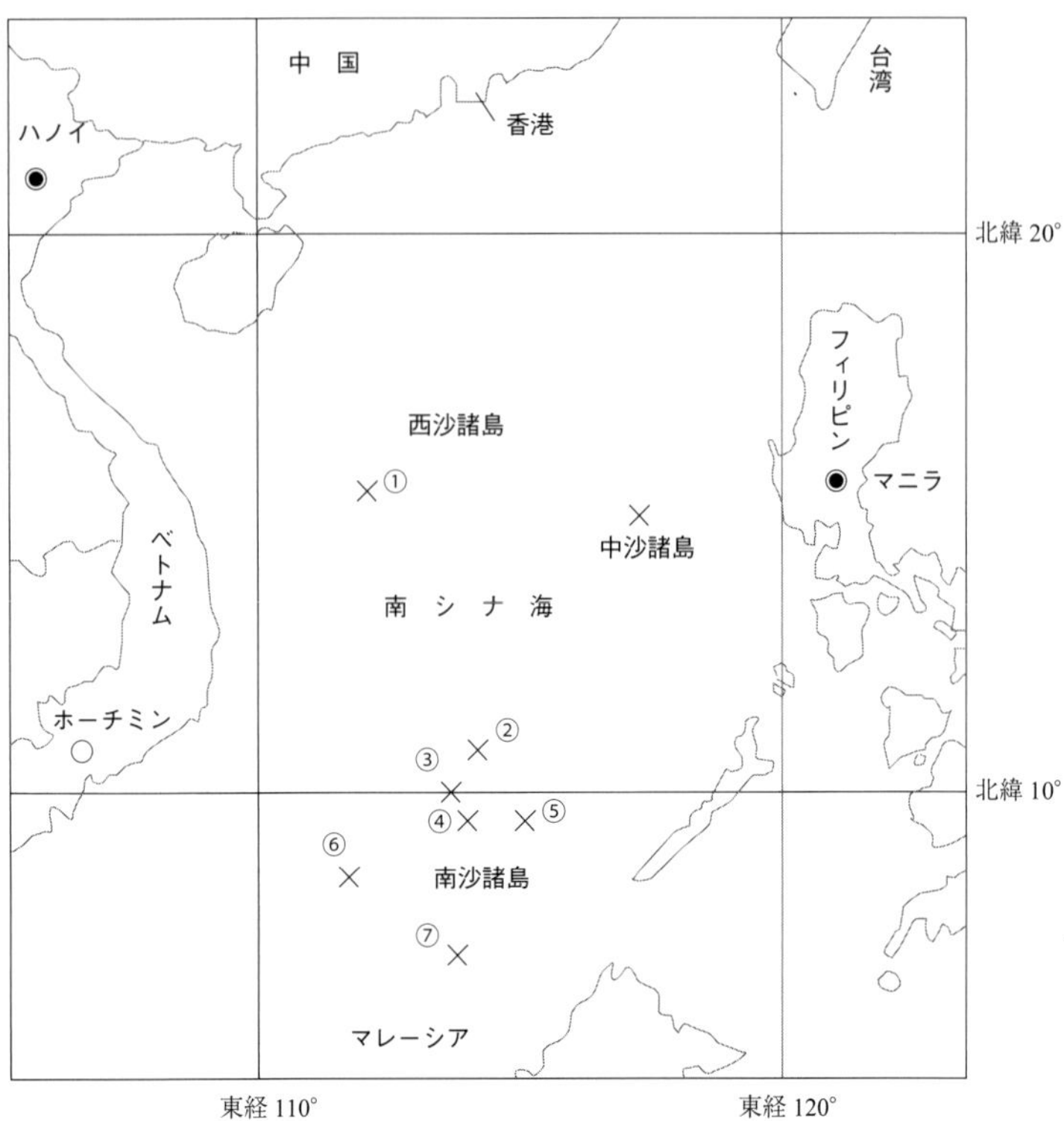

西沙諸島

① Woody Island（永興）〔中国〕

南沙諸島

② That Island（Pagasa 中業）〔フィリピン〕

③ Itu Aba Island（太平）〔台湾〕

④ Johnson South Reef（赤瓜）〔中国〕

⑤ Mischief Reef（美済）〔中国〕

⑥ Spratly Island（南威）〔ベトナム〕

⑦ Swallow Reef（Terumbu Layang Layang 弾丸）〔マレーシア〕

中沙諸島

⑧ Panatag Reef（黄岩）〔フィリピン／中国〕

表5　南沙諸島の実効支配（1999年）

要求国	実効支配	権利主張	軍事施設など	駐屯兵員
中国	7	南沙全体	ヘリポート	260
フィリピン	8	60島嶼	1300m滑走路	595
ベトナム	27	南沙全体	600m滑走路	600
マレーシア	3	12島嶼	600m滑走路	70
台湾	1	南沙全体	ヘリポート	112
ブルネイ	0	なし	なし	0
計	46			1637

資料）Christpher C. Joyner, The Spratly Islands, Dispute in the South China Sea: Problems, Policies, and Prospects for Diplomatic Accomodation.

赤瓜礁（Johnson South Reef）は、一九八八年三月一四日の赤瓜礁海戦を通じて、中国がベトナムから奪い、実効支配しているもので、これは趙紫陽が八七年一一月、軍事委員会副主席就任四ヵ月後に行われたことが、『劉華清回憶録』（解放軍出版社、二〇〇四年）に記されている。これらの島嶼問題において「争いの存在を認める」のが中国の立場である。

中国はベトナム、フィリピン、マレーシア、ブルネイと「争いの存在」を認め、その争いは平和的交渉を通じて解決すべきだとするのが中国の立場だ。ところが日本は、尖閣諸島について「争いの存在」を認めていない。そこが中国の不満だと陳健元大使は言う。中国の立場は日本の実効支配に直ちに実力で挑戦するものではなく、中国が主権を主張している事実を認めよというにとどまる。陳健がここで、『環球時報』の羅援少将論文を批判しているのは、じつは「桑を指して、槐を罵る」の類である。後述のように、同じ趣旨の発言が二〇一〇年五月二四日午前の米中非公開対話で馬暁天副総参謀長によって行われたことがより重要であり、羅援少将論文は、七月一日の馬暁天インタビューの趣旨を敷衍したにすぎないからだ。

〔コラム〕実効支配

南沙諸島の実効支配

戦後吉田内閣時代に日本が台湾に亡命した蔣介石政府との間で結んだ日華平和条約の第二条には、「日本国は、一九五一年九月八日にアメリカ合衆国のサン・フランシスコ市で署名された日本国との平和条約（以下「サン・フランシスコ条約」という）第二条に基き、台湾及び澎湖諸島並びに新南群島及び西沙群島に対するすべての権利、権原及び請求権を放棄したことが承認される」と書かれている。西沙群島とは、現在も使われている地名なのでこれがパラセル群島を指すことは、容易にわかる。

だが「新南群島」とは何かを直ちに答えられる人は少ないかもしれない。ところが、この日華条約第二条の英訳[*5]を見ると、一目瞭然、「新南群島」とはスプラトリー諸島である。

つまり南シナ海に位置するスプラトリー＝南沙諸島はいま大きな国際問題となっているが、原点は日華条約第二条にある。ただし、この第二条の根拠は、サン・フランシスコ条約であり、そこにはこう書かれている。

第二条(a)日本国は、朝鮮の独立を承認して、済州島、巨文島及び鬱陵島を含む朝鮮に対するすべての権利、権原及び請求権を放棄する。(b)日本国は、台湾及び澎湖諸島に対するすべての権利、権原及び請求権を放棄する。(c)日本国は、千島列島並びに日本国が一九〇五年九月五日のポーツマス条約の結果として主権を獲得した樺太の一部及びこれに近接する諸島に対するすべての権利、権原及び請求権を放棄する。(d)日本国は、国際連盟の委任統治制度に関連するすべての権利、権原及び請求権を放棄し、且つ、以前に日本国の委任統治の下にあつた太平洋の諸島に信託統治制度を及ぼす一九四七年四月二日の国際連合安全保障理事会の行動を受諾する。(e)日本国は、日本国民の活動に由来するか又は他に由来するかを問わず、南極地域のいずれの部分に対する権利若しくは権原又はいずれの部分に関する利益についても、すべての請求権を放棄する。(f)日本国は、新南群島及び西沙群島に対するすべての権利、権原及び請求権を放棄する。

こうして日華条約第二条が典拠としたのは、サンフランシスコ条約第二条(f)項であった。日本が放棄した（放棄させられた）のち、これらの島嶼は誰が支配したのか。西沙諸島（＝パラセル諸島。西沙群島〔中名〕／Quân đảo Hoàng Sa〔越名〕／Paracel Islands〔英名〕）は、旧宗主国のフランスが去ってから、南ベトナムが同諸島の西半分クレスセント諸島 Crescent Group（代表的な島はトリトン島、Đảo Tri Tôn〔越名〕／中建島〔中名〕／Triton Island〔英名〕、北緯一五度四七分・東経一一一度一二分）を占領した。東半分アンフィトリテ諸島 Amphitrite Group(代表的な島はウッディ島、永興島〔中名〕／Đảo Phú Lâm〔越名〕／Woody Island〔英名〕、北緯一六度五〇分・東経一一二度二〇分、およびツリー島、趙述島〔中名〕／Đảo Cây〔越名〕／Tree Island〔英名〕、北緯一六度五九分・東経一一二度一六分）は、中国が五六年に占領したので、以後一八年にわたって、南ベトナム軍と中国軍の対峙が続いた。ベトナム戦争（一九六五〜七五年）末期の一九七四年一月一九日、中国軍が西半分に侵攻して、崩壊寸前の南ベトナム軍を排除して諸島全体を占領したので、同諸島はそれ以後、中国の実効支配下にある。

西沙諸島は、西半分（Crescent Group）も東半分（Amphitrite Group）も中国一ヵ国が実効支配しているのに対して、南沙諸島はモザイクのように実効支配国が入り組んで複雑だ。南沙諸島の実効支配がどのように進展したかを見ると、大きな島から順に各国が占拠していった過程がよくわかる。

Tizard Reefs（鄭和群礁）の一角をなす南沙最大の太平島（**Itu Aba Island** 北緯一〇度二二分、東経一一四度二二分）でさえも、その面積は〇・四四平方キロにすぎず、一平方キロの半分に満たないことから、礁群の小ささがよくわかる。太平島は、一九四六年に国民政府海軍「太平号」が日本軍から一九四六年に接収したことで、これが通称となった。国民政府はその後、台湾に亡命したが、太平島を今日まで実効支配している。台湾の実効支配はこれだけである。

マレーシアの実効支配

Swallow Reef（北緯七度二四分、東経一一三度五〇分、**Terumbu Layang Layang**）の面積は〇・三五平方キロ、太平島に次ぐ第二の大きさだ。南沙諸島のなかで最も南に位置する。マレーシアが一九七九年に占領し、海軍基地を設けた。漢字名は弾丸礁あるいは燕子島。マレーシアはこれを中核として、**Mariveles Reef**（北緯七度五六分、東経一一三度五三分、**Terumbu Mantanani**）と **Ardasier**

Reef（北緯七度三七分、東経一一三度五六分、Terumbu Ubi）、都合三つを実効支配している。

フィリピンの実効支配

Thitu Island（Pagasa）は、北緯一一度〇一分、東経一一四度一一分にあり、面積〇・三三平方キロ、南沙諸島第三の大きさである。飲用可能な井戸がある。フィリピンが一九七一年に占領して以来、実効支配を続けている。滑走路あり。漢字の表記は、国民政府軍の「中業号」の接収にちなみ、中業島と呼ぶ。フィリピンはこのほか、Loaita Island（北緯一〇度四〇分、東経一一四度二五分、Kota）、Nansham Island（北緯一〇度四四分、東経一一五度四八分、Lawak）、West York Island（北緯一一度〇五分、東経一一五度〇二分、Likas）、Lamkian Cay（北緯一〇度四三分、東経一一四度三二分、Panata）、North East Cay（北緯一一度二七分、東経一一四度二一分、Parola）、Flat Island（北緯一〇度四九分、東経一一五度五〇分、Patag）、Commodore Reef（北緯八度二一分、東経一一五度一一分、Rizal）の七つ、計八つを実効支配している。

ベトナムの実効支配

ベトナムが一九七四年以来実効支配を続けているDao Truong Sa（長沙島）が、いわゆるスプラトリーSpratly Island（南威島、北緯八度三九分、東経一一一度五五分）にあり、面積〇・一五平方キロ、南沙諸島で第四の島である。狭義のスプラトリー（単数形）はこの小さな島を指し、広義では、南沙諸島全体を指す（複数形Spratly Islands）。ここは珍しく古くから井戸があるため、全体の呼称としても用いられたのであろう。ベトナムはこのほか二〇すなわち、①Alison Reef ②Amboyan Reef ③Barque Canada Reef ④Central London Reef ⑤Cornwallis South Reef ⑥Da Gri-san ⑦Da Hi Gen ⑧East London Reef ⑨Great Discovery Reef ⑩Ladd Reef ⑪Landsdowne Reef ⑫Namyit Island ⑬Pearson Reef ⑭Petley Reef ⑮Sand Cay ⑯Sin Cawe Island ⑰South Reef ⑱South West Cay ⑲Tennent Reef ⑳West London Reef を実効支配している。

中国の実効支配

中国の実効支配は、台湾、フィリピン、ベトナム、マレーシアと比べて最も遅かった。赤瓜礁（ジョンソン南礁、Johnson South Reef Đá Gạc Ma Mabini）は、北緯九度四二分、東経一一四度一七分にあり、南沙諸島西北部の群礁（このグループを英語でUnion Banks and Reef 中国語では九章群礁と呼ぶ）の中核である。一九八八年三月一四日、ベトナムが統治していた赤瓜礁を中国が攻撃し、占領した。これを赤瓜礁海戦（越——Hái Chiến Trường Sa 中——赤瓜礁海戦、Spratly Islands' naval battle）と呼ぶ。中国は当初木造の小屋を建てその後コンクリートに改築し、「中国赤瓜」を書いた。この海戦で赤瓜礁の西に位置する①永暑礁（Fiery Cross Reef Da Chu Thap 北緯九度三〇分、東経一一二度五三分）、②華陽礁（Cuarteron Reef Da Chau Vien 北緯八度五一分、東経一一二度五〇分）を占領し、③東の東門礁（Kennan Reef 北緯八度四八分、東経一一一度三四分）を占領し（九章群礁の一角）、④南薫礁（Gaven Reef Da Gaven 北緯一〇度一三分、東経一一四度一二分）、⑤渚碧礁（Subi Reef Da Subi 北緯一〇度五四分、東経一一四度〇四分）などの岩礁・珊瑚礁を手に入れた。

この戦闘でベトナム水兵七〇名以上が死亡した。

赤瓜礁海戦はなぜ発生したのか。一つの契機は一九八二年ロサンゼルスで開かれた国連海洋法会議だ。ここで新領海法と排他的経済水域（ＥＥＺ、専属経済区劃分）が定められたので、ＥＥＺ線引き騒ぎがもち上がった。加えて、一九八五年からユネスコ政府間海洋学委員会（UNESCO-IOC）が推進している全球的な海面水位監視ネットワーク「全球海面水位観測システム」（The GLOSS＝Global Sea Level Observing System）が動き出し、全世界で約三〇〇の検潮所が登録された。これらの検潮所で得られた海面水位データを、海面水位の長期変動監視や海洋研究などの目的で利用する計画だ。中国は、五つの検潮所を引き受けることになり、うち二つは西沙と南沙に各一つ設けられることになった。

中国はこれを奇貨とし、南沙に海洋観測站を建設する名目で、海軍艦艇の編隊を南沙群島に巡航させた。一九八八年一月三一日南海艦隊護衛艦五五二号「宜賓」は、永暑礁に第七四号海洋観測站の建設のため上陸し、五星紅旗を掲げた。三月一四日中国海軍五三一号「鷹潭」と五五六号「湘潭」が到着、ベトナム軍六〇四号武装運輸船からも四三名が赤瓜礁に上陸しベトナム国旗を掲げたので、先に上陸していた中国軍五八人とにらみ合い、まもなく銃撃戦となった。砲撃を受けたベトナム軍六〇四輸送船が沈没し、帰路を失ったベトナムの上陸兵士は投降し、五〇五上陸艦も白旗を掲げた。この海戦勝利により、中国は九章群礁周辺の六つの礁を占拠し、南沙諸島に軍事拠点を構築することに成功した。

その後、一九九五年二月二日フィリピン軍偵察機とパトロール艦がミスチーフ礁（北緯九度五二分、東経一一五度三〇分）に中国が建築物を作っていることを発見し、九二年アセアン会議で採択された「南シナ海宣言」に違反すると抗議の覚書を中国につきつけた。中国側は「軍事施設ではなく、漁民を守るための生産施設だ」と弁解した。同年一一月二九日フィリピン海軍は仙娥礁（Alicia Annie Reef 北緯九度二五分、東経一一五度二六分）附近で漁業に従事していた中国漁民二〇名を拘留し、投獄した。九八年後半から九九年初にかけて、ミスチーフには鉄筋コンクリート建て三階の建築物が四棟作られ、江湖級護衛艦が防衛している。

こうして中国は、八〇年代の赤瓜礁海戦でベトナムから獲得した六つおよびフィリピンから獲得したミスチーフ（美済）、計七つを実効支配している。

4　米中戦略・経済対話

第二回米中戦略・経済対話（北京）二〇一〇年五月

第二回米中戦略・経済対話（S&ED）は二〇一〇年五月二四日・二五日、北京で開かれた。これにはアメリカ側からヒラリー・クリントン国務長官以下二〇〇名の大代表団がワシントンから北京入りして、「国務省の大移動」とさえ、マスコミははやしたてた。*6

クリントン長官は、北京に先立って東京には三時間立ち寄り、辞任直前の鳩山由紀夫首相と会談したが、彼女の中国滞在は五日間（五月二一～二五日）に及んだ。「三時間と五日間」の対比は、アメリカの対中スタンスを象徴するように見受けられる。五月一九日の国務省スペシャル・ブリーフィングで、キャンベル次官補は、「二〇〇名の役人が対話に参加すること、国防総省と太平洋軍司令部を含め、事実上米国政府のすべての部門を含む」と説明した。

アメリカ側が軍関係の「国防総省と太平洋軍司令部」に言及したのに対して、中国側はカウンターパートを明らかにしなかった。解放軍は間違いなく対話の相手役を出席させたはずだが、出席者名と発言内容は伏せられている。しかし個別の報道から、馬暁天副総参謀長の出席と発言要旨は確認できる。「第二回米中戦略・経済対話の枠組みのもとで開かれる経済対話」の米中双方のメンバーはまさに、両政府のすべての部門を含むものであった。[*7]

アメリカ側の出席者は Second Meeting of the U.S.-China Strategic & Economic Dialogue Joint U.S.-China Economic Track Fact Sheet, Dept. of Treasury によれば、次のごとくである。

Secretary of the Treasury Tim Geithner,・U.S. Ambassador to China Jon Huntsman,・Secretary of Commerce Gary F. Locke,・Secretary of Health and Human Services Kathleen Sebelius,・U.S. Trade Representative Ronald Kirk,・Chair of the Council of Economic Advisors Christina Romer,・Director of the Office of Science & Technology Policy John P. Holdren,・Chairman of the Federal Reserve Ben Bernanke,・President of the U.S. Export-Import Bank Fred P. Hochberg,・Chairman of the Federal Deposit Insurance Corporation Sheila C. Bair,・Director of the U.S. Trade & Development Agency Leocadia Zak,・Administrator of the Energy Information

Administration Richard Newell, ・Under Secretary for International Affairs of the Department of Treasury Lael Brainard, ・Under Secretary for Economic, Energy and Agricultural Affairs of the Department of State Robert D. Hormats, ・Under Secretary for Farm and Foreign Agricultural Services of the Department of Agriculture Jim Miller, ・Special Assistant to the President for International Economics and Senior Director of the National Security Council David Lipton, ・Deputy Under Secretary for International Affairs, Department of Labor Sandra Polaski, ・Assistant Secretary for Policy and International Affairs, Department of Energy David B. Sandalow, ・Director of the Office of International Affairs of the Securities and Exchange Commission Ethiopis Tafara, ・Director of the Office of International Affairs of the Commodity Futures Trading Commission Jacqueline Mesa, ・Deputy Assistant Secretary of the Department of Transportation Susan McDermott, ・Department of Justice Antitrust Division Economics Director of Enforcement Kenneth Heyer, ・Iowa State Insurance Commissioner Susan Voss.

米中対話は「戦略対話」と「経済対話」からなる。前者は、米中双方が米中関係、リージョナル問題、グローバル問題について深い討論を行った。「戦略対話」の枠組みの下で、両国の関係部門は、エネルギーと安全、気候変動、国連の平和維持活動、反テロリズムなどの問題をそれぞれの担当者が協議するとともに、米中双方の会談を行ったと報じられた。

北京発新華社電は二〇一〇年五月二四日、中国側のスポークスマン馬朝旭によるとして、米中戦略対話初日におけるイラン・北朝鮮核問題に触れて、戴秉国とヒラリーが議長を務める午前の非公開会議は一時間行われた、と伝えた。

なぜ非公開なのか。台湾問題、軍事問題に関わるデリケートなトピックのためだ。五月二五日発新華社電はこう伝えている。解放軍副総参謀長馬暁天が、米国太平洋軍ロバート・ウィラード司令官、国防総省アジア太平洋地区担当ウォーレス・グレグソン次官補に対して、台湾への六四億ドル相当の武器売却が米中対話への障害になっていると指摘した、と。

とはいえ、台湾への武器売却に中国が一貫して抗議し続けてきたことは周知の事実であり、これを特に秘す理由はあるまい。では、何が問題なのか。

馬暁天は「中国の核心利益と主な関心事をアメリカが尊重するように求めた」と報じられたが（U.S. respect for China's core interests and major concerns was the key to the resumption of sound and steadily developing bilateral military ties, Ma said）、ここで「中国の核心利益」として、台湾・チベット問題に加えて、南シナ海にも言及した可能性が伝えられている。どのような文脈における、どのような表現であったのか、真相は藪の中である。

しかし、アメリカ側はこれに対して、即座に反論し、激論になったことは、容易に推測できる。というのは、この米中対話を直接的契機として予定されていたゲーツ国防長官の訪中受入れ拒否が米側に通告されたからだ（ＡＦＰ通信は六月二日、米国防総省の匿名の関係者一人の話をもとに、「中国が今はゲーツ長官の訪中に適した時期ではないと伝えてきた」と報じた。ＡＰ通信も、ゲーツ長官の匿名の側近を引用し、同じ発言を伝えた。これに対して中国外交部はコメントを拒否した、と報じた）。

ゲーツ国防長官の訪中受入れ

ただし、拒否事件が報道された直後、中国国防部当局者は、ワシントンで一二月一〇日開かれた米中防衛協議で、ゲーツ国防長官が二〇一一年一月一〇日から訪中することで両国が合意したことを明らかにした（二〇一〇年一二月一一日の新華社電）。さらに中国人民解放軍の陳炳徳総参謀長も二〇一一年訪米する意向と報道された。ゲーツ長官の訪中は一月一〇～一四日まで五日間の日程で、中国国防部当局者は「ゲーツ氏訪中で中米両国軍の理解が深まり、両軍関係の健全で安定した発展に積極的な役割を果たすことを希望する」と述べたと共同電が報じた。二〇一〇年六月五日にシンガポールで行われた通称シャングリラ会合（各国の軍関係者の集まる第九回ＩＩＳＳアジア安全保障会議＝シャングリラ会合。日本からは北沢防衛相が出席して、「国際公共財としての海洋と我が国の施策」と題した演説を二〇一〇年六月五日に行った）での、ゲーツ国防長官と中国解放軍の馬暁天副総参謀長や国防大学の朱成虎少将[*8]との激論のしこりは修復された。

ゲーツ長官と馬暁天らは、どのような激論を交わしたのか。馬暁天は台湾への武器売却と米軍による南シナ海と東シナ海における調査活動が軍事交流再開の障害になると述べたと伝えられる（The lead PLA delegate, General Ma Xiaotian, for example, said arms sales and US surveillance operations in the South and East China Seas were obstacles to the resumption of exchanges）。

これを受けてゲーツ長官は、中国の言い方は南シナ海に対するアメリカの憂慮を深めるものだと表明した（Gates' address made clear that Washington was not about to budge on such issues, and expressed deepening US concerns over the South China Sea）。

報じられた以上のやりとりからわかるように、中国もアメリカも、南シナ海の主権について直接言及しているわけではない。その後、韓国哨戒艦「天安」爆破事件でアメリカが空母を派遣して黄海で韓国と合同軍事演習を行おうとしたことに対し、中国は猛反発をして、演習の真の目的は北朝鮮ではなく中国への威嚇であり封じ込めであるという論調が香港にあふれた。黄海での演習に対し最初に公開で反対を表明したのは馬暁天副参謀長で、二〇一〇年七月一日香港のフェニックス・テレビのインタビューに答えたものであった。その後外交部スポークスマンが七月八日に会見で同じ趣旨を述べ、軍当局の馬暁天発言から一週間後、外交部が追認し、これを確認する行為が行われた。ここには、軍内強硬派の意見が穏健な外交部をリードする構図が典型的な形で現れ、シビリアン・コントロールのゆくえに重大な危惧を抱かせるものとして注目された。

こうして米中対話から半年後に、あるオーストラリアの新聞は、シェリダン記者（Greg Sheridan）のクリントンに対するインタビューを踏まえて、戴秉国が、南シナ海全体が台湾やチベットと同様に、中国の核心利益だと語ったとするクリントン発言を紹介した。

とはいえ、この記事だけを読むと、あたかも戴秉国国務委員がクリントン国務長官に直接述べたように誤解しかねないもので、この書き方は七月三日共同電に似ている。情報源が同じことを示すものであろう。しかし、五月二四〜二五日の米中対話の経緯を細かく見てきた者にとっては、この発言が馬暁天副総参謀長の発言であることは明らかであろう。そして、この発言は、戴秉国とクリントンが共同で議長を務める会議での発言であることによって、「戴秉国からクリントンに伝えられた」とする解釈が広まったものと推測できる。

すでに指摘したシンガポール紙八月二三日電『聯合早報』の評論「南シナ海はなぜ「核心利益」になるのか」が、南シナ海全体を「中国の核心利益」と見なすことの問題性に警告したのは、事実上、軍の行き過ぎに対する胡錦濤執行部の牽制と見てよいが、例えば黄海における軍事演習批判の基調においては、軍主導の方針を外交部が追認した一幕も確認できよう。

むすび

二〇一〇年五月末の米中対話以後、年末のゲーツ訪中決定までの約半年は、台湾への武器売却と、北朝鮮の挑発的軍事行動の受け止めをめぐって、米中が厳しく対立した時期であった。まさにこの最中に、尖閣周辺での中国漁船長の拘束事件が起こったわけである。これは巨視的に見れば、米中和解・協調への対話劇という大きなドラマの幕間の渦に、日本が無自覚のうちに巻き込まれ、翻弄されたことを意味する。

この事件を通じて、「日米同盟の深化」「南西諸島への自衛隊の配備」といった、対中強硬路線に民主党政権が揺れたかに見えるのは危うい。現に、頼みの米軍はすでに米中軍事交流を復活させ、ゲーツ訪中にまで至り、「中国を敵視しない」アメリカのスタンスを再確認している。日本がいま日米安保をどのように見直し、中国を敵視することの是非を含めて、真剣に検討すべき時期にあることは明らかである。その場合、米中の力の均衡が「軍事力と経済力の双方」において、バランスは中国に傾斜しつつある事実を冷徹に認識することが何よりも肝要である。

（初出：「チャイメリカ構造下の日米中三角関係と尖閣衝突」『横浜市立大学論叢　人文科学系列』二〇一一年三月。のち『チャイメリカ——米中結託と日本の進路』花伝社、第3章、二〇一二年五月、所収）

四　日本外交を憂う——日中戦略的互恵関係のために何が必要か

二〇一〇年九月七日に尖閣諸島という無人島沖で発生したトラブルは、歴史的な視点から、そして巨視的に鳥瞰することがどうしても必要だというのが、強調したい論点の一つです。ベルリンの壁が崩れたのが一九八九年です。二〇一〇年は、東西ドイツ統一から二〇年でした。二〇一一年は、旧ソ連が解体して二〇年、冷戦体制が終わり、「ポスト冷戦」期が始まって二〇年です。この二〇年の「ポスト冷戦という中間期」を経て、二一世紀の「新しいグローバル秩序」のフレームワークが、東アジアで生まれつつあります。変化を先取りして少し誇張するわけですが、一種のパラダイム転換かもしれません。東アジアの新しい国際秩序の枠が見え始めたのが今の状況だと考えています。

それを考えるうえで、二つのキーワードがあります。その一つは、中国が言っている「核心利益」(core national interest)という言葉、すなわち「さまざまな国益の中で核心部分」という意味です。最近は、日本のマスコミも、時々これを言うようになってきていますが、この言い方についていささか誤解が見られるようです。

1 国際公共財——公共財の意味が理解できていない前原外相

もう一つのキーワードは、アメリカの言っている「国際公共財」(international public goods) です。前原誠司外相は、ニューヨークでヒラリー・クリントン国務長官と会談した際に「日米同盟が公共財だ」と言いました(二〇一〇年九月二三日外務省ホームページ「日米外相会談概要」)。ところが、その二ヵ月前の八月中旬に、国防総省年次報告書がやはり「国際公共財」というキーワードを用いています。何が国際公共財なのか。国防総省報告書「中国における軍事・安全保障の展開」(Military and Security developments Involving the People's Republic of China) が言っている公共財とは、中国の人民解放軍の役割です。[*9]

前原外相が強調したように、アメリカがこれまで「日米同盟を公共財」と表現してきたのは事実です。「公共財」というのは、経済学の用語ですが、日米同盟であれ、中国人民解放軍の役割であれ、これを「公共財」と呼ぶのは、政治的転用でいささかおかしいのですが、それはさておき、日本の外相が用いたこのキーワードを、米国務省が日本と対立した中国軍の行動を指して用いているのは、何と皮肉な成行きでしょうか。アメリカの真意はどこにあるのか、追究せざるをえないのです。

冒頭の要約 (Executive Summary) の一節で、このキーワードを用いているのは、明らかにオバマ、ヒラリー路線が「勃興する中国」に向けて送ったメッセージと解すべきです。中国の軍事力の一部の機能を「国際公共財」と称したことに、私は大変驚いたのです。このような積極評価は、おそらく朝鮮戦争以来、初めてではないか。米中協調（結託）時代が始まったことを象徴する言い方ではないかと思います。

むろんこれは直接的には「平和維持活動や災害救助、反テロ作戦における米中協力」を評価したわけですが、話はそこにとどまるはずはない。それがどこに行き着くか、その行き先が問題です。じつは、私がもっと驚いたのは、前原外相の「日米同盟公共財論」は、日本のすべてのマスコミが大きく報道したにもかかわらず、ペンタゴン報告書が中国軍を公共財と称したことを報道したものは、ほとんど皆無であった事実です。これはきわめて危うい事態ですね。

2　まちがった見通し

船長逮捕は的確だったのか

日中トラブルの発端に戻ります。川田康稔さんが英『エコノミスト』（二〇一〇年九月一八日号）の記事を教えてくれました。これは、日本のマスコミ報道とはまったく異なる内容です。「ある日本人役人は、『漁民が挑発的に振る舞うように、中国政府が激励したことはない』と語った」と言うのです。「もしかして船長は酔っ払いか」（A Japanese official says there is no evidence the Chinese government has been encouraging fishermen to behave provocatively. He says the captain could have been drunk.）。英『エコノミスト』誌の解釈は、いわば「酔っ払い船長の暴走」説です。酔っ払い船長が巡視艇に囲まれたあと、必死に逃げようとして巨大な「よなくに」に体当たりした「海上の交通事故」と、「故意の公務執行妨害」とでは、大違いです。

〔追記〕　六分五〇秒のビデオを見せられただけの国会議員には、「衝突の局面」はわかったとしても、なぜ衝突に至ったのか、その「経緯と背景」はわからないはずです。その後、四〇分のビデオが流出したのですが、これでも、まだ全貌はわからないでしょう。「閩晋漁五一七九号」は一隻で日本領海に入ったのでしょうか。仲間とともに来て、逃げ遅れた一隻が、三隻の巡視艇に包囲されたのではないか。ビデオは一〇時間分ある由です。ビデオ撮影が何時何分に始まり、衝突がどのように繰り返され、船長がどのように逮捕されたのか。肝心のことは「編集された圧縮ビデオ」では何もわからない。衝突場面ばかりを見せられて「故意の、悪意ある衝突だ」と繰り返しているのは、対中ナショナリズムの煽動に見えます。

尖閣事件は大きく三段階に分かれ、エスカレートしました。九月七日昼の衝突から八日未明の逮捕が第一段階。二〇〇四年には無人島に上陸した中国人活動家たちを拘束しましたが、処分保留のまま強制送還しています。違法操業の漁船は追い返せば、それで終わり、それがこれまでの慣行でした。今回は「日中問題にはならない」という判断のもとに逮捕した由ですが、その見通しは明らかに間違いでした。

もう一つ、二〇〇八年に、台湾の漁船「聯合号」と日本の巡視艇がぶつかって、沈没させた。これに対しては、賠償金を払っています。今回中国側は、船長の釈放後に、「賠償金を払え」と言ってきました。あれは、「台湾には賠償を払った」事実を踏まえて、扱い方の違いを示唆したものと解されます。しかし、台湾への賠償金支払いの事実に言及したマスコミの解説は、あったでしょうか。「「船長を釈放しろ」と言うから釈放したのに、「賠償金を払え」とは何事か」と煽る論調ばかりがめだちました。台湾の釣り船に対して賠償金を払った事実（支払いが妥当かどうかは疑わしい）を中国はよく覚えていて、それをちくりと言ってきたのではないか。

判断ミスを犯した権力の空白

一一日の土曜日の夜から一二日未明の大使の呼び出しについて、日本側は「大使を深夜に呼び出すとは何事だ。無礼千万だ」と、一斉に反発しました。しかし、その後中国側から「そこに至るプロセスがあった。夕方、丹羽宇一郎大使に連絡したが本国と連絡がつかないということだった」と。「そのとき、大使は宴会のようだった」とも聞きました。仕方なく、戴秉国（たいへいこく）氏（中央外事工作領導小組弁公室主任兼中央国家安全工作領導小組弁公室主任）は岡田克也外相の携帯電話に連絡したが、岡田外相は電話を取らなかったようです（ただし、これについて日本側は、「岡田外相への直接電話はなかった」と反論したとも聞きました。藪の中です）。

中国側は大事に至ることを危惧して焦っているわけですから、その後、やむなく丹羽大使にもう一回連絡をつけ、呼び出したのが日曜日の未明でした。これも、両方の言い分がまったく食い違っていて、お互いに不信感をあおっているところがあります。しかし、どちらかといえば、日本マスコミが先に、「無礼だ、無礼だ」と騒いだことは事実でしょう。岡田外相がなぜ電話を受けなかったのか（電話があったとして）理由はわかりませんが、一四日に民主党の総裁選挙が予定されており、浮足立っていたのかもしれない。誰が首相になるかわからない状況で、いわば「権力の空白」といった感じでしょうか。ここで外交レベルでの調整が完全に行き詰まり、報復措置の発動という政治問題になってきます。酔っ払い船長の交通事故や、ハプニング衝突事故としてもみ消す道が断たれたことになります。

足りない日本の外交センス

それから一〇日後、温家宝首相は、ニューヨークでの華人相手の、いわば内輪の会合で、「船長を釈放しなければ対抗措置を取る」、「さらなる行動を取る」と言明しました。温家宝首相は、政権内部ではむしろ穏健派と見られていますが、そこまで強硬発言をせざるをえない立場に追い込まれたということでしょう。さもないと「対日売国奴（漢奸）外交」と罵られる。国連総会の演説では、「主権や領土では屈服も妥協もしない。核心利益を守る」と強調しました。ただし、彼は「核心利益」というキーワードを使っただけで、この「核心利益」の中身が何かは語っていませんし、慎重に避けています。

蓮舫議員は、閣議後の記者会見で尖閣について発言しました。あとで彼女は、「尖閣諸島について領土問題が存在するかのような誤解を与えたとすれば、まったく本意ではないため、訂正させていただきます」と弁解した。私の理解では、領土問題は確実に存在しているのです。中国の「領海法第二条」では、「これは中国のものだ」と、はっきり言っています。先に言及した米軍の年次報告書も、一貫して「ここは紛争地域だ」と「紛争地域」（disputed territories）に数えています。

日本が「固有の領土だ」と主張するのは当然として、それだけでは外交問題の解決にはなりません。

中国も「自分のものだ」と言い、アメリカは「どちらにも与しない」(United States takes no position on competing sovereignty claims) と述べている点が重要です。

蓮舫氏は、発言した途端に袋だたきで、正しい問題提起が潰されたのは惜しい。中国の領海法は一九九二年から施行されています。「日本としては、中国側主張の正当性は認めないけれども、相手側がそのように主張している現実」を認めたうえで、ようやく対話ができます。しかし、「自分たちの固有のものだ」と繰り返すだけでは外交になりません。

3　核心利益を語る理由

尖閣問題は南シナ海と同列か

南シナ海の多くの島嶼の実効支配状況を見ると、ベトナム、中国、フィリピン、マレーシア、台湾、ブルネイそれぞれが主張する国境線が、入り組んでいます。

温家宝発言を報じた共同通信電に、少し文句をつけたいところがあります。「温家宝首相は、主権や核心利益には具体的には触れていないけれども、尖閣では譲歩する考えはない」。ここまではいいとして、問題は、「核心利益」の範囲について、南シナ海における対ベトナム紛争などを「チベット、台湾」(「蔵独」、「台独」) と同列に論じていることです。これは非常にミスリーディングです。

これは中国とアメリカの間で非常にシビアな交渉をやっている核心部分ですが、「チベット自治区、台湾省、新疆ウイグル自治区についての『独立』は絶対認めない。それは核心利益だ」と、明言しています。ところが、南シナ海や尖閣については、核心利益に入れていません。ただし、「入れよう」という軍部の強硬派はいます。それを煽る論客（朱成虎少将、羅援少将など軍内太子党）もいます。そういう中で、中国内部では、穏健派と強硬派が「核心利益の対象・範囲」をめぐって綱引き、権力闘争をしています。

今回の事件は、図らずも、そういうところへ、結果的に日本が介入するかたちになった。その結果、中国としては、いわば強硬路線で発言するように追い込まれた面があり、それゆえに中国のイメージは「北朝鮮と同じ」ところまで悪化したのです。

中国軍の公共財性を認める米軍

前原外相がヒラリー国務長官に「日米同盟は公共財である。したがって、同盟の深化が必要である」と言ってもらい、得意になったことはすでに指摘しました。しかしアメリカは「中国軍の行動の一部が公共財だ」と言っているわけですから、アメリカはいわば二枚舌です。

日米安保は、過去半世紀の遺産を引きずっています。しかし、中国に「あなた方の武装力も国際公共財ですよ」と微笑を送るのは、「二一世紀の中国」に期待を寄せているわけです。アメリカは中国に、そこまでリップサービスしています。前原外相はニューヨークで、尖閣諸島は日米安保第五条の適用範囲だから、尖閣ではアメリカが日本を助けてくれるようなことを言いましたが、きわめてミスリーディングと思われます。

なぜかと言いますと、日米（2＋2）は二〇〇五年に「日米同盟――未来のための変革と再編」という文書を作っています。その中では、「島嶼部への侵略は日本が対処する」となっています。「島については、日本自身が防衛する。日米安保の対象範囲内にはあるけれども、日米安保の課題ではない」と書かれている。「島の防衛ぐらいは自衛隊がやりなさい。そこまで守るのが日米安保ではない」と、はっきり言っています（Japan will defend itself and respond to situations in areas surrounding Japan, including addressing new threats and diverse contingencies such as ballistic missile attacks by guerilla and special forces, and invasion of remote islands.）。

米中協調体制が世界を決める

私は、二〇〇九年二月二〇日の当協会（アジア研究懇話会）講演で、「チャイメリカ＝米中結託＝協調体制こそが、これからの世界を決めていく」と解説しました。その後、二〇〇九年七月に中国の外交政策の転換が行われ、米中関係も変わり始めました。中国としては、ぎりぎりの譲れないボトムライン（底線）は何かを、アメリカにはっきり伝えたいわけです。その交渉を重ねています。その「底線」が、まさに「核心利益」（コア・ナショナル・インタレスト）というキーワードの意味です。

米・中は、その交渉をどのようにしてやってきたのか。二〇〇九年七月に中国は各国に派遣した全大使を一時帰国させて大使会議をやっています。北京に世界中の大使を呼び戻し、重要な会議を開き、胡錦濤が短い演説をしたと伝えられています。

なぜ大使会議を開いたのか。七月二七〜二八日に、王岐山（副総理）と戴秉国（国務委員）に率いられた中国の代表団がワシントンに行き、そこで「米中戦略・経済対話（S&ED）」をしています。この戦略対話の中では、朝鮮問題はいうまでもなく、イラン、アフガン、パキスタン情勢まで議論しています。そして、二〇一〇年三月にスタインバーグ国務副長官が中国に行っています。これは、一般に朝鮮問題のためと報道されましたが、本当は違います。台湾に武器を売ったという「台湾問題」と、オバマ大統領がダライ・ラマ一四世と「会見した」ことに伴うしこりの調整と見られます。

調整を踏まえて、二〇一〇年五月二四日・二五日に「第二回米中戦略・経済対話（S&ED）」が北京で行われた。このときにヒラリー・クリントンは、二〇〇人の国務省高官を引き連れて訪中し、密度の高いしっかりした会議を二日間やっています。日本に滞在したのはわずか三時間で、鳩山由紀夫首相と会っただけです。中国には五日間（五月二一〜二五日）滞在しました。「三時間と五日間」の差だけでも、アメリカが日中どちらを重んじているかは、すぐにわかると思います。

裏目に出た胡錦濤「外交政策の転換」

二〇〇九年七月の大使会議が非常に重要だと言いました。中心は胡錦濤国家主席の演説です。「鄧小平時代を通じて、ひたすら低姿勢（韜光養晦）でやってきた。しかし、もうそろそろ実力が整い、外国からも期待されているので、「積極外交」に転じてもいい時期が到来した」というのが胡錦濤演説の趣旨でした。中国のマスコミは、「基本的な外交原則」を明らかにしたと言っています。その中身は、第一に、「政治的には影響力を強めたい。第二に経済的には競争力をつけたい」です。第三に、対外的外交イメージとしては、「親和力をもった外交」でなければいけない。第四に、道義的には「感召力（感化力、アピール力）をもった外交」です。この四つが「胡錦濤の新外交」の特質だと解説されています。

ところが、「新外交」は、日中に関する限り、まったく裏目に出た。中国は対日強硬路線へ図らずも追い込まれ、レアメタル禁輸やフジタの社員を拘束するなど、今までになくエスカレートしたので、内外の対中イメージはひどく傷ついた。胡錦濤の「積極的な外交政策」に転じた意図はまったく裏目に出た。最悪です。

それは中国内部で主として対米を意識して「新しい外交への転換」を模索した過程で、強硬派と穏健派の綱引きの最中に、隠れていた強硬派が表に出てしまったということです。鄧小平は「絶対にでしゃばらない」（決不出頭）を強調しました。そのために、今までは外交的に受け身になったという総括をした。しかし、「これからは、核心利益を底線として守りつつも、共同利益を求めて、より積極的に出よう」と考えたのです。

曖昧で不透明な「核心利益」

胡錦濤の新しい方針が出た直後に二〇〇九年七月の米中対話が行われた。王岐山は、米国債・住宅債（ファニーメイ、フレディマック）を買う対外金融担当の副総理です。戴秉国の名は、最近、日本でも話題になっていますが、戴秉国の役割はきわめて重要です。この米中戦略対話に際して、中国のマスコミは、「戴秉国は『胡錦濤の特使』[*10]としてアメリカと交渉する」と、はっきり説明しています。ということは、「外務大臣より少し上のレベル」という程度ではありません。戴秉国の発言は、「胡錦濤の代弁」として、注目しなければいけないはずでした。

ところが、その戴秉国からの電話を岡田が取らないというのは、米中密談が何を話題としているかについてまったく鈍感な態度です。表の対話だけではなく、「米中秘密の対話」にまで言及されているのが今日の米中関係です。「秘密会議で、中国のコア・インタレストは何かについて徹底的に議論した」と報道されています。日本ではそのフォローアップ報道がほとんどないので、中米関係の内実がわからなくなっていると私は思います。繰り返しますが、二〇〇九年七月の米中対話では、朝鮮問題はもちろん、イラン、パキスタンの問題など、「どれ一つを見ても中国と合作しない限り、うまくいかない」と中国メディアは得意気に書いています。米中対話は、単なる経済対話ではありません。

そこで「核心利益」が表面に出てきました。中国側は、核心利益について多くを語らないし、語れない。内部が固まっていないからでしょう。むしろアメリカが、『自由アジア』という対外宣伝放送で、「中国は、こういう強硬論を言っています」と流した情報操作に踊らされているように見えます。柱は「一党独裁の社会主義を守る。主権と領土を守る」といったものです。これに尾ひれがついて、「中国は、南シナ海、東シナ海までを含め、核心利益を追求する」といううわさが横行しました。中国は、それを必死に否定していますが、否定しきれない。なぜかというと、それを語る強硬派もいるからです。その意味で、何が中国のいう「核心利益」で、何が「共同利益」なのか、じつに曖昧で不透明です。そういう中で、中国新外交への疑心暗鬼が世界的に広まりました。

米中衝突を避けたい中国

ポイントは、中国のいう底線（ボトムライン）の内実です。「情報の非対称性」とは、現代経済学でよく使う言葉ですが、そういう言葉まで使って「誤解を避けることが肝心だ」と解説しています。要するに、米・中間でお互いに情報を密に交換して、「絶対に誤解し合うことのないように」しよう、これがホンネです。「誤解が核戦争に発展する恐れ」があるからです。中国側は、あえて中国のプライベートな情報までアメリカに与え、それによって中国として譲れる線はどこまでか、どこから先は譲れないかをアメリカに説明したと書いています。

繰り返しますが、「核心利益」を語るのは、じつは、「米中衝突を避けるため」、これが中国の真意です。ところが、一般の印象は逆で、「核心利益」の追求のために、突進していると受け取られた。二〇一〇年は、「核心利益」という言葉が外交のキーワードになるという強硬派の言い方に対して、穏健派は「その言い方は非常に問題だ。そんなことを言ったら、中国が、一方的に自分の主張だけを押し付けていることになり、国際的孤立は避けられない。むしろ中国と諸国との『共同利益』を強調して、『共同利益を守るための新しい秩序作り』を語るべきだ。やたら『核心利益』を語るのは賢明ではない」と、たしなめる論調もあります。このあたりからも、穏健派と強硬派の対立が相当シビアなことがわかります。二〇一〇年一〇月に中央委員会も終わり、習近平が軍事委員会副主席に昇格し、二〇一二年には党大会が予定されており、中国外交としては、「核心利益」をどのような範囲の概念として位置づけるかが問題です。

一つは、南シナ海の島嶼について、どこまで核心利益を語るかです。「南シナ海は全部、中国のもの」なんて言い出した途端に、中国が世界に孤立することは明らかです。しかしながら中国は「空母の建造」にすでに着手しており、それが出動する暁にどのような「砲艦外交」を展開するのか、これはまだわからない。現段階は、その事態を一部予想しつつ、憶測と現実とが交錯して相互不信が広まっています。日中だけでなく、南シナ海沿岸諸国にとっても、安全保障対話は喫緊の課題です。航海の自由（freedom of navigation）を核心としつつ、諸国の「共同利益」を拡大していくことがグローバル経済下の秩序作りのカナメとなるべきだ、と私は考えています。

4　日中協調が未来を開く

日・中関係であれ、南シナ海の中・越関係や中・比関係であれ、アメリカは、領土紛争については中立という立場を繰り返し言明しています。これは、キッシンジャー訪中、沖縄返還前後から一貫した言い方です。中国が最近強くなったからではありません。アメリカは、この立場を繰り返し明らかにしています。一九九五年五月の国務省文書は、「テークス・ノー・ポジション」を南シナ海に即して強調しています。中国側は、尖閣のような島嶼では、アメリカが日本に対してモラル・サポート以上の支援はないことを知り尽くしています。

要するに、「中国と争いになったときに、アメリカに頼む」という幻想は、もう捨てたほうがいい。

アメリカは、日本を助けてやれないことを公言しており、中国はアメリカの立場をよく知っているからです。アメリカはむしろ中国との協調を考えざるを得ない「弱い、追われる立場」にあります。中国から金を借りていますし、中国は核をもつ大国です。中国問題での「アメリカ頼み」はあり得ない選択肢なのです。これは二一世紀の大きな転換の始まりです。

では、中国のように核をもった強い国と、どう付き合えばいいのか。「平和憲法を変えない」、「日本は核武装をしない」という前提で考えるのか、それとも核武装も視野に入れるか、これが一つの判断基準であることはいうまでもありません。胡錦濤の新外交により、世界中から「親しみがもてる国、(道義的な)アピール力をもった国」と見られることを彼らは期待しています。平和憲法の枠内で考えるとすれば、「今回みたいなことをやったらマイナスではないですか」と、「中国の論理」で「中国を縛る」ことしかありません。柔よく剛を制す精神です。

もう一つは、「尖閣は固有の領土」だけを語り、日本の「核心利益」で突っ走るのではなく、中国にも「共同利益」追求派が存在し、むしろ多数派、主流派である事実を見極め、ガス田であれ、その他の地下資源、漁業資源であれ、積極的に共同開発を進めるべきです。つまり利害の衝突するところで争うのではなく、共通利益を一歩一歩拡大し、ウィン・ウィン関係を日中関係の基軸に据えることです。これによっていい雰囲気を醸成すれば、未来が切り開けます。「アメリカが助けてくれるから、中国とけんかしてもいい」と勘違いする錯覚は最悪です。そういう米中対立の時代は完全に過去のものとなったと理解すべきではないでしょうか。

尖閣衝突は小さな誤解を契機として、ナショナリズムを煽るポピュリズム政治のもとで大きな対立に発展した。禍を転じて福となす道を探るべきだと考えます。

（初出：「日中戦略的互恵関係のために」国際善隣協会講演、二〇一〇年一〇月一五日。のち『チャイメリカ――米中結託と日本の進路』花伝社、第4章、二〇一二年五月、所収）

五　世界恐慌下の米中経済関係

1　米中経済関係

米中経済関係は「鶏か卵か」？

イギリスの『エコノミスト』（The Economist）二〇〇九年一月二四日号の特集は「グローバルな経済アンバランス」が主題です。「マネーフローが洪水になるとき」というキャッチコピーが面白い。日本のお寺もそうですが、天安門楼閣の屋根には竜がいます。竜は水の精、火事を守る防火栓です。そこから水があふれ、アメリカの中産・下層階級の住宅（サブプライムローンでようやく手に入れた住宅）が流されていく。「諸悪の根源」は中国からのマネーフローにあり、という見方は、あまりにも一方的ではないか、と中国は反発していますが、一つの見方であることは確かです。

中国は二一世紀初頭、国際市場に突然飛び出して「洪水のような輸出」で黒字を貯め、その外貨をアメリカに貸し続けています。「貸す中国が悪い」のか、「借りるアメリカが悪い」のか。これは「鶏が先か卵が先か」の関係で、因果関係について、見方が異なるのは当然です。中国は「改革開放三〇年」ですが、この一〇年とりわけ勢いよく安い労賃を武器として外貨を稼ぎ、今度はその外貨を世界に貸し付けて、世界秩序を混乱させているという見方です（一昔前、日本も散々非難されました）。

『エコノミスト』によれば中国のほか、シンガポール、台湾など五つの国・地域がもつ「経常収支」黒字は九〇〇〇億ドルです。これと対照的に、アメリカの「経常収支」赤字が六〇〇〇億ドルです。中国などの黒字とアメリカの赤字が相殺し合っています。中国などの外貨準備は五兆ドル弱です。中国だけで約二兆ドル、香港、台湾、シンガポールなどを加えると約五兆ドルを中国などのアジア勢が保有しています。アメリカは中国などから約二兆ドル借金しています。アメリカの経常赤字は一兆ドル弱で、この赤字を借金で埋めています。さらに一兆ドル余の資本がアメリカから流出しています。例えば日本株を買い、Ｍ＆Ａ（企業買収）をしています。アメリカが自らの経常赤字を埋め、アメリカ株よりもうかるアジア株などを買い占めるための資金となっています。要するに、中国の貯蓄率は高く消費率は小さい。中国の過剰貯蓄（マネー洪水）がアメリカの過剰消費（貿易赤字と財政赤字、双子の赤字）を支えています。

単純化すると、資本主義経済は二つのロジックで動いています。企業家は利潤率に着目します。もし利潤率が銀行貸出金利よりも高ければ、企業は銀行から借りて投資します。ところが、好況下で金利が上がり利潤率の水準を超えると、もうからない投資はやめます。この判断は「利潤率と利子率」の関係に尽きます。ここ数年アメリカは景気がよく、利潤率が高かった。景気が過熱すると金利も高くなり、投資にブレーキが掛かるはずですが、そのブレーキが掛からなかった。なぜか。中国から追加資金が到着するからです。そこで「中国から来る資金がアメリカの過剰消費を刺激した」という言い方になります。中国から商品や追加マネーが到着したために、①アメリカの賃金率アップを防ぎ、②金利上昇を防ぎ、③アメリカ経済の成長を持続させ、④「貯蓄をしないアメリカ人」に過剰消費を許した、というロジックです。

「卵と鶏」の因果関係をどう見るかは、議論がありますが、『エコノミスト』特集はなるほど一つの見方ですね。しかし、このインバランスをいつまでも続けるわけにはいかないことは明らかです。「最後の審判」がいずれ来ることはわかっていたのに、先延ばしで過ごしてきて、ついに破綻しました。メダルの反面は「アメリカ資本」です。自前の資金は国外に投資して、より高い利潤を得ていた。ヘッジファンドがそれです。『エコノミスト』の結論は、「貧しい中国人が豊かなアメリカ人を助けた」というものです。

「チャイメリカ」とは

次の話題は、「チャイメリカ」(Chimerica) です。「アメリカ帝国」から、「チャイメリカ」すなわち「チャイナ・プラス・アメリカ」へと構造変化しつつある。二一世紀になって中国の貯蓄率は急速に上昇し、他方アメリカの貯蓄率は一～二%で低い。ほとんど貯蓄せず、借金で動いている経済です。

ファーガソンという経済史家が『マネーの昇騰』(The Ascent of money その後出た邦訳名は『マネーの進化史』早川書房) という本で、「チャイメリカ」という言い方をしました。お金はモノの売買に際してこれを裏付けます。「売買の裏」に支払い手段・交換手段としてお金が動く。ところが、表裏の関係が逆転し、マネーゲームが世界中を動かす状況に発展します。著者のいう『マネーの昇騰』です。ファーガソンは一九六四年、グラスゴー生まれ、非常に面白い本を書く人です。いまオックスフォード大学で研究中の早稲田大学の本野英一さんが教えてくれたので、読んでみました。「チャイメリカ」という言葉を使った人はほかにもいるのでしょうが、経済史家がこのキャッチコピーを使って読みやすい本を書いたので、「チャイメリカ」の言い方は今、世界中を飛び交っています。

図8　アメリカ帝国からチャイメリカへ

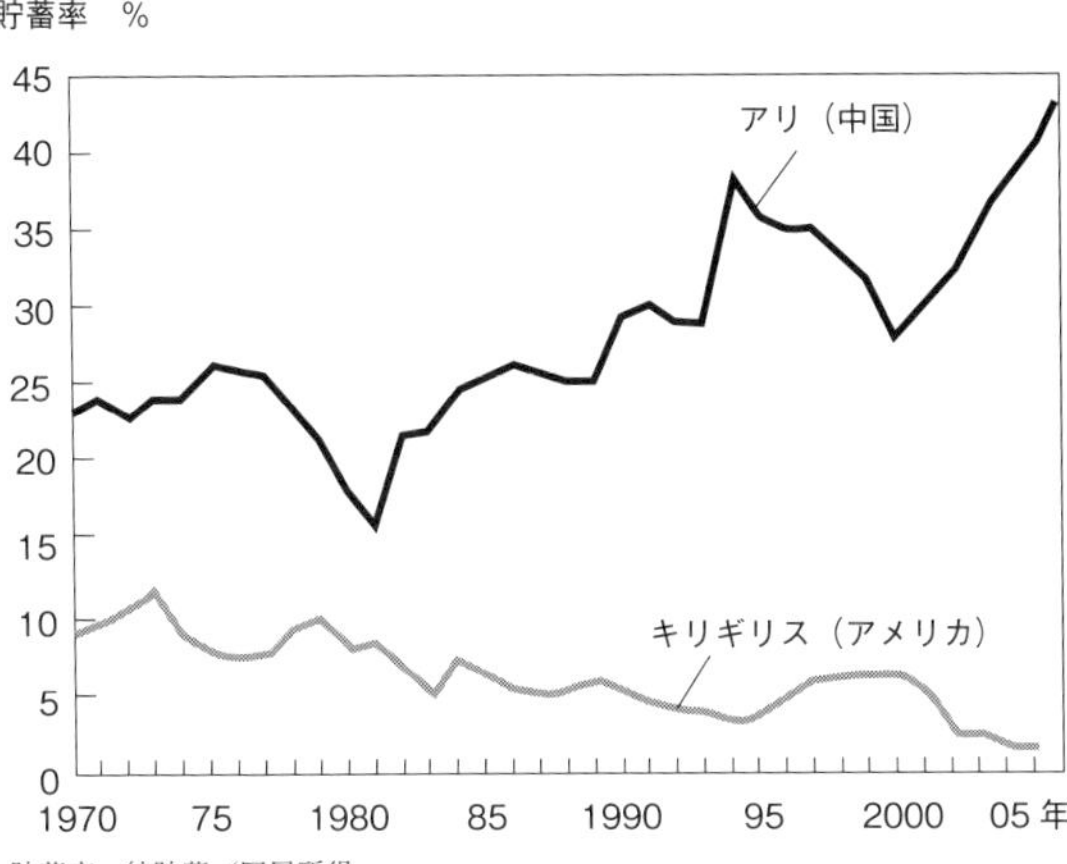

貯蓄率＝純貯蓄／国民所得
出所）Niall Ferguson, *The Ascent of Money.*

この本では「チャイメリカ」を「驚嘆の二重経済」（wonderful dual economy）と呼びます。『不思議の国のアリス』（Alice in Wonderland）のような話です。まず、チャイメリカは「世界陸地の一〇分の一を占め、世界人口の四分の一を占め、世界生産の三分の一を占め、過去八年分の世界のGNPの増加分の半分を占める」。どこまで結婚が続くかは別として、さしあたりは「天国に結ばれたような結婚だ」と、皮肉を書きます。

ここで「東チャイメリカ人」（East Chimericans）と呼ばれる中国人は貯める人、「西チャイメリカ人」（West Chimericans）と呼ばれるアメリカ人はその金を使う人です（図8）。中国から輸出され、アメリカが輸入するものがアメリカのインフレを防ぎ、中国から安い消費財・生活物資が入ることでアメリカの消費生活を安く抑え、賃金を低く維持し、インフレを抑えます。中国からマネーが入ってきますから、金利を低く抑え、金利が低ければ、利潤は高くなる。企業経営にとっては、驚くほどもうかります。かくてアメリカの繁栄ありき。これが「チャイメリカ論」です。

「チャイメリカ」のおかげで世界全体の実質金利が過去一五年にわたって三割安にとどまったと推計します。「チャイメリカ」のおかげでアメリカ企業は、二〇〇六年にはGDPの伸び率と同率の企業利潤を得た。「中国は、お金を貸したくてしょうがない」。アメリカは「借りたくてしょうがない」。「だから、相思相愛」、かくて「天国に結ばれた結婚」（marriage made of heaven）です。半分は皮肉でしょうが、半分は事実です。

以上がファーガソンの紹介ですが、じつは連邦準備銀行総裁バーナンキも似たようなことを言いました。バーナンキの「世界的資金余剰と米国の経常赤字」（The Global Saving Glut and the US Current Account Deficit）という講演です。アメリカの担保・抵当権市場にキャッシュがあふれ、アメリカの「収入や職や資産がない人々」でさえもがマイホームを買ったり、あるいは借金つきマイホームを、再度担保に入れてマイカーを買ったり、花見酒の経済を楽しんだ。サラ金生活そのものです。しかし、バブルが弾けマイホームを差し押さえられ、ふたたびホームレスへ逆戻りです。

「チャイメリカ」と言うとき、英語世界の人たちは類似の言葉の「キメラ」（chimera）を想定するはずです。「キメラ」はギリシャ神話で、「頭がライオン、胴体がヤギで、しっぽはヘビ」という怪獣です。中国のドラゴンは水の精で、水を吐く。キメラは、火を噴く。少し違いますが、類似の怪獣です。

さて、ファーガソンの総括です。綾小路きみまろ風に言えば、「人の記憶の賞味期限、すなわち覚えている体験はせいぜい二五年」です。人々は二五年たったら絶対に忘れる。例えばウォール街でも、ロンドンのシティでも、兜町でも、人々が覚えている不況は、せいぜい二五年前のものと彼は断言します。一九二九年の世界恐慌は完全に忘れていますから、教訓にならない。

次に「恐慌の被害」は「戦争被害よりも大きい」という教訓。一九二九年の世界恐慌で失われた富、あるいは今回の恐慌で失われた富は、戦争よりも大きい。ギリシャ・ローマ史から始まる経済史家による試算ですから説得力があります。戦争被害よりも恐慌被害が大きいのです。

2　それでも基軸通貨は変わらない

今回のような恐慌が起こった背景にあるのは、旧ソ連の解体です。もしソ連が存在していたならば、アメリカの暴走に歯止めがかかったはずです。ポスト冷戦期の「アメリカ一人勝ち」「驕れるアメリカ」がいい気になって暴走した。「驕るアメリカは久しからず」ですね。とはいえ、大恐慌にもかかわらず、基軸通貨国としてのドルの地位は変わらないでしょう。代替できる通貨がないから。代替通貨がない以上、ドルが今の地位を保持する以外ない。賭場の胴元に似ています。アメリカのような軍事力はどこにもない。暴力団がなければ賭場の秩序を維持できないのと似ています。当分はアメリカの覇権は続かざるを得ません。

「貧しい中国」が懸命に稼いで、「豊かな怠け者アメリカ」に金を貸す話は、現代の「イソップ物語」

です。「イソップ物語」では、冬になるとキリギリスは飢え死にしますが、アメリカはどこまで借金を増やしたら反省するのか、疑わしい。

「強いアメリカに金を貸す中国」といえば、「強い中国」のイメージですが、じつは中国は貧しい。アメリカのGDPは一四兆ドル、日本は四兆ドルぐらい。中国はドイツを超えて第三位になり、GDP大国です〔現在は日本を超えて第二位〕。しかし一人当たりで見ると、中国はきわめて貧しく、弱い経済です。

中国の莫大なドル保有は、人民元を信頼していないことを意味する。中国人は人民元を信頼せず、ひたすらドルにすがります。中国ナショナリズムは、むしろ弱さの証明です。愛国心をもたないので、それを強調せざるをえない。人々が人民元を信用しないのは、交換性を欠くからです。何よりもまず人民元の完全なハードカレンシー化を急ぐべきです。

そもそも外貨準備は、輸入平均月額の三～四ヵ月分で十分です。いま中国は二兆ドルも貯め込んでいますが、その一〇分の一でも多すぎる。ドルが貯まりすぎるのは、一種の「飢餓輸出」によります。「貯まりすぎ」を防ぐには、人民元レートを切り上げればよい。輸出にブレーキがかかり、逆に輸入の購買力がついて、余裕が生まれ、生活水準が向上します。人民元を多少切り上げてもなおドルが貯まるならば、ドル減らしに意を用いて、飢餓輸出を是正し、正常な交易関係に修正すべきです。

たとえば改革開放初期に一元は一五〇円でしたが、いまはその一〇分の一以下です。どこが妥当な為替水準か。人民元を自由化すれば、おのずから答が生まれます。飢餓輸出体制を改め、内需を拡大し、人民元の購買力を強めて民衆の生活を向上させる方向への大胆な軌道修正が必要です。人民の生活水準を低いままにしておき、「バターよりも大砲を」とばかり、軍事費の拡大を図るのは、人民の不満を武力によって押さえるもので、本末転倒の愚策です。外貨準備がここまで貯まるほどの輸出偏重策から、内需拡大型へ転換ができなかった。むろん為替政策の失敗ですが、根本的原因は政治改革の欠如にあります。

経常黒字の累積と直接投資の増加、そして不法なホットマネーの流入も加えてドル貯め路線を邁進した結果が、ドル安による損失です。いまさらドルは売れない。売れば、残りのドル資産に響く。これはお金はかかりますが、実際には使えない核兵器の生産に力を入れてきた愚策と似ています。人民元を守り、中国経済を守る上で、米ドルに頼り軍事力に頼る路線は、大きな間違いではないかと考えます。

「人民元」の完全なハードカレンシー化を

香港ドル・米ドル・人民元の三者の関係も微妙です。香港ドルは、いつでも米ドルに換えてもらえる。交換性があります。人民元の交換性は部分的です。貿易決済レベルでは交換できますが資本取引は制限されており、「半人前の通貨」です。「オリンピックをやるからには、完全なハードカレンシー化が前提だ」と私は提言してきましたが、実現していません。アジア通貨危機に懲りて萎縮したままです。日本の「IMF八条国移行」は、一九六四年であり、ここで貿易決済のレベルで「円」はハードカレンシー化しました。九年後の一九七三年に資本取引を含めて完璧なハードカレンシーとなりました。中国では一九九六年に八条国に移行できたのは、一九九四年の朱鎔基改革の成果です。以後、輸出が伸びて外貨が貯まります。為替レートが安定し、直接投資も増えました。

朱鎔基改革二年後に、「八条国移行」ができたあと、遅くとも北京五輪までに、「人民元」の自由化が想定されていました。オリンピックで外国客を迎えるときに、台湾ドルや香港ドルにも劣る「半人前の人民元」では、沽券に関わると強調したのですが、結局は先送り。中国当局は人民元強化の努力を放棄して、ひたすら米国債を買い続け、危険なファンドへの投資を続けました。

中国の米国債の保有総額は二〇〇八年九月時点で初めて日本を追い越しました。九月はリーマン・ショック当時です。「ドルばかり貯めて損ではないか」と批判されたあとも買い続けました。香港と台湾を入れると、中華圏の米国債保有額は二八％です。台湾、香港を除いても二二％で、日本の一八％をはるかに上回ります。

日米中の貿易三角関係の構造を見ておきます。アメリカから見ると、中国からの輸入が二三〇〇億ドル、中国への輸出が六五二億ドルで、アメリカの対中赤字は一七〇〇億ドルです。アメリカが日本から買うのは一四〇〇億ドル、日本に売るのが六二八億ドル、八〇〇億ドルの対日赤字ですが、中国の半分にすぎない。

アジアから見た日中のイメージはどうか。中国の東アジアからの輸入は、三八〇〇億ドルで、輸入全体八八〇〇億ドルの半分に近づいている。日本の輸入総額五五〇〇億ドルのうち、東アジアからは二三〇〇億ドル。日中間に一五〇〇億ドルの差があり、日本はあまり頼りになりません。中国の存在感は大きい。

3 中国の国内経済

問題は出稼ぎ者の失業

中国の国内経済を見ると、一番問題なのは、農村からの出稼ぎ者の失業問題です。彼らの雇用あるいは生活が問題です。『財経』誌が、「農民工」の失業問題を特集し、徹底的に調べました。失業者たちは都市に残るのか、それとも農村に帰るのか。

陳錫文というエコノミストは、農業・農村問題の専門家で天安門事件のころに何度か会いました。まず失業農民、出稼ぎ農民はどこから来ているのか。沿海地区は、出稼ぎ農民の受け入れ先です。農民の収入全体の中で、四割ぐらいが出稼ぎ収入です。どこから出稼ぎに来ているかを見ると、「省外に出稼ぎに行く人」は約半分です。「村は出るが、同県内」が二割です。「県外出稼ぎ」が一四%、要するに、出稼ぎ者の半分が省内にとどまり、半分は他の省に出て行きます。農村・農業・農民の「三農問題」は、確かに深刻な問題ですが、問題の所在に留意して対策を怠らなければ、局地的な暴動の類はあったとしても、すぐに手当てが行われて、餓死者が出るような事態にはならない。政府は注意深くこの問題に対処しようとしています。今のように神経を使っている限り、大きな騒動にはならないという気がします。

「天安門事件から二〇周年」を迎えて

二〇〇九年は「天安門事件から二〇周年」ということで、イデオロギー論争が活発です。保守派は胡錦濤・温家宝の「普遍的な価値」尊重の路線を批判しています。他方、劉暁波に代表されるような改革派は「零八憲章」の署名運動を始めました。胡錦濤は、二〇〇八年一二月一八日に「改革開放三〇周年」の記念演説の中で、改革路線を「動揺せず」「怠りなく」「曲折なく（不折騰）」堅持せよ、と呼びかけました。習近平副主席はかつて「騰籠喚鳥」、すなわち「鳥かごを揺さぶり、鳥を入れ換えろ」と呼びかけました。これは「労働集約的な企業を追い出して、ハイテク企業と置き換えよ」という話です。

広東の汪洋書記は、それを強引に進め、温家宝の経済安定化路線と対立しています。民族派王錦思の奇怪な日本賛美論が持ち上げられたり、「毛沢東主義共産党」という「左派の結党宣言」など、百鬼夜行の趣きがあります。特に懸念されるのは、温家宝の外交論文（二〇〇七年二月二六日付）や福田康夫・胡錦濤声明（〇八年五月）で用いられている「普遍的価値」というキーワードを中央党校（習近平校長）の『学習時報』（〇八年九月一八日号）や中央委員会機関誌（宣伝担当は李長春常務委員）『求是』（〇八年一一月一七日号）が公然と批判している事件です。胡錦濤が署名した文書が批判されるようでは、日中関係は危ういし、胡錦濤自身の地位も鼎の軽重を問われます。「胡錦濤は死に体」だ、すでに「習近平への権力移行が始まった」とまで見るのは早計だとしても、これは理解に苦しむ事態です。私の結論は「天安門事件二〇周年」を迎えて、右も左も落ち着かないが、表向きは大した騒動にはなるまい。しかし内部での路線闘争は激烈だという観測です。

〔追記1〕　ヒラリー・クリントン国務長官は二〇〇九年就任早々東アジアの旅に出て、米国債の主な買手である中国と日本に挨拶回りを行った。二〇〇九年一月末現在、中国の保有残高は七二七四億ドル、日本は六二六〇億ドルである。香港は七七二億ドル、台湾は七一八億ドルだから、これらを合わせると、海外保有残高の約五割になる。つまり、米ドルを支えているのは、まさに中国・日本組である。ヒラリーは「同舟共済」の故事を引いて助け合いを強調したが、日本の言い方では、まさに「呉越同舟」の構図であろう。

〔追記2〕 ここで米中貿易関係を素描しておきたい。中国のアメリカ向け輸出は、二一世紀初頭に一〇〇〇億ドルの大台を突破し、二〇〇四年に二〇〇〇億ドルに迫り、二〇一一年には四〇〇〇億ドルに迫っている。他方、アメリカから中国向けの輸出は二〇一一年時点で一〇〇〇億ドルに止まっている。こうして、二〇一一年時点でのアメリカの対中赤字は三〇〇〇億ドルに達する。二〇〇〇～二〇一一年の累計赤字額は二兆三一五〇億ドルである。

アメリカの一九八九～二〇一一年の貿易赤字を見ると、九〇年代半ばは二〇〇〇億ドル未満であったが、二一世紀初頭には四〇〇〇億ドルを超え、近年は六〇〇〇～七〇〇〇億ドルの水準にある。一九八九～二〇一一年の貿易赤字累計額は、じつに九兆二九五〇億ドルに達する。二一世紀になって急増した貿易赤字は、対中国貿易で生じたものが大きな位置を占める。ピークは二〇〇九年の四五％である。その後、世界恐慌の影響により、若干の比率低下が見られ、二〇一一年現在は、対中赤字が四〇％を占める。この大幅入超について、アメリカ側は、中国製品のダンピングを批判したり、人民元安を「不当な通貨操作」と見て、非難を繰り返してきたが、改善は見られない。

次に、アメリカから見た貿易パートナーとして、日本と中国がどのようなものかを見てみる。輸出入を合計した往復額で日中を比較すると、二〇〇三年までは、日本の対米貿易が中国の対米貿易を一貫して上回っていたが、これは〇三年に逆転した。その後、日本の対米貿易はほとんど横這いだが、中国は躍進を続けた。二〇一一年現在、日米貿易は往復で二〇〇〇億ドル弱だが、米中貿易は五〇〇〇億ドルであり、二・五倍である。アメリカから見て、日本が頼りになるパートナー役を演じたのは、日本のいわゆる高度成長期だけであり、二一世紀は明らかに米中の絆が日米よりもはるかに強い。この事実が日本で見落とされているのは、困ったことだ。

アメリカから見て、日本との貿易と、中国との貿易とが大きく異なるのは、輸出入のバランスであることを示している。日米貿易において、一貫して日本の出超、アメリカの入超という構造には変わりがないが、アメリカにとっての赤字幅は、五〇〇～一〇〇〇億ドルの範囲に止まり、一〇〇〇億ドルを超えたことはない。アメリカの対中赤字は、二〇〇〇年に対日赤字を超え、二〇〇二年には一〇〇〇億ドルを超え、二〇〇五年には二〇〇〇億ドルを超え、二〇一一年には三〇〇〇億ドルに迫った。二〇〇九年の落ち込みはリーマン・ショックによるものだが、二〇一一年には、再度赤字拡大の基調にある。このような貿易黒字によって得た外貨を中国は、米国債や米国政府債の購入に当てているため、アメリカは「痛し痒し」である。

（初出・「世界恐慌下の中国経済」国際善隣協会講演、二〇〇九年二月二〇日。のち『チャイメリカ——米中結託と日本の進路』花伝社、第5章、二〇一二年五月、所収）

六　日中相互不信の原点を探る——大佛次郎論壇賞・服部龍二著『日中国交正常化』の読み方

「外交とは、相手の精神の理解を通して自分の目的を達成することです」（朝河貫一。Diplomacy consists in gaining one's point through an understanding of the view of the other party. K. Asakawa's letter to Langdon Warner, Dec. 10, 1941）。

看過できない大佛次郎論壇賞受賞

服部龍二教授の新著『日中国交正常化』は二〇一一年五月に中公新書として出版された。二〇一二年は一九七二年の田中訪中から四〇年であり、その前夜に四〇年前の歴史を顧みて、未来の道筋を探ることは、時宜を得たテーマであるから、早速手にした。一読して、駄作と感じた。「田中角栄、大平正芳、官僚たちの挑戦」というサブタイトルが付されているが、本書の実質は「官僚たちの挑戦」の自画自讃に終始して、田中や大平の肉声は聞こえてこない、あえていえば抹殺されたに等しい。「本当の政治主導とは」と帯に書かれているが、私は「本当の官僚主導とは」と誤読したほどだ。私はこの本に深い失望を禁じ得なかったが、若い研究者を挫くことは老人としてあるまじきことと考えて、書評を控えていた。

しかし、本書は毎日新聞アジア調査会の設けたアジア太平洋賞特別賞を得たかと思うと、ついには朝日新聞大佛次郎論壇賞を得た。前者の会長は栗山尚一元アメリカ大使である。官僚礼讃の手前味噌に賞を与えたとしても、ご愛嬌と一笑に付すべきかもしれない。ところが、大佛次郎論壇賞の審査委員諸氏は、佐々木毅元東京大学総長、山室信一京都大学教授、橘木俊詔同志社大学教授、米本昌平東京大学特任教授、朝日新聞論説主幹大軒由敬ら、日本を代表する識者と見られている人々だ。

愚作・駄作がここまで持ち上げられると、この本に書かれた誤謬の数々が一人歩きするであろう。これは看過すべきではない。

何が問題か。服部の「第一一回大佛次郎論壇賞受賞」記念のエッセイから、三つのキーワードを選び、検討してみよう。まず、チャイナスクール外し。ついで尖閣諸島問題。最後に、日中講和の精神、である（『朝日新聞』二〇一一年一二月二一日）。講和の精神を説いて、服部はいう。「日本人はあの戦争を忘れないし、そのことを前提に中国人は寛容の心で日本と向き合う。そして日中両国は、ともに善隣友好関係を築いていく。それが日中講和の精神ではなかろうか」。「日本人はあの戦争を忘れない」……これを「日中講和の精神」と見なし、この精神で「善隣友好関係」を築く。これは一見、優れた見識に見える。では、服部は、新著で「日中講和の精神」をどのように描いたか。

「ご迷惑」発言――「日中講和の精神」の描き方

いうまでもなく田中角栄・周恩来会談のハイライトは、一九七二年九月二六日午後に行われた第二回首脳会談である。冒頭、周恩来は、前夜の田中挨拶の一句「ご迷惑」に触れてこう批判した。「田中首相の「中国人民に迷惑をかけた」との言葉は中国人の反感をよぶ。中国では迷惑とは小さなことにしか使われないからである」（石井明ほか編『記録と考証 日中国交正常化・日中平和友好条約締結交渉』岩波書店、五六頁）。

このシーンを服部は、こう描く。「その模様を橋本〔恕〕は、「（周総理は）怒髪天をつかんばかりの怒り方だったですからね。大平さんは一瞬蒼くなっちゃった」（田畑光永「一九七二年九月二五日―二八日の北京」、前掲『記録と考証』二四一頁）と述べる」（服部龍二『日中国交正常化』一四八頁）[*11]。この記述の典拠は同行取材した当時TBS田畑光永記者の三〇年後の回想からの引用だ。

服部はこう続ける。「スピーチを酷評された田中は、言い返さなかったのか。日本外務省記録には出てこないが（a）（傍線は矢吹、以下同じ）、田中は「ご迷惑」を周に批判されると、その場で言い返していた（b）。田中自身が、次のように述べたと記している」（『日中国交正常化』一五一～二頁）と。

「日本外務省記録には出てこないが（a）」と、服部は、あっさり片づけるが、その結果、何がもたらされたか。服部が引用したすぐあとで田畑記者は、こう続けている。「この周発言に田中首相がどう答えたのか、あるいは沈黙したままだったのか。どこにも記録がないところを見ると、後者だったのではないかと思われる」（前掲『記録と考証』二四五頁）。この田畑記者の一文は、同行記者として田中の肉声を聞き、その後、外務省記録を精査して三〇年、神奈川大学教授当時に書いたものだ。この田畑記者・

教授の文章は誠実な元ジャーナリストの一例だが、日本外務省記録に記述のないことが、このような印象を残したのである。「日本外務省記録には出てこない（a）」事実の重みが服部にはまるで理解できていない。

服部は続けてこう書く。「その場にいた橋本に確認したところ、「『ご迷惑』発言については、〔田中自身が〕周発言の直後にちゃんとやりましたよ（c）」とのことだった」と記述し（『日中国交正常化』一五三頁）、その典拠として、服部自身による「橋本へのインタビュー、二〇〇八年一一月八日」（同書、二四〇頁注）を挙げている。これはきわめて重大な証言なのだが、その深刻な意味に服部は気づいていない。

なぜ重大、なぜ深刻なのか。「その場にいた橋本」は、外務省首脳会談の記録に残す義務を負うからだ。にもかかわらず、その後、情報開示によって明らかにされた記録には、この部分が削除されている。誰がなぜ削除したのか。それは許される行為か。公的記録の改竄ではないのか。

のちに外務省が情報開示した記録によると、田中は「大筋において周総理の話はよく理解できる」と述べたことになっている。田畑記者はこの文面を文字通り受け取って、「沈黙したままだったのか。どこにも記録がないところを見ると、後者だったのではないかと思われる」と推測したのだ。

調査してみると

私自身は、「怒髪天をつかんばかりの怒り方」をした周恩来発言に対して、田中が「大筋においてよく理解できる」と答えたとは到底信じられない。この記録は修正が行われているに違いないと確信して、調査を始めた。二〇〇〇年代初頭、折からの小泉首相による靖国参拝と江沢民主席による反日政策のもとで日中関係が急速に悪化していたときだ。

私は、まず田中の帰国後の一連の発言を細大漏らさず集め、[*12] ついで、中国に出向いて、中共中央文献研究室や中共中央党史研究室を訪ねて、日本外務省記録で削除された部分の復元を試みた。その内容を、私は春の定年を前にして、二〇〇四年一月二六日横浜市立大学最終講義で「日中誤解は迷惑に始まる」と題して講義した。[*13]

では、「その場で言い返していた（b）」という服部の表現は適切か。言葉尻をとらえるものと誤解されかねないが、あえて書く。「言い返す」という表現は、当時の周恩来・田中会談の雰囲気に最もふさわしくない描写であり、ここに服部の問題認識が浮きでている。それは会談の文脈を調べると自明である。

中共中央文献研究室の陳晋研究員が、未公開資料を外国人に閲覧させることはできないが、該当個所を書き抜いた一節として、私に与えた紙片には、こう書かれていた。

田中　日本語と中国語とは、言い方が違うのかもしれない。
周恩来　訳文が好くないかもしれない。この個所の英訳は「make trouble」です。
田中　迷惑とは、誠心誠意の謝罪を表します。この言い方が中国語として適当かどうかは自信がない。迷惑という言葉の起源は中国だが。

ここで中国側が「誠心誠意の謝罪」と訳した部分の田中の日本語発言は、彼の自民党における報告会での記録によれば、「東洋的に、すべて水に流そうというとき、非常に強い気持ちで反省しているというのは、こうでなければならない」と語った可能性がある。あるいは二階堂進官房長官のブリーフィングから推測すれば、「万感の思いを込めておわびするときにも使うのです」と説明、弁明したはずだ。

さて、田中・周恩来会談で合意した内容を確認したのは、九月二七日夜八時の毛沢東書斎における会見であった。ここには田中のほか大平外相・二階堂官房長官のみが招かれ、日本側は通訳も書記もいなかった。会見の模様は、二階堂長官による記者会見のみが唯一の日本側資料である。二〇一一年一二月二二日の情報開示に含まれていたのは、この部分であるが、内容は当時のマスコミ報道と変わりがない。陳晋研究員が示した中国側記録を訳してみよう。

毛沢東　あなたがたは、あの「添麻煩」問題は、どのように解決しましたか。
田中　われわれは中国の習慣に従って改めるよう準備しています。
毛沢東　一部の女性の同志が不満なのですよ。とりわけ、あのアメリカ人〔原注――英語通訳唐聞生を指す〕は、ニクソンを代表してものを言うのです。（矢吹晋『激辛書評で知る中国の政治経済の虚実』一〇九頁[*14]）

最後の発言は毛沢東一流のジョークであろう。日本側通訳はいなかったが、毛沢東は日本語通訳二人

（林麗韞、王效賢）のほかに、英語通訳も同席させていたことがわかる。いずれにせよ、毛沢東は冒頭、「どのように解決しましたか」と過去形で尋ね、田中が「中国の習慣に従って改めるよう準備しています」と答えたのは、一つは共同声明に盛り込む文言を指すであろうし、また会談記録で、「ご迷惑という日本語部分の中国語訳が不十分ならば、適当な表現を中国側から提起してほしい。それをもって田中自身の謝罪とする」とまで相手側の胸中に踏み込んだ田中の姿勢を説明したものと読める。

こうして、田中・周恩来の間で誤解が解け、それを追認するセレモニーが毛沢東書斎で行われた経緯は、当時の二階堂長官の記者会見などからすでに明らかであった。とすれば、ここで醸成された相互理解こそが「日中講和の精神」と呼ばれるべきであろう。

以上の文脈を顧みると、「その場で言い返していた（b）」という服部の表現は、まるで状況にそぐわない拙劣な表現である。ここで田中が「言い返していた」ならば、会談は決裂したに違いない。田中・周恩来会談の急所について、かくも安易な杜撰を行う著者が「日中講和の精神」を語っても、到底素直に受け入れられないであろう。

さて毛沢東の書斎を辞したあと、九月二七日夜一〇時一〇分から二八日午前零時半まで、迎賓館で第三回外相会談、すなわち「最終会談であり、かつ最も重要な会談」が行われた。ここで日中共同声明の前文に書かれた文言が確定した。「日本側は、過去において日本国が戦争を通じて中国国民に重大な損害を与えたことについての責任を痛感し、深く反省する」。

この経過を『当代中日関係――一九四五―一九九四』は、次のように記述している（一九三頁）。

「当晩（九月二七日）一〇時許、両国外長継続会談、具体磋商聯合声明的条款。……解決了以下主要問題――（三）在声明中写入了『日本方面痛感日本国過去由於戦争給中国人民造成的重大損害的責任、表示深刻的反省』一段話。這段話是太平外相一字一字地口述下来的、以代替『添了很大的麻煩』的提法」。

重要な個所であるから、私が傍線を付した部分を訳しておく。「この個所は、大平外相が一字一字口述したもので、これをもって『添了恨大的麻煩』の言い方と代替したものである」。この記述からわかるように、「責任を痛感し、深く反省する」という表現によって、「たいへんなご迷惑をかけた」という言い方は、置き換えられたと見るのが中国側の見解なのだ。しかも大平外相は、一句一句丁寧に述べたのである。ここには大平の人柄がにじみ出ている。橋本が軽々しく「ご迷惑でよい」などと語るのは、信義にもとる態度であることは明らかではないか。

服部のもう一つのキーワード尖閣諸島はどうか。服部の受賞エッセイは言う。尖閣問題は「そもそも議題にしなかった」、「中国は事実上、尖閣諸島を放棄したと見なされてもやむをえない」、「国交正常化で主張しなかった領土について、いまさら中国固有の領土に組み込もうとするのは不可解」と記している。これまた相当に乱暴な一方的主張であり、これが「日中講和の精神」ならば、いよいよ日中関係は危うい。七二年国交正常化の時点で、中国が尖閣諸島を自国領土と主張していたこと自体は公知の事実である。正式会談での議題としなかったことで、それ以降すべて「問題なし」と見なされるなどとすれば、実りある交渉など成立する余地がないではないか。

最後のキーワード「チャイナスクール外し」の功罪は、あとで触れる。

同書は、日中国交正常化を論じるに際して、栗山尚一や橋本恕の一方的な主張・回顧を書きとめたにすぎず、中国側の対日政策・対日像はほとんど浮かび上がらない。これでは中国不在の日中交渉にならざるをえない。このような駄作・欠陥商品が、日中国交正常化四〇周年に出版され、二つの新聞社が持ち上げたことは、日中の相互誤解を促進するおそれが強い。日本外務省による資料改竄が日本の世論を誤って導いた一例を、私はＴＢＳ田畑記者の誤解に即してすでに説明したが、より深刻なのは、この改竄が中国側に与えた衝撃であるはずだ。

日本外務省による資料改竄

改竄の嚆矢は、一九八八年九月外務省中国課が執務資料としてまとめた『日中国交正常化交渉記録』である。その後、情報公開法に基づいて公開された会談記録は、八八年にタイプ印刷物に収められたものと同一であり、岩波書店などの資料集に収められたものはこれである。

一九七二年の田中訪中から二〇年を経て、一九九二年には天皇訪中も行われ、日中間の歴史問題はすべて全面的に解決した、と日中双方の関係者が安堵したのは、天皇訪中が成功裏に終わったときであった。かつて青嵐会の闘士として田中訪中反対の急先鋒であった渡辺美智雄は外相として天皇訪中に随行し、二〇年の歳月の変化を印象づけた。

ところがまさに橋本恕が駐中国大使として尽力したとされる天皇訪中の直後から、日中間のさざなみが広まり深まる。最初の一石は「チャイナスクール外し」の中国課長として交渉の実務を担当し、その後、アジア局長を経て中国大使を務めていた橋本恕の証言であった可能性が強い。

一九九二年九月二七日にＮＨＫが放映したテレビ番組で、橋本が当時の駐中国大使として田中訪中の往時を回顧して、「ご迷惑」という言葉の選択は正しかったと繰り返したことだ。[*15] 国交正常化二〇周年に行われた橋本恕証言は、田中の必死の釈明、あるいは真意説明を帳消しにする役割を果たしたことで、責任はきわめて重い。

日本語からの直訳「添了很大的麻煩、我対此再次表示深切的反省」と中国語正文「很遺憾的是（中略）給中国国民添了麻煩」、二つの表現のニュアンスの差異が問題になり、これは「外務省の翻訳間違い」ではないか、と「誤訳の問題」として中国側は処理しようとした形跡がある。ところが、橋本は、意外にも「断じて翻訳の問題ではない」（絶不是翻訳的問題）と断言してしまった。「迷惑」を「麻煩」と訳したのは、誤訳ではなかったかというNHK記者の問いかけに対して、橋本は「決して翻訳上の問題ではなく、当時の日本国内世論に配慮したギリギリの文章であった」と答え、次のように補足した。

「私は何日も何日も考え、何回も何回も推敲しました。大げさに言えば、精魂を傾けて書いた文章でした。もちろん大平外務大臣にも田中総理にも事前に何度も見せて、『これでいこう』ということになったんです」（『周恩来の決断』一五二頁）。

じつはこれはすれ違い問答である。橋本の念頭にあるのは「迷惑」の二文字だけで、その訳語ではない。にもかかわらず、誤訳か否かと問われて、誤訳ではないと橋本は答えてしまった。橋本が大平や田中に対して、訳語の話をした形跡はない。日本語の「迷惑」を基調として挨拶文を書いたという話だけなのだ。

記者が問うているのは、日本語の「原文そのもの」ではなく、その中国語訳であるにもかかわらず、聞き手の記者も、答える橋本も、そのすれ違いに気づいていない。これが国交正常化二〇周年の弛みきった日中関係であった。橋本がもし原文の推敲に費やしたエネルギーの一割でも、中国語訳文の推敲に費やしていたならば、歴史的誤解は避け得たはずだが、「チャイナスクール外し」によって手柄を独占しようとした橋本には、その核心が見えない。こうして橋本は日中誤解を無意識のうちに増幅する基礎を作った。

すなわち二〇周年までは、「田中のご迷惑＝誠心誠意的謝罪」と「橋本のご迷惑＝添麻煩」、二種類の説明が玉虫色で併存していた。しかしＮＨＫ番組における橋本の断定および田中の発言を削除した日中会談記録が流布した結果、田中謝罪が消えて、「橋本流のご迷惑」が日本政府の公式見解に格上げされる結果となった。ＮＨＫは翌一九九三年、番組を活字化して『周恩来の決断』という本を出版し、これは翌九四年に中国語訳された。

この中国語訳に、日本語原本にはない、姫鵬飛外相の回顧録「飲水不忘掘井人」[*16]が付されたが、これは意味深長な付加であった。私自身は、偶然のいきさつから、この文章をまとめた李海文さん（中共中央党史研究室研究員）から直接教示を受けて、その意味を調べることになるが、それは、この本が出てから数年後のことだ（その経緯は、「周恩来『十九歳の東京日記』から始まる、歴史のif」『東京人』二〇一一年一一月号に記した。のち『チャイメリカ』に補章として所収）。姫鵬飛回想録はその後『周恩来的最後歳月』（中央文献出版社、一九九五年）などに再録され、また張香山、呉学文ら、中国側関係者も回想録などの形でこの問題に言及しているので、いまでは中国側の立場はほとんど明確になっている。これらの証言を率然と読むと、問題の所在がわからなくなる。じつは、私が『東京人』二〇一一年一一月号で経過を書いたように、姫鵬飛回想録は、日本外務省による会談記録改竄を契機として発表されている。しかもNHK『周恩来の決断』中国語版の「付録」というじつにさりげない形で発表されたことに注目したい。

その後、一九九五年前後から江沢民流の愛国教育運動という形の反日運動が広範に展開されたが、そこで大衆を煽動する口実として最も広く用いられたのが「戦争を謝罪しない日本」という罵倒の決まり文句であった。大平は一九八〇年に急逝し、田中は九三年に死去したが、もし彼らが存命ならば、中国側の誤解と、誤解へ導いた橋本の解釈を激怒したに違いないのだ。[*17] 当時、外務省は誤解を解く努力をどのように行ったか、はなはだ疑わしい。会談記録改竄に責任を負う橋本や、栗山のような向米一辺倒の高官が外務省を牛耳るなかで、日中関係の悪化は、日本の防衛力増強、日米安保再強化の口実として逆用されることになる。日本側の会談記録改竄が中国側に与えた対日不信の大きさは、江沢民の反日運動[*18]によって逆証明できるかもしれない。田中、大平亡きあとの、栗山や橋本の饒舌は、まさに「鳥なき里の蝙蝠」であり、見苦しい。

チャイナスクール外し

服部は前掲『朝日新聞』エッセイの冒頭で、日中交渉について、「チャイナ・スクールは〔交渉あるいは意思決定から〕外されていた」としたり顔に書いている。その直接的結果、何がもたらされたのかを補足しておく。「田中のスピーチを中国語訳したのは、〔中略〕小原育夫である。中国で生まれ育った小原は、母国語のように中国語を操り、東京外国語大学でも中国語を学んだ。その小原が、肝心なところで誤訳するだろうか」(『日中国交正常化』一四〇頁)。

これは問題の設定を間違えている。橋本の起草した「ご迷惑」を文字通り「添麻煩」と訳したことの是非は、一つの論点である。小原が田中の真意を知るならば、おそらくこの訳語にはなりえないはずだ。逆にいえば、小原は橋本に忠実に翻訳したが、それは田中の真意とは異なっていたことになる。

より重要な問題は、田中が第二回会談で必死に「万感の思いを込めて」と力説した時点のあとで、訳語をどのように訂正すべきかである。田中の「ご迷惑」を「添麻煩」と訳したことが大問題になったことを知る立場にありながら、「〔訳語は〕プラスもしなければ、マイナスもしない。似合った言葉を探してくるほかない」(『日中国交正常化』一四一頁)と開き直る。これは外交官の言葉といえるであろうか。今どきのロボットでさえも、相手の表情を読み取り、言葉を選択するではないか。「ご迷惑」＝「添麻煩」で済むとは、とんでもない開き直りではないか。少なくとも田中が「ご迷惑」＝「誠心誠意的謝罪」と弁明したあとでは、田中の真意とずれていたことを認めつつ、ただし、翻訳した時点では田中の真意を知らなかったと正直に語るのが、人としての常識ではないか。

栗山は、服部のインタビューに答えて、「小原育夫君という当時の外務省の中国語の第一人者が通訳をした」と述べている(栗山尚一『沖縄返還・日中国交正常化・日米密約　外交証言録』岩波書店、二〇一〇頁。以下『外交証言録』とする)。小原は一九六四年外務省に入省した。一九七二年には、入省八年目の若手である。中国語は得意だとしても、政治判断が可能かどうか。その判断は適切か。栗山が「当時の外務省の中国語の第一人者」と呼ぶのは、いわゆるチャイナスクールを外した人材の中で、第一人者の意か。

中国語を解さない橋本の判断を、向米一辺倒の栗山が推す。これでは日中対話は成り立たない。「チャイナ・スクール外し」などと軽々しい自慢話をするから、馬脚を現す。

『楚辞集注』贈呈の意味

毛沢東が田中に『楚辞集注』を贈呈したことについて、さまざまの解釈が行われてきたことは周知の通りである。では「毛は、なぜ田中に『楚辞集注』を贈ったのか」「橋本は、作詩の参考に供するためだったと解する」として、服部は橋本の解釈をこう書いている。「田中さんが詩を作ったり、詩を勉強するのであれば、これがいいだろうと言って、『楚辞集注』を田中さんに詩をつくる参考になるようにということで上げた」(『日中国交正常化』一七四〜七五頁[*19])。

田中から毛沢東への土産は、東山魁夷画伯の「春暁」(二一〇号)、周恩来へは杉山寧画伯の「韻」(二〇号)であった。これに対して毛沢東が『楚辞集注』をお返しとしたことはよく知られていたが、橋本の解釈は「作詩の参考に供するため」というものであり、これは当時の時点で各紙がこの説を紹介し、同時に「もし作詩の参考ならば、『唐詩選』がよりふさわしい。『楚辞集注』はふさわしくない」と見る識者のコメントもしばしば行われた。服部は「二〇〇八年一一月八日のインタビュー」として、橋本が国交正常化三六年後も依然、「作詩参考説」を堅持したことを記している(『日中国交正常化』二四一頁、注17)。問題はその典拠である。服部の第8章注17を見ると、「通訳の周斌は、毛が『楚辞集注』をニクソンにも贈っており、他意はなかったと述べている」と解説している。

私はこの記述に接してたいへん驚いた。「毛が『楚辞集注』をニクソンにも贈った」とする新説は、これまで見たことがないし、ありえない話と考えられるからである。服部が周斌の言として引いているのは、久能靖「角栄・周恩来会談　最後の証言」（『文藝春秋』二〇〇七年一二月号、三六五頁）[*20]である。久能の「なぜ毛主席がこの本を選んだのか、について、日本では、西の秦に攻められ、亡びてしまった楚の政治家、屈原に〔田中を〕なぞらえたのだ、という解釈もありましたが」という問いに周斌はこう答えた（と久能は記している）。「いや、それは違います。毛主席はニクソン大統領にも同じ本を贈っているのですから。毛主席は大変な読書家で、単に愛読書を贈った、というだけのことです。全く他意はありません」と周斌が述べたという。

周斌は、毛沢東が田中に『楚辞集注』を贈る前に、「ニクソンにも同じ本を贈った」と語った由だが、これは根拠のない憶測である。このような事実は、中国でもアメリカでもこれまで一切記録されていない。周斌の記憶違いと見るほかない。そのような間違った記憶に基づいた雑誌記事を根拠として、橋本の「作詩説」との関係は問わぬままに、安易に注釈に付記する服部の書き方は、まともな研究者のやることではない。じつは久能靖のインタビューに対する周斌発言については、これが『文藝春秋』に発表された当時から、識者から疑問が提示されていた。その一つを紹介しよう。

1972年9月の田中角栄訪中で中国側通訳の一人だった周斌氏（当時外務省職員）とのインタビューで、〔中略〕既に公開されている公式文書の内容と食い違う部分もある。「〔田中訪中時の〕一連の会談の中で、日米安保についての議論はなかったのですか」との〔久能記者の〕質問に対し、周斌氏は「1度も議論されていません」と答えている。だが、情報公開法に基づいて開示された日本外務省の記録によると、周恩来首相は田中との第二回会談で次のように述べている。「日米安保条約問題について言えば、わたしたちが台湾を武力で解放することはないと思う。（台湾防衛の方針を確認した）69年の佐藤（栄作首相）・ニクソン（米大統領）共同声明は、あなた方には責任はない」「われわれは日米安保条約に不満を持っている。しかし、同条約はそのまま続ければよい。国交正常化に際しては、同条約に触れる必要はない。われわれは米国を困らせるつもりはない」。これに対して、田中は「大筋において、周総理の話はよく理解できる」と応じた。周は第3回会談でも「日米安保条約には不平等性がある。しかし、すぐに廃棄できないことはよく分かっている」と発言している。つまり、周と田中は一連の会談で、日米安保の問題を取り上げた上で、これを日中国交正常化の障害にはしないことで一致したのだ。田中・毛沢東会談（日本外務省は「記録は残っていない」としている）に関しても、周斌氏は、「儀礼的なもの」で政治的な話は一切なかったと語った（ただし、同氏は会談に出ていない）。確かに、田中に同行した当時の二階堂進官房長官も、記者団にそう説明していた。しかし、中国外務省と共産党中央文献研究室が編集した『毛沢東外交文選』（94年）に掲載された会談記録（一部）には、以下のような毛の発言が収録されている。「あなた方がこうして北京に来て、全世界が戦々恐々としている。主にソ連と米国、この二つの大国だ。あなた方がこそこそ何をしているのだろうと思って、彼らはあまり安心していない」「彼ら（ニクソンら）は今年2月に（中国に）来たが、国交はまだ結んでない。あなた方は彼らの前に走り出た。（ニクソンらは）心中、あまり気分が良くないだろう」「われわれがもっぱら（外国の）右派と結託していると非難する人もいる。（しかし）日本でも、野党が解決できない問題、中日復交問題はやはり自民党の政府に頼るとわたしは言っている」。毛沢東は大国外交について論じていた。しかも、かなり生々しい話であり、田中・毛沢東会談が全く政治抜きだったとは言い難い（二一世紀中国総研、「XZの日中メディア批評」第八号、http://www.21ccs.jp/xz/xz_08.html）。

『文藝春秋』（二〇〇七年一二月号）に久能のインタビューが掲載された当時、この匿名のジャーナリストXZ氏は、周斌発言の危うさを指摘した。この引用からわかるように、周恩来も毛沢東も、中ソの敵対関係の深刻化やニクソン訪中を意識しつつ、田中を歓迎していたことは、当時の国際情勢からして自明であろう。

加えて、毛沢東は田中の「ご迷惑」という日本語に知的興味を示しつつ、「迷惑の使い方は、田中さんが上手だ」と苦笑し、中国語の「迷惑 mihuo」は、『楚辞集注』に書いてある通り、日本語とはまるで意味が異なることを示す証拠として、六冊の線装本を用意していたのだ。

毛沢東・周恩来の用意周到な気配りを考えると、橋本の作詩指導説は、根拠薄弱の曲解にすぎないことがわかる。チャイナスクール外しを行わなかったならば、外務省事務当局が毛沢東の真意を読みきれたかどうかは不明だが、外交とは、そもそも相手側の真意を読み切った上で、自らの要求を獲得することだ。相手側の意図がまるでわからない場合、外交はそもそも成り立たない。

「通訳の周斌は、毛が『楚辞集注』をニクソンにも贈っており、他意はなかったと述べている」と無知な周斌・久能靖に責任を転嫁しつつ、橋本の俗説を補強したつもりになっている服部の中国理解の危うさがここに象徴される。

繰り返すが、私が橋本中国課長（のち中国大使）による日中国交正常化記録改竄をきわめて遺憾に思うのは、まさに彼の改竄によって、中国側の対日不信の直接的根拠を作っただけでなく、日本側が江沢民流の反日キャンペーンに異議申し立てを行う論拠を失わせた点である。田中の謝罪は、元来中国側の対日専門家にとって自明の事柄であった。それが外務省記録の改竄によって新たな火ダネが日中間に生まれ、広がり拡大したことが、国交正常化二〇～三〇年の日中相互不信の大きな要因の一つであり、その後遺症が四〇周年の今日まで続いている。

このような日中相互不信の内実にまるで無頓着に、日中講和の精神を語り、官僚の放言に近い談話をもって、「埋もれていた現代史」を繙くとは、百害あって一利なしではないか。国交正常化から四〇年、日本の若手研究者がここまで視野狭窄に陥り、国内の交渉体制、あるいは主張を論ずれば十分と認識しているかに見えるのは寒心に堪えない。服部が中国側文献をどのように読んだか、はなはだ疑わしいところがある。もしかすると日本語訳しか読んでいないのではないか。[*11] 私が超ドメスチックな議論であり、中国不在の日中交渉論ではないかと断ずるのは、このことだ。誤解であれば、幸いである。

＊1　しかし実際には〈貿易黒字累計＋直接投資受入れ累計〉が、そのまま外貨準備高になるわけではない。外国借款の返済や対外直接投資、間接投資など、外貨が流出する要素もあり、この部分を控除しなければならない。ところが中国ではこの部分の統計がとらえにくい。そこで、外貨準備

高と〈貿易黒字累計＋直接投資受入れ累計〉との差額を、仮に「資本の流出（入）」と考える。中国の場合、二〇〇一年までは、直接投資受入れ累計と同じ程度の金額が資本流出していた。その結果、貿易黒字累計額がそのまま外貨準備高になった。しかし二〇〇二年の流出額四九四六億ドルをボトムとして以後流出額累計は年々減少して、二〇〇九年には、累計額が純流入となった。二〇〇七年までは直接投資が先行して輸出競争力のある製品作りに貢献して貿易黒字に貢献し、二〇〇八〜〇九年には、激増する貿易黒字（累計）が直接投資（累計）を上回り、そのまま外貨準備高の積み上げをもたらした。

＊2　念のために新華社傘下「環球網」（六月九日）を見ると、次のように伝えている。「環球網記者王欣報道、拠日本媒体消息、日本防衛省於当地時間六月八日宣布、中国海軍導弾駆逐艦等八艘艦艇穿過沖縄本島和宮古島之間的公海後、駛向太平洋方向。日本海上自衛隊的擁衛艦対其進行持続的活動。中国国防部於北京時間六月九日対該報道作出回応、称中国海軍正在挙行例行性訓練、符合相関国際法準則」。

＊3　希拉里担心美国債務問題　道出心中最重要角色『広州日報』二〇一〇年〇五月二七日。「問──現在中国是美国的第一債権国、您是否喜歓中国這様的第一？　希拉里──我不担心中国這個地位、我所担心的是美国債務太大、這是我担心的、而且我非常重視。従歴史的角度来看、当我的丈夫克林頓総統離任的時候、我們預算平衡、我們還有順差、当時我感覚很自豪、対美国是好的、財政方面、金融方面很負責。但是奥巴馬総統任職的時候、我們的赤字是很龐大的、債務不断地増加、又面臨了全球的経済危機、所以需要刺激措施、這些刺激措施在美国和中国都是成功的、不過它増加了我們的赤字和債務。所以到某一個時候、我們応該把注意力転到財政負責方向、要確保預算健全、為了我們的子孫」。

＊4　「中国之声」馮悦記者によれば、同会議は一七〜二〇日に北京で開かれ、中共中央総書記、国

家主席、中央軍委主席胡錦濤が「重要講話」を行い、「党と国家指導者」呉邦国、温家宝、賈慶林、李長春、習近平、李克強、賀国強、周永康など政治局常務委員が全員出席した。このほか、王岐山、劉雲山、令計劃、王滬寧、梁光烈、馬凱も会議に出席し、温家宝、戴秉国も講話を行った。胡錦濤は二〇〇四年「第一〇次駐外使節会議」以来の外交工作を回顧し、「当面の国際情勢の発展趨勢と主要な特徴」を深く分析したと伝えられた（中広網二〇〇九年七月二〇日）。

＊5　Article 2. It is recognised that under Article 2 of the Treaty of Peace which Japan signed at the city of San Francisco on 8 September 1951（hereinafter referred to as the San Francisco Treaty）, Japan has renounced all right（権利）, title（権原）, and claim（請求権）to Taiwan Formosa and Penghu the Pescadores as well as the Spratley Islands and the Paracel Islands.

＊6　国務省のホームページによると、クリントン国務長官のアジア訪問日程は以下のごとくであった。

Secretary of State Hillary Rodham Clinton traveled to Japan, China, and Korea, having departed Washington, DC, on May 20. Secretary Clinton visited Tokyo (May 21), Shanghai (May 21-23), Beijing (May 23-26), and Seoul (May 26). Secretary Clinton traveled to Tokyo on May 21 to discuss regional and global issues with our Japanese ally. In Shanghai, Secretary Clinton visited the 2010 Shanghai Expo. While at the Expo, she attended a dinner in honor of the USA Pavilion sponsors and others who helped develop the USA Pavilion. On May 23, she participated in a commercial diplomacy event to highlight the importance of U.S. market access and job creation. In Beijing, Secretary Clinton and Treasury Secretary Timothy F. Geithner joined their respective Chinese Co-Chairs, State Councilor Dai Bingguo and Vice Premier Wang Qishan, for the second joint meeting of the U.S-China Strategic and Economic Dialogue. Over a dozen U.S. cabinet members and agency heads made up the U.S. delegation. On May 26, the Secretary traveled to the Republic of Korea and met senior government officials to discuss regional stability and other issues with our Korean ally. The Secretary returned to Washington, DC, on May 2.

＊7　中国側の出席者は次のごとくである（軍関係を除く）。
財政部長・謝旭人、発展改革委主任・張平、商務部長・陳徳銘、衛生部長・陳竺、人民銀行行長・周小川、質検総局局長・王勇、銀監会主席・劉明康、証監会主席・尚福林、保監会主席・呉定富、中国駐美大使・張業遂、国務院副秘書長・畢井泉、中央財経工作領導小組辦公室副主任・劉鶴、外交部副部長・崔天凱、発展改革委副主任・張暁強、科技部副部長・曹健林、工業和信息化部副部長・婁勤倹、財政部副部長・朱光耀、交通運輸部副部長・徐祖遠、農業部副部長・牛盾、人民銀行副行長・易綱、海関総署副署長・孫毅彪、法制辦副主任・袁曙宏、進出口銀行行長・李若穀。

＊8　朱徳の外孫、現国防大学教授。「軍内のタカ派」として知られる。二〇〇五年に香港での「中台間の紛争にアメリカが介入したら、我々はアメリカに対して核の使用をいとわない」（In 2005, Zhu said China would use nuclear weapons against the US if Washington intervened militarily in a conflict between Beijing and Taipei）という発言が物議をかもしたことがある。この発言は、新聞に大きく取り上げられた（"Sino-US military tensions on full display," South China Morning Post, June 6, 2010）。

＊9　The pace and scope of China's military modernization have increased over the past decades, enabling China's armed forces to develop capabilities to contribute to the delibery of international public goods, as well as increase china's options for using military force to gain diplomatic advantage or resolve disputes in its favor.〔下線は矢吹〕。

＊10　スタインバーグ副長官と戴秉国国務委員の数回にわたる公式・非公式の対話がウィキリークスによって確認された。個々の論点に立ち入る紙幅はないが、戴秉国の肩書について、「胡錦濤主席の特別代表」（President Hu's Special Envoy）とする説明を二〇〇九年九月二九日に訪中したスタイン

バーグに対して秘密会談のなかで行い、しかもこれは「このような肩書を付さないと金正日が会見に応じないからだ」と説明した点が重要である。戴秉国は李明博韓国大統領との会談（一一月二七～二八日）に続けて、一二月九日に金正日と会談した事実と重ねて観察すると、キーパーソン戴秉国の役割を改めて確認できよう。

＊11　橋本恕の回想は、NHK二〇〇二年九月二八日放映の発言と同じである。橋本の発言が同趣旨ならば、服部のインタビューによって新たに明らかになったものは何か。追加された未公開情報は何か。これがほとんど見当たらない。逆に、インタビュー対象者・橋本に感情移入した匂いが濃厚である。

＊12　田中一行は九月三〇日午後一時前に羽田着の日航特別機で帰国した。空港を出たあと皇居で帰国の記帳を済ませ、自民党本部で椎名副総裁、橋本登美三郎幹事長ら党執行部と懇談、引き続き午後二時二〇分から官邸で臨時閣議を開き、国交正常化交渉の経過と成果を報告し、午後三時すぎから首相官邸でテレビ中継の記者会見に臨んだ。さらに四時すぎから自民党両院議員総会に出席し、共同声明について党の最終的了承を求め、台湾派の野次と怒号のなかで自民党は田中報告を了承した。この過程で田中は、迷惑問題について幾度も語っている。だが、服部はこれらを一切無視して、一九八四年一一月号の『宝石』に寄せた「いま始めて明かす日中国交回復の秘話」から引用する。この「秘話」に特別の内容はなく、もし田中の真意を探るのならば、私が試みたように、帰国直後の証言が最もふさわしいはずだ。

＊13　その中国語訳は「田中角栄与毛沢東談判的真相」のタイトルで『百年潮』二〇〇四年二月号に発表され、次いで『新華文摘』二〇〇四年一〇号に転載された。この講義に大幅加筆したものが「田中角栄の「迷惑」、毛沢東の「迷惑」、昭和天皇の「迷惑」」のタイトルで『諸君！』二〇〇四年五月号に掲載され、のち、『激辛書評で知る中国の政治・経済の虚実』（日経BP社、第3章、二〇

〇七年）に収められた。

＊14　念のために、田中発言を中国側の記録によって確認しておけば、次のごとくである。「第二次首脳会談、二六日下午、〔中略〕田中解釈説、従日本来講『添麻煩』是誠心誠意地表示謝罪之意、而且包含著以後不重犯、請求原諒的意思。他表示、這個表達如果従漢語上不合適、可按中国的習慣改」。

＊15　NHK取材班著『周恩来の決断　日中国交正常化はこうして実現した』の中国語訳は、この件を次のように訳している。「関于『麻煩』一語、当初有一種説法是外務省的翻訳有錯誤。的確。日文的『添了很大的麻煩、我対此再次表示深切的反省』与中文的『很遺憾的是給中国国民添了麻煩』、在語感上有相当差距。但是、参加田中首相致詞撰稿的当時外務省中国課長橋本恕却説、絶不是翻訳的問題、考慮到日本国内輿論、那已経是到了極限的提法了。橋本恕説――『我考慮了不知多少天、推敲了不知多少次、誇大一点説、是紋尽脳汁写出的文章。当然也給大平外務大臣田中首相看了幾次、得到了他們的同意』（一〇五頁）。

＊16　この姫鵬飛回顧録は、末尾に「李海文整理」と注記されている。李海文によると、これは姫鵬飛の談話をまとめた形になっているが、じつは膨大な関連資料から、姫鵬飛外相に直接関わる部分を李海文がまとめて姫鵬飛の校閲を得て発表したものである。日本外務省による記録改竄を意識しつつ、中国側資料を整理した点に着目すべきである。

＊17　たとえば田中訪中直後の一九七二年一〇月国会における大平演説（第七〇回国会、昭和四七年一〇月二八日に大平は、次のように信条を吐露している。

「私は、何をおきましても、日中相互の間に不動の信頼がつちかわれなければならないと考えます。われわれはお互いのことばに信をおき、かつ、お互いのことばを行為によって裏書きすることが必要であると思います。（拍手）さらに、両国が、アジア地域の平和と安定、秩序と繁栄に貢献することが肝要であると思います。そのためにわれわれは何を行なうべきか、何を行なってはならないかについて、正しい判断を持ち、慎重に行動すべきであると考えております。日中両国は、このような不動の信頼とけじめのある国交を通じてのみ、両国間に末長き友好関係を築き、発展させることができるものと考えます。政府としてはこのためにせっかく努力をいたす所存であります（拍手）」〔傍線は矢吹〕。国交正常化交渉に臨んだ大平の信念はここに明らかだ。

＊18　その直接的根拠は旧ソ連解体と東欧圏の崩壊という激震に対して、中国指導部が深刻な危機意識を抱き、国内体制の引き締めを反日ナショナリズムによって乗り切ろうとしたことは明らかだが、もし田中や大平のような精神で日本が導かれていたならば、反日運動はたとえ試みたとしても困難であったはずだ。

＊19　この『楚辞集注』に服部は「そじしゅうちゅう」とルビを振る。これは「そじしっちゅう」と読むのが日本漢学の伝統だ。さらに「中国古典の注釈集」と形容句を付しているが、これも一知半解である。なお、ジャーナリスト横堀克己は当時通訳を勤めた王效賢のインタビューをもとに「主席はこの本が大好きだったからに違いありません」と、王效賢説を紹介している（前掲『記録と考証』二六四頁）。だが、毛沢東の愛読書は、この本に限らない。なぜこの本を選んだのかは、当時の通訳にも不可解であったことがわかる。

＊20　久能は日本テレビのアナウンサーとして田中訪中の同行取材陣の一人であり、そこで面識を得た周斌を「日中国交正常化三五周年の今夏」（すなわち二〇〇七年夏）にインタビューし、この文を発表した。

＊21　『日中国交正常化』一五二頁で、「田中〔角栄〕が真意を説明すると、周〔恩来〕は納得した」とする個所に倪志敏「田中内閣における中日国交正常化と大平正芳」『龍谷大学経済学論集』（48巻3・4号、二〇〇九年三月）しか挙げていないが、その博士論文を指導したのは矢吹であり、そこでは矢吹の指示した資料が用いられている。服部のスタンスが日本官僚から見た日中国交正常化の

色彩が強いのは、そもそも中国側文献を読まない、あるいは日本語訳のみに依拠したためかもしれない。

（初出：『チャイメリカ――米中結託と日本の進路』花伝社、第10章、二〇一二年五月）

尖閣問題の核心

戦後くすぶり続けていた「尖閣問題」が表面化するのは二〇一〇年九月、尖閣諸島付近で操業中の中国漁船と、これを違法として取り締まった日本の海上保安庁巡視船との衝突に端を発する。この事態に日中両国民の心中深くに潜むナショナリズムが噴き上がり、さらに二〇一二年九月、野田佳彦政権による国有化によって日中双方が「固有の領土」をめぐって激突するようになる。こうした日中双方の不信、日中関係悪化の核心が、尖閣問題の棚上げ合意、また田中角栄首相の「ご迷惑＝謝罪発言」をめぐる記録を抹殺もしくは曖昧にし、事実上記録を改竄した外務省の責任に帰趨することを喝破する。

一　尖閣交渉経緯の真相――「棚上げ合意」は存在しなかったか

菅直人総理大臣（当時）は、日中国交回復後の歴代総理大臣として、初めて「尖閣諸島をめぐり解決すべき領有権の問題はそもそも存在しない」という答弁書に署名した（二〇一〇年六月八日）。

答弁書第八三号　内閣参質一七四第八三号　平成二十二年六月八日

内閣総理大臣　菅直人

参議院議長　江田五月殿

参議院議員佐藤正久君提出全国知事会議における鳩山首相の尖閣諸島への日米安保条約適用をめぐる発言に関する質問に対し、別紙答弁書を送付する。

参議院議員佐藤正久君提出全国知事会議における鳩山首相の尖閣諸島への日米安保条約適用をめぐる発言に関する質問に対する答弁書

一及び二について

尖閣諸島に関する我が国の立場は、先の答弁書（平成二十一年三月十七日内閣衆質一七一第一九四号）二及び三についてで述べたとおり、尖閣諸島をめぐり解決すべき領有権の問題はそもそも存在しないというものである。鳩山内閣総理大臣（当時）は、そのような我が国の立場を踏まえた上で、御指摘の会議において、尖閣諸島に関する米国の従来の見解について述べたものであり、「国益を大きく損なうもの」との御指摘は当たらないと考える。

（参議院質問主意書 https://www.sangiin.go.jp/japanese/joho1/kousei/syuisyo/174/touh/t174083.htm）

また、前原外務大臣（当時）も、衆議院安全保障委員会での答弁で、日中平和有効条約の批准に際して来日した鄧小平が日本記者クラブでの記者会見で、尖閣問題は日中国交正常化の際にも、日中平和友好条約締結の際にも、「この問題に触れない」ということで「双方が一致した」と発言したことにつき、これは「トウショウ（鄧小）平氏が一方的に言った言葉であって、日本側が合意したということではございません。結論としては、棚上げ論について中国と合意した事実はございません」と答弁した（二〇一〇年一〇月二一日。国会会議録検索システム https://kokkai.ndl.go.jp/#/detail?minId=117603815X00220101021¤t=1）。

さらに、衆議院での河井克行議員による鄧小平来日の際の日本記者クラブでの発言についての質問趣意書に対しても菅直人首相は次のように答弁した（平成二二年一〇月二六日）。

一（前略）この会見で明らかにされた、「国交正常化のさい、双方が尖閣諸島問題に触れないと約束した」とされる約束はいかなるものか説明されたい。また約束と言うからには、文書、覚え書き、メモランダムなどいかなる形式で日中双方が交わしたのか説明されたい。

答　お尋ねの約束は存在しない。

二　日中国交正常化交渉において、尖閣諸島についての日中双方の発言はいかなるものか、その全てを説明されたい。

答　お尋ねの交渉において、田中角栄内閣総理大臣（当時）は、「尖閣諸島についてどう思うか。私のところに、いろいろ言ってくる人がいる。」と述べたのに対し、周恩来中国国務院総理（当時）は、「尖閣諸島問題については、今回は話したくない。今、これを話すのはよくない。石油が出るから、これが問題になった。石油が出なければ、台湾も米国も問題にしない。」と述べたと承知している。

三　日中平和友好条約交渉において、尖閣諸島について日中双方でいかなるやりとりがあったのか、その全てを説明されたい。

答　お尋ねの交渉において、園田直外務大臣（当時）は、尖閣諸島についての我が国の立場について述べるとともに、千九百七十八年四月に発生した尖閣諸島周辺における中国漁船による不法な領海侵入について二度と起こらないようにしてほしい旨述べたのに対し、鄧小平中国国務院副総理（当時）は、先般の事件は全く偶発的であり、中国政府としてはそのような事件を起こすことはない旨述べたと承知している。

四　日中平和友好条約交渉において、この会見で明らかにされた「尖閣諸島問題にふれないことで一致した」事実はあるのか説明されたい。

答　お尋ねの事実はない。

（衆議院質問主意書・答弁書 https://www.shugiin.go.jp/internet/itdb_shitsumon.nsf/html/shitsumon/a176069.htm）

日本の外務省も、「尖閣諸島に関するQ&A」において次のように「棚上げ」や「現状認識」について合意したことはないと、明確に否定している（外務省 https://www.mofa.go.jp/mofaj/area/senkaku/qa_1010.html）。

Q15　中国政府は、1972年の日中国交正常化及び1978年の平和友好条約を締結する交渉の過程において、「両国の指導者は『釣魚島問題』は放置し、以後の解決に委ねることにつき重要な了解と共通認識に達した」と主張していますが、これに対し、日本政府はどのような見解を有していますか。

A15

1　尖閣諸島が我が国固有の領土であることは、歴史的にも国際法上も疑いないところであり、現に我が国はこれを有効に支配しています。尖閣諸島をめぐり解決すべき領有権の問題はそもそも存在していません。

このような我が国の立場は一貫しており、中国側との間で尖閣諸島について「棚上げ」や「現状維持」について合意したという事実はありません。この点は、公開されている国交正常化の際の日中首脳会談の記録からも明らかです。このような我が国の立場については、中国側にも幾度となく明確に指摘してきています。

また学者・評論家の中にも、「棚上げ合意」は存在しないという見解を唱えたり、さらには、『日中国交正常化』(中公新書)を書いた服部龍二のように、「中国は正常化という最も重要な局面で尖閣諸島を提起しなかったから、事実上尖閣諸島の領有権を放棄した」とする見解もある。

これらの見解が出てくるうえで見過ごすことができないのが、日本の外務省が、交渉記録を抹殺し、事実上の改竄を行った事実である。

外務省は、日中国交回復時の記録につき、二つの記録抹殺・改竄を行った。一つは尖閣問題での記録の抹殺・改竄である。もう一つは、田中首相の「ご迷惑=謝罪発言」めぐる記録の抹殺である。

もし「棚上げ」に合意していたとするなら、尖閣諸島の領有権につきそもそも双方に異なる見解が存在していたことを認めたということであり、「尖閣諸島は日本の固有の領土であり、領土問題はそもそも存在しない」という主張は成り立たない。

また、「棚上げ」合意を否定するとすれば、中国側が言うところの「黙契あるいは共識(共通認識の意)」を反故にすることであり、中国側からすれば、棚上げによって、日本の実効支配を現状のまま黙認するという約束も反故になったということであり、尖閣をめぐって日中双方があらためて激突する事態となる。

尖閣問題をめぐって「棚上げ合意」があったのか、なかったのか。たしかに文書による明確な記録は残されていない。ではことの真相は何か。日中関係当事者の発言や記録によって、交渉経過の真相に迫ってみよう。

1　田中角栄・周恩来会談の真相

資料①からわかるように、日中国交回復をめぐる第三回首脳会談で田中が尖閣を提起し、周恩来が「今、これを話すのはよくない」と棚上げ案を返答している。外務省会談記録は、その趣旨を次のように記録している。

資料①　外務省が公表した「田中角栄首相・周恩来総理会談」記録によれば、第三回首脳会談一九七二年九月二七日午後四時一〇分から、国際問題を語り、そのなかで尖閣を話した。
田中総理「尖閣諸島についてどう思うか？　私のところに、いろいろ言ってくる人がいる」
周総理「尖閣諸島問題については、今回は話したくない。今、これを話すのはよくない。石油が出るから、これが問題になった。石油が出なければ、台湾も米国も問題にしない」
（『記録と考証　日中国交正常化・日中平和友好条約締結交渉』岩波書店、二〇〇三年、六八頁）

この簡潔な要旨記録から明らかなように、田中は第三回首脳会談で尖閣を提起して、周恩来は、右のように答えている。このときの田中の発言は、服部龍二によれば、「大平や日本外務省にすれば想定外の発言だったとする（「尖閣諸島領有権の原点と経緯」『外交』ｖｏｌ．15、二〇一二年九月）。

その後、田中は翌日の首脳会談で再度、尖閣を提起したと資料②のように橋本恕課長は後日証言した。この部分は全く公表記録に残されていない。この日の田中と周恩来のやりとりを外務省記録から削除したのだ。誰が削除したかは明らかだ。削除した当の本人の橋本恕（会談に同席した中国課長、のちの中国大使）が、清水幹夫に対して、二八年後に真相を語ったのだ。

資料②　四日目の首脳会談（実は三日目、九月二七日――矢吹注）では台湾問題が議論となった。（中略）周首相が「いよいよこれですべて終わりましたね」と言った。ところが「イヤ、まだ残っている」と田中首相が持ち出したのが尖閣列島問題だった。周首相は「これを言い出したら、双方とも言うことがいっぱいあって、首脳会談はとてもじゃないが終わりませんよ。だから今回はこれは触れないでおきましょう」と言ったので、田中首相の方も「それはそうだ、じゃ、これは別の機会に」、ということで交渉はすべて終わったのです。

（橋本恕の二〇〇〇年四月四日清水幹夫への証言。大平正芳記念財団編『去華就実　聞き書き大平正芳』二〇〇〇年。前掲『記録と考証』、二二三～四頁に再録）

この橋本証言は奇怪である。まず公表すべき会議記録から削除し、その後日付けを間違えたまま、清水に語り、削除した本人が自ら補足する形をとった。推測だが、日本側の「一問一答」に気付いた張香山が「三問三答」のより詳細な記録を『日本学刊』に発表した、その事実を教えられた橋本が遂に口を開いた形跡が濃厚である。

明らかに、田中が再度問題を提起し、周恩来が「双方とも言うことがいっぱいあって、首脳会談はとてもじゃないが終わりませんよ」という理由で、「棚上げ」を提案し、田中が「同意」したのは二七日であろう。これが田中・周恩来会談の隠された真実だ。この外務省一問一答、中国側記録による三問三答を指して、中国側は「黙契」・「共識」と呼んでいる。「暗黙の了解や共通認識はなかった」とする日本政府の主張は、田中・周恩来会談の真相をゆがめるものだ。

改竄された外務省記録をもとに戻すことが必要だ。当事者の橋本恕中国課長が「一九七二年の真実」を二八年後の二〇〇〇年になってようやく告白した経緯を知らない日本人は、「尖閣問題の棚上げ」「尖閣問題についての共通認識」はなかったと受け取り、「尖閣は日本固有の領土だ」とする一方的理解だけが刷り込まれてしまった。橋本恕のやり方に日本側関係者が騙されてしまっていたことに問題の核心があり、これを是正することが必要だ。橋本ならびに外務省の責任は重大だ。

2　竹入義勝証言

以下三つの関連資料を挙げる。一つは、いわゆる竹入メモの筆者竹入義勝の回顧録。

資料③　当時公明党委員長として田中訪中へのメッセンジャー役を務めた竹入義勝は、次のような証言を残している。

尖閣列島の帰属は、周首相との会談で、どうしても言わざるを得なかった。「歴史上も文献からしても日本の固有の領土だ」と言うと周首相は笑いながら答えた。「竹入さん、我々も同じことを言いますよ。釣魚島は昔から中国の領土で、わが方も見解を変えるわけにはいかない」。さらに「この問題を取り上げれば、際限ない。ぶつかりあうだけで何も出てこない。棚上げして、後の賢い人たちに任せましょう」と強調した。（前掲『記録と考証』、二〇四頁）

周恩来の認識と、鄧小平の国交正常化六年後の一九七八年に来日した鄧小平記者会見の尖閣についての発言は、基本的に同じだ。「尖閣は日本固有の領土だ」とする日本側主張に対して、「釣魚島は中国固有の領土だ」と主張している。そして両者の立場表明を前提としつつ、棚上げして「後の賢い人たちに任せましょう」と強調したのが鄧小平記者会見である。

3　張香山の回想

中国外交部顧問として、日中首脳会談全体に同席した張香山の回想記の内容を詳しく紹介しよう。これは中国側会談記録そのものに基づくものと推測できる。

張香山曰く、この問題に関しては第三回首脳会談（九月二七日）がまもなく終わろうというときに話が始まったが、双方は態度を表明しただけで議論はしなかった。

資料④

田中首相1「私はやはり一言言いたい。私は中国側の寛大な態度に感謝しつつ、この場を借りて、中国側の尖閣列島（＝釣魚島）に対する態度如何を伺いたい」

周総理1「この問題については今回は話したくない。今話しても利益がない」

田中首相2「私が北京に来た以上、提起もしないで帰ると困難に遭遇する。いま私がちょっと提起しておけば、彼らに申し開きできる」（申し開きの中国語＝交代）

周総理2「もっともだ！　そこは海底に石油が発見されたから、台湾はそれを取り上げて問題にする。現在、米国もこれをあげつらおうとし、この問題を大きくしている」

田中3「よし！　これ以上話す必要はなくなった。またにしよう」

総理3「またにしよう！　今回我々は解決できる基本問題、たとえば両国関係の正常化問題を先に解決する。これは最も差し迫った問題だ。いくつかの問題はときの推移を待ってから話そう」

田中4「いったん国交が正常化すれば、私はその他の問題は解決できると信じる」

（『日本学刊』一九九八年第一期）

あきらかに「棚上げ」で事実上合意している。

4　鄧小平・園田直会談

一九七八年八月一〇日、園田外相が訪中して北京で、鄧小平・園田直会談が行われた。尖閣についてのやりとりは、張香山著『中日関係管窺与見証』によると、以下の通り。なお、日本外務省の会談記録は、尖閣の箇所を削除したものしか発表していない。

資料⑤　鄧小平は次のように発言した。

・中日両国間には若干の懸案がないわけではない。たとえば、日本は尖閣列島と呼び、中国は釣魚島と呼ぶ、この問題もあるし、大陸棚の問題もある。

・日本では一部の人がこの問題を利用して「友好条約」の調印を妨害したではありませんか。わが国にも調印を妨害した人がいないわけではない。たとえばアメリカに留学し、アメリカ国籍をとった者、一部の華僑たち、彼らの中に「保釣」運動がある。台湾にも「保釣」運動がありますよ。

・この種の問題は、今引っ張りだしてはいけない。「平和友好条約」の精神がありさえすれば、何年か放っておいて構わない。何十年か経って協議整わずでもかまわない。まさか解決できなければ、仲違いでもないでしょう。

・釣魚島問題は片方に置いてゆっくりゆうゆうと考えればよい。中日両国間には確かに懸案はある。

・両国は政治体制も置かれている立場も異なる。いかなる問題でも同じ言い方になるのは不可能だ。とはいえ、同時に両国は共通点も多い。要するに、「小異を残して大同に就く」ことが重要だ。
・われわれは多くの共通点を探し、相互協力、相互援助、相呼応する道を探るべきです。「友好条約」の性格はつまりこのような方向を定めている。まさに園田先生のいう新たな起点です。

これを受けて、園田は次のように応じた。

鄧小平閣下がこの問題に言及されたので、日本外相として私も一言発言しないわけにはいきません。もし発言しないとすれば、帰国してから申し開きできない。尖閣に対する日本の立場は閣下がご存じの通りです。今後二度とあのような偶然（張香山注、中国漁船隊が尖閣海域に侵入したこと）が起こらないよう希望したい。私はこの一言を申し上げたい。

これを受けて、鄧小平は次のように応じた。

この種の事柄を並べると、われわれの世代の者には、解決方法が見出せない。次の世代は、その次の世代は、解決方法を探し当てることができるでしょう。

（張香山『中日関係管窺与見証』当代世界出版社、一九九八年）

5　鄧小平の日本記者クラブでの発言

園田外相の訪中を踏まえて日中平和友好条約が調印されたので、その批准書交換のために鄧小平が訪日した。鄧小平は一九七八年一〇月二五日日本記者クラブで、内外記者会見を行った。そのときの鄧小平の発言趣旨は、資料⑤と酷似している。つまり、北京における園田直・鄧小平会談を踏まえて、資料⑥の鄧小平の発言があることは明らかだ。

資料⑥　鄧小平副首相　尖閣列島は、我々は釣魚諸島と言います。名前も呼び方も違っております。だから、確かにこの点について双方に食い違った見方があります。中日国交正常化の際も、双方はこの問題に触れないということを約束しました。今回、中日平和友好条約を交渉した際もやはり同じく、この問題に触れないということに一致しました。中国人の知恵からして、こういう方法しか考え出せません。というのは、その問題に触れますと、それははっきり言えなくなってしまいます。確かに一部のものはこういう問題を借りて、中日両国の関係に水をさしたがっております。ですから、両国政府が交渉する際、この問題を避けるということが良いと思います。こういう問題は、一時棚上げにしてもかまわないと思います。１０年棚上げにしてもかまいません。我々の世代の人間は知恵が足りません。この問題は話がまとまりません。次の世代は、きっと我々よりは賢くなるでしょう。そのときは必ずや、お互いにみんなが受け入れられる良い方法を見つけることができるでしょう。

（鄧小平記者会見「未来に目を向けた友好関係を」一九七八年一〇月二五日。日本記者クラブホームページ http://www.jnpc.or.jp/files/opdf/117.pdf）

6　大平正芳総理、園田直外務大臣の認識

資料⑤と資料⑥で得られた「合意、共識（共通認識）」は、その後、国会でどのように認識されていたかを示す資料を一つだけ掲げる。船長逮捕事件における前原誠司外相発言が出た際の、民主党議員の質問で、「棚上げ」を園田直外相も大平正芳首相も認めていたと紹介している。

資料⑦　衆院安保特別委（二〇一〇年一〇月二一日）の議事録

○神風英男委員（民主）（＝野田佳彦内閣・野田改造内閣の防衛大臣政務官）
日本としては、〔棚上げ〕合意がないという立場であろうと思います。ただ、当時大平内閣のもとで、当時の沖縄開発庁が調査団を尖閣諸島に派遣した、この調査に関して、中国が、鄧小平副首相との合意に反するという抗議があったわけであります。これを受けて、衆議院の外務委員会において、当時の園田直外務大臣がこのように述べられている。

「日本の国益ということを考えた場合に、じっとして今の状態を続けていった方が国益なのか、あるいはここに問題をいろいろ起こした方が国益なのか、私は、じっとして、鄧小平副主席が言われた、二十年、三十年、今のままでいいじゃないかというような状態で通すことが日本独自の利益からいってもありがたいことではないかと考えます。」

こういうように述べられているわけでありまして、いわば棚上げ状態にしておくことが日本の国益にも合致するんだというような趣旨のことを当時の園田外務大臣が述べられ、また、いろいろその当時の議事録を拝見しますと、大平総理も同じような立場に立っているようであります。

（国会会議録検索システム https://kokkai.ndl.go.jp/#/detail?minId=117603815X00220101021¤t=1）

7 棚上げを認めた読売新聞社説

日中平和友好条約締結から一年後、日本が尖閣諸島の魚釣島の開発調査を進めようとしたことに対し中国外務省が遺憾の表明をしたことにつき、読売新聞は、次のような社説を掲げた。

資料⑧ 読売新聞社説（一九七九年五月三一日）

尖閣諸島の領有権問題は、一九七二年の国交正常化の時も、昨年〔一九七八年〕夏の日中平和友好好条約の際にも問題になったが、いわゆる「触れないでおこう」方式で処理されてきた。つまり、日中双方とも領土主権を主張し、現実に論争が〝存在〟することを認めながら、この問題を留保し、将来の解決に待つことで日中政府間の了解がついた。

それは共同声明や条約上の文書にはなっていないが、政府対政府のれっきとした〝約束ごと〟であることは間違いない。約束した以上は、これを順守するのが筋道である。鄧小平副首相は、日中条約の批准書交換のために来日した際にも、尖閣問題は「後の世代の知恵にゆだねよう」と言った。日本としても、領有権はあくまでも主張しながら、時間をかけてじっくり中国側の理解と承認を求めて行く姿勢が必要だと思う。

「棚上げ」が、条約上の文書にないとしても、れっきとした「政府対政府の約束ごと」でありこれを順守すべきことを明確に述べている。当時のマスコミが現在と違ってこうした認識であったことを想起すべきであろう。

8 一九九二年の再確認――孫崎享氏の指摘

「棚上げ」については、その後も再確認されていることを孫崎氏は次のように指摘している。

尖閣問題の棚上げは、その後も外交ルートで確認されている。一九九〇年一〇月、中国の外交部副部長が橋本駐中国大使を招き確認している。

「斉懐遠中国外交部副部長は十月二十七日午後、橋本駐中国日本大使を緊急に招いて会見し、中国政府の立場を次のように伝えた。

釣魚島は昔から中国の領土であり、中国はそれに対し争う余地のない主権を持っている。日本がこの問題について見解を異にしていることを、われわれも知っている。このため、中日国交正常化交渉のとき、われわれ双方は問題を〝後日に棚上げ〟にすることに同意した。中国側は、われわれ双方がそのときこの問題について到達した了解事項は非常に重要なもので、両国の友好協力関係の発展に有利であると認めている」（データベース『世界と日本』、日本政治・国際関係データベース、東京大学東洋文化研究所、田中明彦研究室、［文書名］釣魚島、国連平和協力法案についての斉懐遠外交部副部長の橋本駐中国大使に対する談話）

これに対する橋本駐中国日本大使の反応は記載されていない。橋本駐中国日本大使は日中国交回復交渉時、中国課長として、重要な首脳会談に出席し、棚上問題に最も精通した人物である。この場において橋本大使は基本的に「尖閣諸島の棚上げ」に同意していると見られる。

一連の流れをみると、尖閣諸島の「棚上げ」を巡っては日中間に微妙なやりとりがなされている。今、日本政府は「棚上の合意はない」との立場を打ち出しているが、本当にそう割り切っていいのか。これは客観的な評価を早急に行う必要がある。

（孫崎享『日本の国境問題——尖閣・竹島・北方領土』ちくま新書、八〇〜八一頁）

9　元外務次官・栗山尚一の証言

二〇一二年一〇月三一日付けの朝日新聞「尖閣列島　過熱する主張」で、元外務次官・栗山尚一氏が次のような発言をしている。

1972年の日中国交正常化交渉に外務省条約課長として臨んだ。私は同席しなかったが、田中角栄首相が持ち出した尖閣問題について、周恩来首相が「今はやりたくない」と言い、田中さんもそれ以上追及しなかったと説明を受けた。棚上げ、先送りの首脳レベルでの「暗黙の了解」がそこでできたと当時考えたし、今もそう思う。

78年の日中平和友好条約の時にも、鄧小平副首相が「後の世代の知恵に任せましょう」と言い、福田赳夫首相や園田直外相は積極的に反論しなかった。72年の暗黙の了解が、78年にもう一度確認されたというのが実態だと理解している。

中国が、棚上げについて「日中間の明確な合意がある」と言うことには違和感がある。同時に「いかなる合意も存在しない」という今の日本政府の立場にも、若干、違和感をもつ。

栗山尚一元次官は四〇年前の国交正常化交渉に際して、田中角栄首相に随行し、条約課長として共同声明の文案作成に携わった経歴をもつ。田中・周恩来会談には同席しなかったが、尖閣問題について説明を受けた。「棚上げ、先送りの首脳レベルでの「暗黙の了解」がそこでできたと当時考えたし、今もそう思う」と証言している。さらに「七二年の暗黙の了解が、七八年に〔鄧小平・福田赳夫、園田直会談で〕もう一度確認されたのが実態だと理解している」と証言した。これが条約課長、のち条約局長として、外国との約束に責任を負う立場にあった当事者の証言である。

だが、一連の経緯が二つの日中会談記録、すなわち日中国交正常化交渉記録、日中平和友好条約交渉記録に明記されていない。中国側会談記録としてリークされているものと対比すると、日本側会談記録は明らかに一部が改竄されている。中国側が「暗黙の了解」があったはずだと主張し、日本側がこれを否定するところから今回の日中衝突が起こったが、食い違いの原因の半分は、外務省が正確な会談記録の発表を拒んでいるからだと私は考える。

当事者の栗山課長は「当時考えたし、今もそう思う」根拠を示す義務がある。それを追及することなく、一見評論家風の感想、印象を述べて事足れりとしているのは、はなはだ不可解であり、それを迫らない新聞は、情報隠しの共犯者と非難されてしかるべきだ。

栗山の評論家ぶりは、次の解説でますます明らかになる。

曰く「中国が、棚上げについて「日中間の明確な合意がある」と言うことには違和感がある。同時に「いかなる合意も存在しない」という今の日本政府の立場にも、若干、違和感をもつ」と。

中国政府の解釈には「違和感をも」ち、日本政府の解釈には「若干、違和感をもつ」と、「違和感」の違いで逃げている。ボキャブラリー貧困の政治家ならばいざ知らず、外務省のなかでも秀才ぶりを自他ともに認める条約局長が「違和感」といった情緒的表現で語るとは、一体何を意味するのか。「違和感」で終わるとは、三文文士と変わらない。中国との二つの歴史的会談の記録を恣意的に改竄した結果生じた日中の紛争、衝突の真相を隠蔽するための苦肉の策としか考えられない。「七二年に関わった者として憂慮している」と他人事みたいなコメントで結ぶのではなく、「七二年に関わった者として」の責任を弁明しなければならないのだ。

10　外務省記録の抹殺、改竄の重大な責任

以上にあげた資料から見ても、尖閣問題をめぐり日中双方が「棚上げ」の合意をしたことは歴史的事実であると断言してよい。中国側が尖閣の領有権を主張しなかったから、中国側は領有権を放棄したとする服部龍二などの見解が全く誤りであることも明確である。

こうした会談記録を外務省が記録から抹殺もしくはあいまいにし、事実上の改竄を行った責任はきわめて大きい。このことが今日の尖閣問題をめぐる日中双方の不信の火種となっている。

もう一つの会談記録の改竄は、私が繰り返し指摘している田中角栄首相のいわゆる「ご迷惑＝謝罪」発言をめぐる記録の抹殺である。この点は後に詳述する。

11　石井明東京大学名誉教授の情報開示請求

一九七八年八月一〇日午後、訪中した園田直外相と鄧小平副総理との間で会談が行われ、両者の間で尖閣問題が話し合われたこと、その記録が張香山『中日関係管窺与見証』（当代世界出版社、一九九八年）および園田直著『世界　日本　愛』（第三政経研究会、一九八一年）に残されていることを、両書からの引用で示した。しかしながら、日本外務省が公開した会談記録第一六三二号、第一六三五号、第一六三六号、第一六三一号、第一六三七号には、尖閣に関する部分が削除されている（たとえば前掲『記録と考証』、一八一〜九二頁）。

この欠落部分について、畏友石井明（東京大学名誉教授、国際関係論）は二〇一二年九月二〇日「行政文書の開示請求」を行った。これに対して、外務大臣から石井明に対して、二〇一二年一一月一九日「行政文書の開示請求に係る決定について（通知）」（情報公開第〇二四八九号）が届いた。石井教授の好意により見せてもらったので、次頁に全文を紹介する。

外務省は石井明教授の問い合わせに対して、尖閣諸島問題についての園田直外相と鄧小平副首相との会談記録は「不存在」であるから、「不開示」とした。

二〇一二年秋の日中関係は、尖閣諸島問題をめぐってぬきさしならない関係に陥っている。この状況下で石井は国際関係論の専門家として、尖閣紛争の真相を究明すべく情報開示を要求したわけだが、そ

情報公開第02489号
平成 24年11月19日

石井　明様

外務大臣

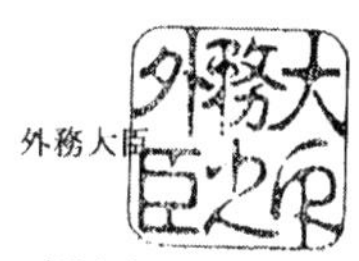

行政文書の開示請求に係る決定について（通知）

下記の開示請求に関し，開示請求対象行政文書一覧表（別紙）のとおり決定しましたので，行政機関の保有する情報の公開に関する法律第９条の規定に基づき，通知します。

記

１．開示を求められた行政文書の名称等

１９７８年８月１０日に北京で行われた園田直外相と鄧小平副首相の会談記録中の，尖閣諸島問題を含む日中関係に関する部分の記録。なお，同会議の記録は分電方式で本省に送られ，鄧副首相の福田首相への謝意表明（公電第１６３２号），条約関係（第１６３５号），国際情勢（第１６３６号），中ソ同盟条約（第１６３１号），訪日招請（第１６３７号）は，公開済みである。

２．開示請求番号　　2012-00602

３．開示請求受付日　　平成 24年09月20日

※　　この決定に不服があるときは，行政不服審査法（昭和３７年法律第１６０号）第６条に基づき，この決定があったことを知った日の翌日から起算して６０日以内に外務大臣に対して異議申し立てをすることができます。

また，この決定の取消しを求める訴訟を提起する場合は，行政事件訴訟法（昭和３７年法律第１３９号）第３条第２項の規定により，この決定があったことを知った日から６か月以内に，国を被告として（訴訟において国を代表する者は法務大臣となります。）以下の裁判所に処分の取消しの訴えを提起することができます（なお，決定があったことを知った日から６か月以内であっても，決定の日から１年を経過した場合には処分の取消しの訴えを提起することができなくなります。）。

東京地方裁判所

［備考］

開示請求番号：2012-00602　　　開示請求対象行政文書一覧表　　【1頁】　　　（別紙）

1	行政文書の名称等：　１９７８年８月１０日に北京で行われた園田直外相と鄧小平副首相の会談記録中の，尖閣諸島問題を含む日中関係に関する部分の記録。なお，同会議の記録は分電方式で本省に送られ，鄧副首相の福田首相への謝意表明（公電第１６３２号），条約関係（第１６３５号），国際情勢（第１６３６号），中ソ同盟条約（第１６３１号），訪日招請（第１６３７号）は，公開済みである。
	決定区分：　不開示（不存在）
	決定に係る該当条項：
	決定理由：　開示請求文書が綴られている可能性のある行政文書ファイルを探索しましたが、該当する行政文書は確認できなかったため、不開示（不存在）としました。

・外務省大臣官房総務課外交記録・情報公開室
〒100-8919　東京都千代田区霞が関二丁目２番１号
電話：03-5501-8068　FAX：03-5501-8067

の答は、以上のように、資料「不存在」の三文字であった。

とすれば、なぜあるべき記録が「不存在」なのか、記録を抹殺した責任者は誰か、その理由は何か。それが問われることになろう。

（初出：『尖閣問題の核心——日中関係はどうなる』花伝社、第1章、二〇一三年一月）

二　尖閣をめぐる日中の見解の対立点

日本政府は、「尖閣諸島は日本の固有の領土であり、領土問題は存在しない」と鸚鵡返しのように主張している。しかし、尖閣諸島の領有権について日中双方に見解の相違があり、領土問題が存在していることは明らかである。

日本政府の尖閣国有化宣言を受けて、中国国務院は二〇一二年九月二五日、「釣魚島は中国固有の領土である」とする『白書』を発表した。台湾外交部も二〇一二年九月二八日、「日本が釣魚台列島を占拠した歴史的証拠」を発表した。日本政府の見解とどこがどのように違うか、外務省のホームページなどに掲載された日本の見解と比較しながら、日中の主要な対立点を簡潔に明らかにしておく。

日中双方の主要な対立点

①尖閣諸島は日本固有の領土か、中国の固有の領土か。

日本：尖閣諸島は、無人島であり清国の支配が及んでいる痕跡がないことを慎重確認の上で、国際法に基づいてわが国の領土に編入したものであり、日本の固有の領土である。

中国：釣魚島ならびにその付属島嶼は、中国の領土の不可分の一部であり、釣魚島は「無主地」ではなく、中国が長期的に管理してきた。

②一八九五年の尖閣諸島の領有化は、国際法に基づく正当な行為であったか。

日本：国際法の「無主先占」に基づく正当な行為であり、また尖閣諸島は、一八九五年四月の下関条約で清国が日本に割譲した「台湾ならびに澎湖島諸島には含まれない」したがって、日清戦争の結果、日本が奪取したものではない。

中国：日本の公文書は、日本が釣魚島の窃取を企て秘密裏に進めたことをはっきりと記載しており、また「無主地」でもなく、国際法に定められた効力をもたない。日清戦争の結果、中国は日本と不平等な「下関条約」を押しつけられ、「台湾全島および付属島嶼」を割譲することを強いられた。釣魚島は、台湾の「付属島嶼」として日本に割譲された。

③尖閣諸島は「カイロ宣言」「ポツダム宣言」で中国に返還されたか。

日本：尖閣諸島がカイロ宣言にいう「台湾の付属島嶼」に含まれると中華民国を含む連合国側が認識していたという事実を示す証拠はない。したがって中国に返還されていない。

中国：「カイロ宣言」で「日本が窃取した中国の領土、例えば東北四省、台湾および澎湖諸島などは中華民国に返還する。その他日本が武力または貪欲によって奪取した土地からも必ず追い出す」と明文で定めている。「ポツダム宣言」八条では、「カイロ宣言の条件は必ず実施されなければならない」と定めている。日本は「ポツダム宣言」を受諾したので、釣魚島は台湾の付属島嶼として台湾といっしょに中国に返還された。

④サンフランシスコ平和条約の締結で、尖閣諸島は米国の施政権下に入ったか。

日本：サンフランシスコ平和条約の締結で、中国から割譲を受けた「台湾及び澎湖諸島」の領有権を放棄したが、尖閣諸島は「台湾及び澎湖諸島」に含まれていない。尖閣諸島は、サンフランシスコ平和条約三条に基づき、南西諸島の一部として米国を唯一の施政権者とする信任統治制度の下に米国が施政権を現実に行使した。

中国：中国を排除した状況の中で「サンフランシスコ講和条約」を締結し、南西諸島などを国連の委任管理下に置き、米国を唯一の施政者とする取り決めを行ったが、米国が委任管理する南西諸島には、釣魚島は含まれていなかった。のちに、琉球列島米国政府は、前後して二七号令、六八号令を公布して、勝手に委任管理の範囲を拡大し、中国領の釣魚島をその管理下に組み込んだ。

⑤沖縄返還協定で、尖閣列島は日本に返還されたか。

日本：尖閣諸島は、一九七一年に署名された沖縄返還協定において日本に施政権が返還される地域に含まれており、同協定発効とともに施政権が日本に返還され、したがって領有権も返還された。

中国：沖縄返還協定で中国の釣魚島などの島嶼を「返還地域」に組み込んだことは不法なことであり、これによって中国の釣魚島などの島嶼に対する領土主権を改変し得るものではない。台湾当局も断固たる反対の意を表明した。

これに対して米国は、「これらの諸島の施政権を返還することは、主権に関わる主張をいささかも損なうものではないこと」「これらの諸島に関わるいかなる対立的要求も、すべて当事者が互いに解決すべき事項である」とした。また、米国議会上院での「沖縄返還協定」採決時に、米国務省は声明を発表し、米国は同諸島の「施政権」を日本に返還するものの、日中双方の同諸島をめぐる相反する「領土権」の主張において、米国は、中立的な立場を取り、紛争のいかなる側に対しても肩を持つことはないと表明した。

補論　国際司法裁判所（ＩＣＪ）提訴問題について

日本政府は二〇一二年八月一七日、竹島問題について国際司法裁判所に提訴する方針を表明した。しかしながら、韓国が事件についての「管轄を受諾する宣言」（強制管轄受諾宣言）をするか、あるいは日本側の提訴に対して「応訴」しない限り、裁判は始まらないルールである。竹島について韓国はこれを拒否すると明言した。

尖閣問題はどうか。日本が仮に提訴したとしても、中国は韓国と同じく、「受諾」も「応訴」もしないであろう。竹島の場合、日本が韓国の外交権を事実上奪い併合の直前に領土編入を行った経緯がある。尖閣諸島は、下関条約の数カ月前に領土編入を行った。竹島と尖閣とは、いずれが実効支配を行っているかの違いがある。ほかにも違いがないわけではないが、日本帝国主義の台湾割譲、それに続く朝鮮半島支配という文脈では、共通性が見られる。「無主地先占」という法理は、国際法の原則とされており、これこそが領土問題を規定する鉄則であるかのごとく強調する向きが少なくないので、この法理の性格を考えてみよう。

(1) 先占(occupatio)の法理とは何か

近世の「国際法において先占」(occupatio)の法理がもち出され、承認されていった背景として、いわゆる新大陸、新航路の「発見」にともない展開された、植民地の獲得、国際通商の独占をめざした、激しい国家間の闘争があげられる。国家間の行動を共通に規律することを目指す国際法の背景には、他国に対して自国の行動を正当づけるといった動機が、多くの場合背景になっていたことは、周知の通りであろう。では、「無主地」とはなにか。無主地(無人の土地)について、国際法の「無主地」は「無人の土地」だけにかぎるのではない。すでに「人が住んでいても、その土地がどの国にも属していなければ無主の土地」とされる。ちなみに、ヨーロッパ諸国によって「先占される前のアフリカ」はその一例だ。そこには「未開のネイティブ」が住んでいたが、彼らは「国際法上の国家」を構成していなかったゆえに、その土地は「無主の土地」と解されてきた。一九世紀になると、「先占」は土地を現実に占有し支配しなければならないと主張され、しだいに諸国の慣行となり、一九世紀後半には、国際法における「先占」は実効的でなければならないことが確立したとされる。国際法における「先占」の概念とは、以上の経緯からして帝国主義勢力、すなわち列強の支配の論理であることは容易に察せられる。

とするならば、このような論理が旧植民地にとって受け入れにくいものであることは明らかではないか。尖閣諸島についていえば、日本はこれを「無主地」とみなして「先占」を閣議決定し、かつ「国際法によって」認められてきたとしているが、これは事実上は、「列強によって」認められただけではないのか。旧植民地国として治外法権を余儀なくされてきた中国側の事情を考慮するならば、「無主地先占」をどこまで主張できるか疑問とせざるをえない。

(2) 禁反言（英語・estoppel、エストッペル）**の法理とは何か**

「禁反言」（エストッペル）という法律用語は、一方の言動により、他方がその事実を信用し、それを前提として行動した場合に、それと矛盾した事実を主張することを禁ぜられる、という法理である。「禁反言」や「エストッペル」といえばいかめしいが、事実の積み重ねのうえに約束ごとが成り立つとする信義則としては、古今の智恵とみてよい。ここで想起したいのは、周恩来が田中角栄に強調した「言必信、行有果」の六文字であろう。そして田中がこれに答えて墨書した「信は万事の元」のやりとりは、信頼に基づく約束とその履行を確認し合ったものだ。ここでは「信」がキーワードだ。

さて、上の文における「一方」を日本に、「他方」を中国と置き替えてみよう。上の文はこう変わる。「日本」の領有宣言が行われ、中国がそれを前提として行動した場合には、〔事後に〕尖閣が無主地ではないとか、自国のものだとか主張することを禁ぜられる、という解釈になる。では、この置き替え文のどこがおかしいのか。

一つは、日本が尖閣を「無主地と断定した」こと、もう一つは、その時点で「清朝が抗議をしなかった、抗議なし」と断定すること、この両者である。前者を否定する根拠としては、井上馨や山県有朋の書簡があげられよう。明らかに彼らは清朝による抗議を予想して慎重に行動していた。後者についていえば、日清戦争の敗色が明確になり、台湾割譲が想定され実行される前夜に、誰が無人の尖閣諸島を議論するだろうか。これは常識に属する話だ。要するに日本は、下関条約の数カ月前に「無主地先占」を閣議で決定したと主張する。これに対して中国は、日本による尖閣への実効支配は「台湾割譲の一環」であるから、カイロ宣言に基づいて返還されるべきだ、と主張する。

このように見てくると、「無主地先占」の法理も、「禁反言」の法理も、これを絶対化できるような万能の原則ではなく、結局は関係「当事国の平和的な協議」以外に道はないことが明らかになる。国際司法裁判所提訴よりは、国連憲章第二条四項（紛争の平和的解決）の精神に照らして、歴史的経過に真摯に向き合い、正確な史実を踏まえて、道理に基づく交渉によって解決するほかに道はないという常識に落ち着く。

（初出：『尖閣問題の核心——日中関係はどうなる』花伝社、第3章、二〇一三年一月）

三　日米安保条約は尖閣諸島を守る保証となりうるか

米上院が法案を可決、尖閣防衛義務を明記と見出しをつけた記事が二〇一二年一二月一日の日本各紙で報じられた。たとえば、共同通信は二〇一二年一一月三〇日、ワシントン電として、米上院本会議が二〇一三会計年度国防権限法案への修正条項を盛り込むことを決めた、と報じた。これは「尖閣諸島が日本防衛義務を定めた日米安全保障条約五条の適用対象である」とする立場を明確にしているオバマ政権に対して、議会も足並みをそろえ、「尖閣の領有権を主張する中国を牽制する狙い」と解説した。さらに「提案者の一人であるウェッブ議員（民主党）は「アジア太平洋地域の重要な同盟国を支持する力強い意見表明」になるとして、日米同盟の重要性を強調する声明を発表した」と解説している。この解説は正しいのか。修正条項の決定は事実だが、意味をどう読むか、その読み方はかなり難しい。上院および一二月二一日の下院決議の含意を正確に読み取るためには、沖縄返還協定まで遡って、日米が、中国の存在を意識して、どんな約束をしてきたのか、これを検証しなければならない。

まずこの記事の要点を整理しておくと、次の三カ条からなる。

一、米上院は一一月二九日の本会議で二〇一三会計年度（二〇一二年一〇月〜一三年九月）の国防権限法案への修正条項を可決した。
二、この修正条項では、「尖閣諸島が日本の施政下にある」ことを米国が「認識」している。
三、米国が前述のように「認識」する「立場」は、「第三国（中国あるいは台湾を指す）による一方的な行動」によって「影響を受けない」。

この三カ条を読んでも、その意味を正しく理解できる日本人はかなり少ないと思われる。一方で真実をぼかしつつ、都合のよい論点を強調することが沖縄返還以来、あるいはマッカーサー元帥による占領以来、行われてきたからだ。その過程を振り返らないと、今回のニュースの意味を正しくとらえられない。共同電は英文のほうがより正確なので、次頁に全文を掲げておく。ただし、この英文を読んでも、やはりこの修正条項の意味を正しく理解できないと思われる。では、この記事で何が新しいのか。まことに意外や意外。新味はゼロである。

この記事の真の意味は、一、尖閣諸島に対する日本の権利は施政権のみであり、主権＝領有権を含まない、と米国政府が内外に示してきた「米国の認識」を確認したこと、すなわち「主権と領有権の分離」という四〇年来の米国政府の立場を確認したことが第一である。

二、中国の尖閣に対する主権主張や一連の行動（たとえば反日デモや巡視艇派遣）など「中国の一方的な行動」によって、一で述べた米国政府の立場は影響を受けない。すなわち一で述べた立場を「米国は今後も継続する」という表明にすぎない。いいかえれば、米国の立場は四〇年前、「沖縄返還当時に示した認識と何も変わらない」という意思表示にすぎないのだ。では何が変わったのか。四〇年前には、徹底的に隠し回った「尖閣諸島 the Senkaku Islands」という島の名が今回は明記された。違いはそれだけなのだ。

日本の多くの国民は、尖閣をめぐる日中の衝突に恐れをいだき、日米安保の再強化に期待をつなぎ、これが日本の防衛に役立つと錯覚したはずだ。同盟国米国が安全保障条約に基づいて助けてくれると誤解したはずだ。そのように錯覚させることが今回の修正条項の意味である。これはほとんどリップサービスにとどまる。そのことを以下に解説してみよう。

念のために修正条項を報じた共同電と修正条項の七カ条をみておく。まずは共同電だが、その内容の核心はすでに紹介した通りである。

U.S. Senate reaffirms defense of Senkakus under Japan-U.S. pact, WASHINGTON, Nov. 30, Kyodo

The U.S. Senate unanimously approved Thursday an amendment stating the Japanese-administered Senkaku Islands fall under the scope of a bilateral security treaty and Washington would defend Japan in the event of armed attacks. While China claims the islands in the East China Sea, the amendment to the National Defense Authorization Act for fiscal 2013, in line with the stance of U.S. President Barack Obama's administration, is intended to keep China's moves to assert its claim in check. Obama is expected to sign the bill after passage by the House of Representatives. Sen. Jim Webb, a Democrat who jointly proposed the amendment with other senators, said the amendment is a strong statement of support for a vital ally in the

Pacific-Asia region. While stating that the United States takes no position on the ultimate sovereignty of the Senkaku Islands, the amendment acknowledges the administration of the islands by Japan, and also said the unilateral actions of a third party will not affect the U.S. acknowledgement. Stating the United States is opposed to any claimant's efforts to coerce or threaten to use force or use force in seeking to resolve sovereignty and territorial issues in the East China Sea, the amendments says the country reaffirms its commitment to the Japanese government under Article V of the 1960 Treaty of Mutual Cooperation and Security. The amendment was co-sponsored with a bipartisan group of senators, including John McCain, a Republican. The U.S. defense authorization act has often been amended over diplomatic issues including sanctions against Iran over suspected development of nuclear weapons.=Kyodo

次に、この修正条項の提案者の代表格のウェッブ上院議員の経歴を見ると、過去四〇年以上にわたって、海兵隊士官、防衛計画担当者、ジャーナリスト、作家、国防総省上級官員、海軍相、ビジネスコンサルタントと紹介されている。この問題において米国を代表しうる専門家とみてよい。

そして修正条項の本文七カ条は、次の通りだ。重要な三、四、七項にのみ、訳文を付しておく。(3)米国は尖閣諸島の最終的な主権については特定の立場を取らない〔すなわち中立を守る立場だ〕が尖閣諸島における日本の施政権を認識している。(4)尖閣諸島における日本の施政権を承認する米国の立場」は、「第三者〔中国〕の一方的な行為によって影響されることはない」、すなわち「中国の監視艇のような行動」が「日本の施政権を承認した米国の立場」に影響を与えることはない、の意である。(7)日本の施政権のもとにある領域が武力による攻撃を受けた場合は、米国憲法の条項と所定手続きにしたがって、日米共通の危険に対処するために行動する、の意である。ここでは、(3)、(4)項で明記された尖閣諸島を含めて「施政権のもとにある領域」と概括されている。これまでは、この種の概括方式で「含まれると理解される」などとぼかしてきた「センカク」の名を米国の法律として初めて特定したこと、これが今回の修正条項の意味だ。この程度の措置はほとんどリップサービスに近いと読むのが私の見方である。

修正条項の本文は以下の通りである。

SEC.1246.SENSE OF THE SENATE ON THE SITUATION IN THE SENKAKU ISLANDS.

It is the sense of the Senate that—

(1) the East China Sea is a vital part of the maritime commons of Asia, including critical sea lanes of communication and commerce that benefit all nations of the Asia-Pacific region;

(2) the peaceful settlement of territorial and jurisdictional disputes in the East China Sea requires the exercise of self-restraint by all parties in the conduct of activities that would complicate or escalate disputes and destabilize the region, and differences should be handled in a constructive manner consistent with universally recognized principles of customary international law;

(3) while the United States takes no position on the ultimate sovereignty of the Senkaku islands,（米国は尖閣諸島の最終的な主権については特定の立場を取らない［すなわち中立を守る立場だ］が）the United States acknowledges the administration of Japan over the Senkaku Islands;（尖閣諸島における日本

の施政権を認識している）

(4) the unilateral actions of a third party will not affect United States acknowledgement of the administration of Japan over the Senkaku Islands;（尖閣諸島における日本の施政権を承認する米国の立場は、第三者〔中国〕の一方的な行為によって影響されることはない〔すなわち〕中国の監視艇のような行動が日本の施政権を承認した米国の立場」に影響を与えることはない、の意である）

(5) the United States has national interests in freedom of navigation, the maintenance of peace and stability, respect for international law, and unimpeded lawful commerce;

(6) the United States supports a collaborative diplomatic process by claimants to resolve territorial disputes without coercion, and opposes efforts at coercion, the threat of use of force, or use of force by any claimant in seeking to resolve sovereignty and territorial issues in the East China Sea; and

(7) the United States reaffirms its commitment to the Government of Japan under Article V of the Treaty of Mutual Cooperation（米国は日米安保第五条の防衛義務を再確認する）and Security that"[e]ach Party recognizes that an armed attack against either Party in the territories under the administration of Japan would be dangerous to its own peace and safety and declares that it would act to meet the common danger in accordance with its constitutional provisions and processes".（日本の施政権のもとにある領域が武力による攻撃を受けた場合は、米国憲法の条項と所定手続きにしたがって、日米共通の危険に対処するために行動する）

上の(3)、(4)、(7)項から明らかなように、何一つ新しい内容は含まれていない点が確認できるであろう。違いを挙げるならば、(3)、(4)項に「the Senkaku Islands（尖閣諸島）」がそれぞれ一回登場することだけだ。沖縄返還協定では、このキーワードが隠されていたのだ。すべて沖縄返還協定当時の立場と同じだ。「第三者の一方的な行為によって影響されることはない」とする言い方における「第三者」は、少なくともこの文脈では、「中国の覇権主義」に対する積極的な牽制に見える。だが、ここの史実は微妙だ。四〇年前の返還協定締結当時は、まだ「米国の同盟国」の地位を保持していた台湾政府側の対米議会ロビー工作が激しかった。対日返還協定において「センカクの亡霊」を「可能な限り淡く薄く」描いたのは、実は台湾のロビー工作に議会が配慮した結果と見てよい。当時の中華人民共和国政府はベトナム戦争をめぐって米国と敵対状態にあったことが想起される。こうして「四〇年前の米国」は主として同盟国台湾の中華民国政府と日本の対立を意識して、「中立の立場」を保持した。「現在の米国」は、台湾政府との外交関係はすでになく、七九年の米中国交正常化によって生じた北京政府との関係を意識しつつ、「北京と東京」の間で「中立の立場」を堅持する方針を改めて明確にしたのである。

ここで改めて、一九七一年六月一七日に調印された「沖縄返還協定」（琉球諸島及び大東諸島に関する日本国とアメリカ合衆国との間の協定）について、『わが外交の近況』（外交青書）一六号（四七二〜七六頁）を読んでみよう。第一条二項では、返還協定を適用される「琉球諸島及び大東諸島」の範囲について、「行政、立法及び司法上のすべての権力を行使する権利が日本国との平和条約第三条の規定に基づいてアメリカ合衆国に与えられたすべての領土及び領水のうち、そのような権利が一九五三年一二月二四日及び一九六八年四月五日に日本国とアメリカ合衆国との間に署名された奄美群島に関する協定並びに南方諸島及びその他の諸島に関する協定に従ってすでに日本国に返還された部分をいう」と書かれている。

では、サンフランシスコ平和条約（一九五一年九月八日）第三条にはどう書かれているか。第三条にはこう書かれている。「日本国は、北緯二九度以南の南西諸島（琉球諸島及び大東諸島を含む。）孀婦岩の南の南方諸島（小笠原群島、西之島及び火山列島を含む。）並びに沖の鳥島及び南鳥島を合衆国を唯一の施政権者とする信託統治制度の下におくこととする国際連合に対する合衆国のいかなる提案にも同意する。このような提案が行われ且つ可決されるまで、合衆国は、領水を含むこれらの諸島の領域及び住民に対して、行政、立法及び司法上の権力の全部及び一部を行使する権利を有するものとする」と。

以上の規定からわかるように、「北緯二九度以南の南西諸島（琉球諸島及び大東諸島を含む）、孀婦岩の南の南方諸島（小笠原群島、西之島及び火山列島を含む）、並びに沖の鳥島及び南鳥島」を「米国の信託統治制度の下におくこと」を第三条は決めた。ここで「北緯二九度以南」の南西諸島とは、「トカラ列島」とその北に位置する「屋久島」との間で線引きを行い、「屋久島以北」を日本の範囲に含め、「トカラ列島の口之島以南」を米軍の信託統治としたわけだ。ここから「口之島以南」を「琉球南西諸島」に含めたことは明らかだが、「南西諸島」なるものがいかなる島嶼から成るかについては、サンフランシスコ条約第三条では何も言及されていない。当時、日本側は尖閣諸島をほとんど忘れかけていた。サンフランシスコ条約から二年を経た一九五三年、琉球列島米国民政府は「布告第二七号（U.S. Civil Administration of the Ryukyus, Proclamation 27）」を出して、南西諸島の境界を「北緯二八度以南」と定義して尖閣諸島を施政権の範囲に含めた。この「北緯二八度以南」という定義は、「平和条約」第三条と同じ文言だが、ここでもこの範囲に尖閣が「含まれるか否か」は、何も明示されていない。いいかえれば、一九四六年一月二九日の「占領軍訓令六七七号」(Supreme Commander of Allied Power Instruction 677)においては「北緯三〇度以南」、一九五三年一二月二五日付の「琉球列島米国民政府布告二七号」においては、「北緯二九度以南」と緯度を示しただけで、尖閣諸島の名を特定されていない。

いや、これは一九七一年の沖縄返還協定においても同じことは、すでに触れた通りである。こうして敗戦直後に「北緯二九度ライン」を境界として日本が南北に二分され、その南部が米軍の施政下に置かれ、一九七一年に復帰するまで、尖閣の名が日米間で議論されることはなかった。

「協定本文」に尖閣諸島が現れないだけではない。「合意議事録」(一九七一年六月一七日、外交青書一六号、四七九~八二頁)の中にも見当たらない。曰く「第一条二項に定義する領土」とは、日本国との「平和条約第三条の規定に基づいてアメリカ合衆国の施政の下にある領土」を指す、と説明されているだけだ。より具体的には、「次の座標a~fの各点を順次に結ぶ直線によって囲まれる区域内にあるすべての島、小島、環礁及び岩礁」と説明されている。すなわち、

a北緯二八度東経一二四度四〇分、b北緯二四度東経一二二度、c北緯二四度東経一三三度、d北緯二七度東経一三一度五〇分、e北緯二七度東経一二八度一八分、f北緯二八度東経一二八度一八分、の六点を通って再びa北緯二八度東経一二四度四〇分にもどる六角形で囲まれた地域内の「島、小島、環礁及び岩礁」を日本に返還したのである。

このように島嶼名を特定せずに、緯度と経度の範囲だけを示すことに止めたので、普通の読者には、尖閣諸島が含まれるのか否か、どこにそれが書かれているのか、チンプンカンプンだ。なぜこのような

扱いをしたのか。布告二七号と同じ表記としたのである。

他方、次の解説も行われている。返還協定の調印に際して、国務省および日本官員は「平和条約調印時に言及された南西諸島」には、「尖閣諸島が含まれる」ことを沖縄返還当時に日米関係者が「理解し合った」、とする事実が米議会の公聴会の記録に残されている、と解説したのはMark E. Manyin, Senkaku (Diaoyu/Diaoyutai) Islands Dispute: U.S. Treaty Obligations, Congress Research Service, September 25, 2012. である（以下「二〇一二年版」と略称）。

全一〇頁から成る「二〇一二年版」は、二〇一二年の激しい反日デモの一週間後に発表された。これは一九九六年九月三〇日に発表された全五頁からなるLarry A. Niksch, Senkaku(Diaoyu) Islands Dispute: The U.S. Legal Relationship and Obligations, Congress Research Service,（以下「一九九六年版」と略称）をベースとしつつ、約二倍の分量に拡充したもので、尖閣問題に対する米国議会の立場を細部まで解説している。これは議会の決議そのものではないが、議員たちがこの問題について判断するために必要な基本データが過不足なく情報提供されている基本資料であり、尖閣問題に対する米国議会の動向を知る上で必須の文献だ。「一九九六年版」の副題は「米国の法的関係と諸義務」であり、「二〇一二年版」の副題は「米国条約上の諸義務」である。前者はいわゆる台湾海峡の危機に際して発表され、後者は今回の尖閣衝突を踏まえて、米国の尖閣問題に対する基本的立場と、日米安保によって米国が負っている義務との関係を解説したものだ。

この重要文献についての参照が日本ではほとんど行われていない。逆に、米国政府筋や、一部のジャパンハンドラーたちからリークされる一方的な情報によって、日本の政治が操作されているのは、まことに由々しい事態ではないか。沖縄県民の強い反対を押し切ってオスプレイの配備を強行する世論操作のために、日中衝突が利用されているのは、長期的に見ると、日中・日米関係の基礎を危うくするものであり、国民は強い警戒の眼差しを向けるべきだ。

繰り返す。サンフランシスコ平和条約調印時には、「南西諸島」に尖閣諸島が含まれるか否か、留意されていなかった事態をそのまま受けて、返還協定においても、それが含まれるか否かは、協定にはむろん明記されていない。合意議事録でさえも、「緯度と経度」でしか示されていない。このように曖昧模糊とした指定範囲内の島嶼のなかに、尖閣諸島が含まれるか否かについて、日米の当局者、すなわち、ロバート・スター法律顧問補代理、ハリソン・シムズ国務次官代理ハワード・マケルロイ日本担当官（Robert Starr, Acting Assistant Legal Adviser; Harrison Symmes, Acting Assistant Secretary of State; Howard McElroy, Country Officer for Japan）および日本官員（不詳）が協議して、この指定範囲内には「尖閣諸島が含まれる」ものと「理解し合ったunderstood」にすぎないのだ。これは、当時の米国議会で、専門家やロジャース国務長官が証言した（asserted）ことが議会公聴会の記録として止められているにすぎないのである。

一、協定本文に書き込まず、二、合意議事録でさえも尖閣諸島の名を特定せず、三、単に「緯度と経度」だけから成る六角形を示して、その範囲内に尖閣諸島が含まれることを、少数の日米担当者が「理解しあった」にすぎないのだ。いまなら誰でも知らない者はないセンカクが四〇年前には、この程度の扱いしか受けていなかった。

沖縄返還協定における「日米合意の真相」をこのように追究してくると（悪名高い沖縄密約はあえておくとして）、当時の福田赳夫外相の怪しげな答弁の背景も、おのずから透けて見える。

福田赳夫外相は一九七一年一二月一五日参院本会議でこう答弁した。「〔久場島＝黄尾嶼、大正島＝赤尾嶼について〕尖閣列島で米軍の射撃場になされてきたのだが、そのことをもって〕尖閣列島で米軍の射撃場なんかがあってけしからぬじゃないかと、こういうお話ですが、〔中略〕これこそは、すなわち尖閣列島がわが国の領土として、完全な領土として、施政権が今度返ってくるんだ、こういう証左を示すものであると解していただきたい」（国会会議録検索システム https://kokkai.ndl.go.jp/#/detail?minId=106715254X01319711215¤t=1）。

福田はここで明らかに、「ａわが国の領土として、完全な領土として」、「ｂ施政権が今度返ってくるんだ」と述べ、ａ＝ｂとしている。だが、米国の論理はａ≠ｂなのだ。

いま紹介した『二〇一二年版』はこう述べている。「ワシントンは断じて釣魚／尖閣諸島に対する日本の主権を認めたことはない（Washington has never recognized Japan's sovereignty over the Diaoyu Islands, known in Japan as Senkaku）」では、何を返還したのか。「米国は一九七一年に調印された沖縄返還協定で、東シナ海における係争中の島嶼〔尖閣〕における日本の施政権だけを認めた（The report said the US recognizes only Japan's administrative power over the disputed islands in the East China Sea after the Okinawa Reversion Treaty was signed in 1971）」に過ぎないのである。米国は主権（sovereignty）とは明確に区別して、施政権（administrative power）だけを返還したと明言しているにもかかわらず、この趣旨とは正反対の趣旨で福田赳夫は答弁している。あるいは、誤解したふりをして国民にウソをついたのかもしれない。誤解であれ、ウソであれ、このような外務大臣の無責任答弁に接してきた国民が、主権＝領有権の返還と誤解して、国民の不満が中国側に向けられ、反発するに至った経緯は、明らかだ。今回の尖閣紛争は歴代の日本政府の責任によるものと見てよい。ちなみに、伊関佑二郎政府委員にいたっては、一二月一五日参院本会議で答弁不能に陥った。「あれは行政協定の問題になりますかどうか、ちょっとそういう話がございまして……〔絶句〕沖縄の南でございますね。私のほうもあの点は詳しいことは存じません」。久場島や大正島の射撃場がどこにあるかさえ、外務省高官が知らなかったのだ。

この間の事情を『二〇一二年版』は、こう解説している。「返還協定の合意議事録では、琉球・大東諸島の範囲を布告第二七号（USCAR 27）において指定されたものとしている（An Agreed Minute to the Okinawa Reversion Treaty defines the boundaries of the Ryukyu Islands and the Daito islands "as designated under" USCAR 27）。

「そのうえ、合意議事録に書かれた緯度と経度の範囲内には、尖閣＝釣魚島が含まれるように見える Moreover, the latitude and longitude boundaries set forth in the Agreed Minute appear to include the Senkakus (Diaoyu/Diaoyutai)」。

この英文表現に注目したい。「尖閣が含まれるように見える（appear to include the Senkakus）」という言い方は微妙だ。米国の専門家が読んでも「尖閣が含まれるように見える」としかいえない書き方、すなわち尖閣列島を字面で特定しない書き方で書かれたのが合意議事録なのだ。

「上院は沖縄返還協定の批准を考慮した際に、尖閣諸島を日本の施政権に返還するけれども、日本、中国、台湾の主権については、「米国は中立の立場（a neutral position）をとる」と国務省は主張した（During Senate deliberations on whether to consent to the ratification of the Okinawa Reversion Treaty, the State Department asserted that the United States took a neutral position with regard to the competing claims of Japan, China, and Taiwan, despite the return of the islands to Japanese administration.）」

「一九九六年、二〇一〇年、二〇一二年と相次いで、尖閣諸島の緊張の火が燃え上がったが、米国は尖閣諸島の主権について中立の立場を再三繰り返してきた（Successive U.S. administrations have restated this position of neutrality regarding the claims, particularly during periods when tensions over the islands have flared, as in 1996, 2010, and 2012. In short, while maintaining neutrality on the competing claims, the United States agreed in the Okinawa Reversion Treaty to apply the Security Treaty to the treaty area, including the Senkaku（Diaoyu/Diaoyutai）」。

要するに、（1）尖閣諸島の主権争いに対しては、「米国は中立の立場を堅持する」が、（2）「日米安保条約が尖閣諸島を含む地域に適用される」ことは、沖縄返還協定で確かに合意している。

ここから米国の二段構え（二枚舌か）は、明らかであろう。尖閣を含む沖縄は日米安保の適用範囲内だが、尖閣自体の主権についての争いには、米国は中立の立場を堅持する、というものだ。これは実際には、何を意味するか。米国は尖閣を守るのか、守らないのか。事実上は守らないし、守れない、と私は考える。

尖閣を守らない理由としては、まず三カ条を挙げられよう。①主権の争いには、米国はコミットしないと、まず逃げている。米国は「中立の立場」を堅持するのだ。②尖閣のような小さな島嶼の防衛は、日本が「第一の責任（primary responsibility）」を取るべきだ。③日米安保条約の発動については、米国憲法に定められた議会の承認手続きが必要である。

この種の手枷足枷は、尖閣衝突の際には、「日米安保は使わない」と言明しているに等しいのではないか。少なくとも中国は米国が中立の立場を取ると言明したパネッタ国防長官を暖かく歓迎した。

米国を束縛する条件は、それだけではない。米中貿易は二〇一一年時点で、往復五〇〇〇億ドルで日中貿易の二〇〇〇億ドルの二・五倍である。その貿易黒字で貯め込んだ中国の外貨準備三兆ドルの過半数は、米国国債の購入に充てられている。米中双方は日本との貿易の二・五倍の貿易を失いたくないし、また「中国の過少消費」（過剰貯蓄）が「米国の過剰消費」を補う経済補完関係、すなわちイソップ童話にいう「働きアリ」と「浪費家キリギリス」の関係をも大事にしたい。米国から見て万一、どちらかを捨てる決断をせまられた場合には、「日本を捨てて中国を選ぶ」ほうが現実的利益が大きい。加えて、米中はともに核兵器大国である。小さな火花も核戦争に拡大する危険性がある。この文脈では日米安保条約は、すでに「名存実亡」なのだ。かつて、一九七八年訪中した園田直外相に対して鄧小平は、ずばり「中ソ軍事同盟」は、すでに「名存実亡」と率直に真意を吐露して、日中平和条約の調印へと、大きな決断を行う契機をつくった往時を想起したい。

以上の諸条件を総合的に考慮すれば、「米中は戦わないし、戦えない」のだ。グローバル経済体制下における世界ナンバーワンとナンバーツーを占める米中経済の「相互補完・依存構造」はいまやビルトインされた。今回の日中衝突以後、「日米安保の再強化」により、中国の武力と対決することを主張する人々が日本では異様に増殖している。この現実は、米国頼みに希望を託する人々に冷水を浴びせるものではないか。

ここで私自身がかかわりをもつ小さなエピソードを紹介しておきたい。

小著『チャイメリカ』（花伝社）の分析を気に入ってくれた日本・中国通のアメリカ人専門家、スチーブン・ハーナーは、『フォーブズ』にもつ自らのブログで、小論「日米安保条約スクラップ論」を紹介してくれ、さらに「著者インタビュー」まで試みてくれた。それを読んだ、米議会筋に近いと思われるアメリカ人が、ハーナーのブログに、次の書き込みを行って、『二〇一二年版』が九月二五日に改定出版された事実を教えてくれたのだ。曰く、「日本の野田首相は『尖閣諸島は歴史的にも国際法から見ても日本の固有の領土であることは疑いない。領有権の問題は存在しない』と主張している。野田は日本国民にウソをついている。この点では、ヤブキ教授が正直なのだ」（Japanese prime minister insists that "There is no doubt that the Senkaku islands are Japan's inherent territory in terms of history and international law." Noda said. "There is no problem of sovereignty." He is lying to Japanese. Professor Yabuki is an honest man.)(http://www.forbes.com/sites/stephenharner/2012/10/03/interview-with-professor-yabuki-on-the-senkakudiaoyu-crisis-and-u-s-china-japan-relations）。

尖閣諸島についての日中首脳間のやりとりの経過を、私は事実に即して説明したにすぎないが、私の分析が野田首相の主張よりも、真実に近いことをこのアメリカ人専門家は認めたわけだ。そしてさらに一言、こうダメ押しした。

「中国は沖縄返還当時に、米国や日本と外交関係を樹立していなかったので、沖縄返還は中国の同意なしに行なわれた（China had no diplomatic relations with US and Japan at the time and the transfer was done without China's consent.）」。この一文は、強力な中国支援を意味する。というのは、日本側の尖閣主張のなかに、「中国はこれまで領有権を主張してこなかった」という一項があるが、これについて中国は、自らの主張を行う場をもたなかったではないかと、中国に贔屓しているのだ。沖縄返還当時に、台北からの抗議を受けて、米国がセンカクを亡霊のように扱った史実と二〇一二年の時点で議会調査報告が、北京の立場にこのような暖かい理解を示した事実——両者を重ね合わせて考えると、米国のしたたかなアジア戦略を痛感せざるをえないのは、私だけであろうか。

（初出・『尖閣問題の核心——日中関係はどうなる』花伝社、第8章、二〇一三年一月）

尖閣衝突は沖縄返還に始まる

米国が沖縄返還にあたって施政権と主権を分けることに固執し、今もって尖閣の領有権について中立を標榜するのはなぜか。国連総会おける中国代表権問題が結着する新情勢を受け、ニクソン政権は、台北政府への慰撫工作のため、北京政府との協調のため、日本政府を蚊帳の外にして沖縄返還から尖閣諸島の扱いを切り離したのではないか。一九七二年に沖縄返還と日中国交正常化、二つの戦後処理がなされたことを視野に入れなければならない。日本の国会会議録、米国の国務省記録、上院外交委員会公聴会記録など関係書類を丹念にあたり、日米中三角関係の頂点ピナクル（＝尖閣）と化した「尖閣問題」を解明する。

一　尖閣衝突は沖縄返還に始まる

1　清国に亡命した琉球人

琉球王国のある外務官僚（通事）が魚釣台（尖閣諸島）（図1）を詠んだ詩を紹介したい（蔡大鼎汝霖『閩山游草』沖縄・あき書房、一九八二年。この本を教えてくれたのは畏友・岩田昌征教授である）。その官僚の名は伊計親雲上、漢字では蔡大鼎と書き、号は汝霖である。輿石豊伸[*1]の研究から引用するが、読みくだし方は、少しく異なる。

十幅蒲帆風正飽（十幅の蒲帆、風は正に飽）
舟痕印雪迅如梭（舟痕は雪を印し、迅こと梭の如し）
回頭北木白雲裏（頭を回らせば、北木は白雲の裏に消え）
魚釣台前瞬息過（魚釣台前、瞬息に過ぐ）

図1　尖閣諸島

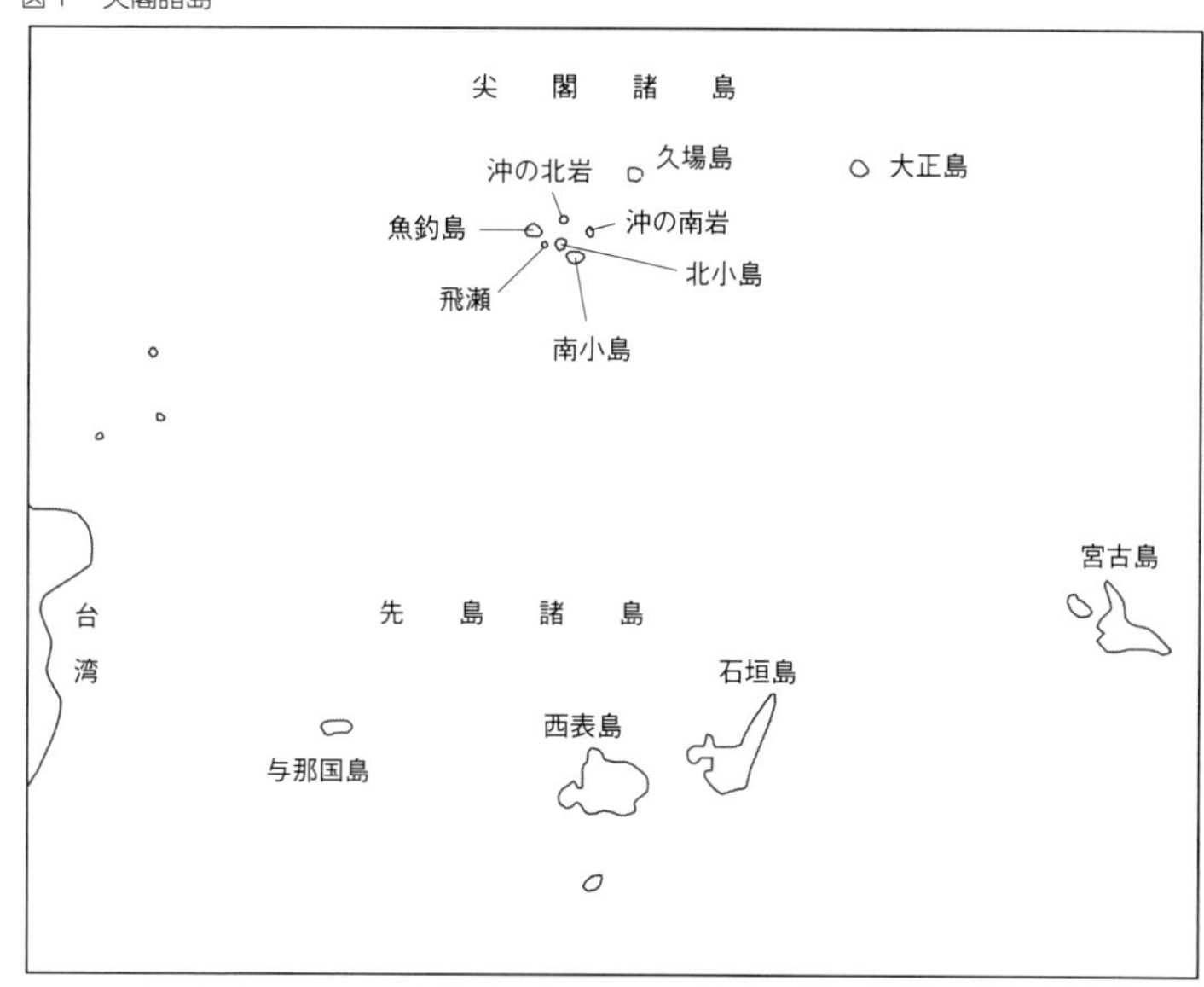

尖閣諸島（釣魚島）は８個の無人島、すなわち

①魚釣島／釣魚島（日本名／中国名）（面積 4.32km^2、海抜 383m）
②大正島／赤尾嶼（0.06km^2、海抜 75m）
③久場島／黄尾嶼（1.08km^2、海抜 117m）
④北小島／北小島（0.33km^2、海抜 135m）
⑤南小島／南小島（0.46km^2、海抜 149m）
⑥沖の北岩／北岩（0.018km^2）
⑦沖の南岩／南岩（0.0048km^2 = 4800m^2）
⑧飛瀬／飛礁岩（0.0008km^2 = 800m^2）

からなる。

四句目の冒頭は「魚釣台」であり、「釣魚台」ではない。「ウオツリ」が日本語表現、「チョウギョ」が漢語表現である。伊計親雲上＝蔡大鼎は、一八二三年に那覇の久米村で生まれた。いわゆる「久米三十六姓」の末裔である。伝承によれば彼らは、一三九二年、閩（福建省）から洪武帝の命により来琉した学者や航海士などの職能集団である。例えば、一八世紀に書かれた『中山世譜』には、「(洪武)二十五年壬申（中略）太祖（中略）更賜閩人三十六姓」云々とあり、一三九二年洪武帝が他の下賜品に加えて、「閩人三十六姓を賜った」との記述がある。ただし同時代の『明実録』などには、その記載が見当たらない。『李朝実録』の成化六年（一四七〇）年の朝鮮人琉球漂流記に「(那覇には)唐人商販に来たりて、因りて居する者あり」との記述がある。当時通商を目的として琉球に渡来居住していた人々がいたことが分かる。そこから「久米三十六姓」とは、通商目的で渡来し、のちにその子孫によって、「洪武帝によって下賜された」という「物語」が作られたと考える説が有力である。その末裔たちは、琉球王国が廃藩置県で沖縄県になるまで約五〇〇年の間、主として明・清――琉球間の外交・貿易に従事し、琉球王国の宰相職三司官[*2]（首里王府の行政の責任者、職掌は用地方、給地方、所帯方に分かれ、三人が分担）に就任した蔡温[*3]をはじめ、多くの政治家、学者などを輩出した。

蔡大鼎も通事の道を歩んだ。三十七歳のころ清国福州に渡ったのを皮切りに、四十四歳のときには再び福州に赴き、通事としての地位を高める。蔡大鼎は漢詩に長け、福州への二度の旅で『閩山游草』、『続閩山游草』を残した。『続閩山游草』は琉球王尚泰の冊封使・趙新を送って清国に赴いた琉球官吏を迎えるために、一八六七年福州まで出張した蔡大鼎がそのとき詠みあげた詩を収めたものである。一八七二年、筆頭通事となり、清朝皇帝に謁見する進貢（朝貢）使の一員として北京まで赴く。この道中で詠んだのが『北燕游草』である。燕とは北京の古称である。

一八七六年、彼は突如嵐の中へ放り込まれる。琉球王国は明治新政府の成立後も、従来通り清国との関係を続けようとしたが、明治政府から、対清関係を断つよう迫られた。琉球尚泰王は清国に密使を派遣した。蔡大鼎は、幸地朝常（＝向徳宏）、名城春傍（なしろしゅんぼう）（＝林世功）らとともに密命を受け清国へ趣き、琉球国の窮状を訴えた。

幸地朝常（一八四三〜九一）は、尚泰王の密使として一八七六年十二月、蔡大鼎、林世功ら三九人とともに八重山経由で渡清し、福州や天津などで清国要人に琉球救援を訴えた。李鴻章にも何度か会い、李鴻章によって匿われた。李鴻章に対し、琉球に関する情報を提供したといわれる。妻は尚育王の娘・兼城翁主（尚泰王の姉）である。彼は一八七九年琉球藩が沖縄県とされたのちも琉球国復興のため清国に軍隊派遣を要請するなど、陳情活動を続けた。

毒を呷（あお）って自害した林世功（一八四二〜八〇）は、琉球王国末期の官僚・政治家で、久米村の出身である。首里の国学に学び、一八六五年に官生科（清国への留学生試験）に合格し、一八六八年十月に北京の国子監に留学、帰国後の一八七五年に国学大師匠に任じられ、続いて世子尚典の教育係に抜擢された。明治政府が進める琉球処分に危機感を抱き、密使として清国に渡る。以後、福建省を舞台に総理衙門など要路に琉球の危機を訴え続け、一八八〇年北京に向かう。途中の天津で日清間の先島割譲仮調印（李鴻章の三分割案の翌年、井上馨外務卿の指示により宍戸璣（ししどたまき）公使と総理衙門との間で行われた）を知って絶望し、北京到着後の十一月二十日、「一死なお社稷の存するを期す」と辞世の句を残して自殺した。享年四十。

北京に客死した蔡大鼎は、この陳情の日々を記録した『北上雑記』（雑文）を残した（輿石豊伸の解説による）。ちなみに沖縄学を確立した東恩納寛惇（ひがしおんなかんじゅん）*4はこの作品を好み、『黎明期の海外交通史』（『東恩納寛惇全集』全一〇巻中の第三巻、琉球新報社編、第一書房、一九七八年六月～一九八二年十月）を始めとする著作にしばしば引用した。

明国の遺臣朱舜水が日本に亡命したことはよく知られているが、琉球王国の蔡大鼎や向徳宏、そして林世功が清国に亡命したことは、あまり知られていない。日本琉球列島弧は、古来大陸との深い交流を続けてきたが、琉球王国の遺臣蔡大鼎の生涯は、尖閣問題の由来を語るトピックとして、たいへん示唆に富むのではないか。

2　沖縄返還交渉と尖閣問題の浮上

前著『尖閣問題の核心』（花伝社、二〇一三年）で著者は、尖閣諸島／釣魚島の領有権について、一九七二年九月の日中国交回復交渉、一九七八年の日中平和条約交渉の場において、両国首脳の間ではっきりと棚上げの合意があったことを示し、「棚上げがなかった」とする政府答弁書は国交回復の精神を根本から否定し、日中関係を危うくするものであることを強く訴えた。しかも、それが歴代外務省担当者による記録の改竄に出発するものであり、野田政権による尖閣三島の国有化は、日中関係を決定的に悪化させたことを指摘した。その際、一九七一年の沖縄協定で、アメリカは沖縄の施政権を日本に返還するのであって、尖閣諸島の領有権については、関係国（日本と台湾）の協議にゆだね、アメリカは中立の立場をとるとしていることに注意を喚起した。あわせて、尖閣諸島が日米安保条約の適用範囲にあるとしても、アメリカが尖閣諸島の領土紛争で中国に対して軍事力を行使することはありえず、日中は、尖閣諸島の領土問題について、真摯に話し合うことにより、東アジアの平和と資源の共同開発の道を探る以外に解決の道のないことを訴えた。

ところで、なぜアメリカは、施政権と主権を分けて取り扱うという奇妙な態度に固執したのだろうか。著者は前著執筆以降、あらためて、サンフランシスコ平和条約に集約される戦後処理と、七二年沖縄返還についての国務省記録、上院外交委員会公聴会記録など関係書類をあたり、なぜアメリカが尖閣の領有権については中立であるとするのかを探ってみた。

本書は、論点の中心を沖縄返還交渉におく。一九七二年の田中角栄・周恩来会談において、周恩来が「尖閣棚上げ」を提起したことは、いまではかなり知られている。しかも周恩来のこの提案はメッセンジャー役の竹入義勝（一九六七〜八六年公明党委員長、一九七二年に訪中し、周恩来の伝言を田中角栄に伝えた）や古井喜実（一九六八年に訪中し、岡崎嘉平太らとともに日中覚書協定を交わした。一九七二年田中角栄政権のもとで、田川誠一とともに事前交渉を行った）にも事前に伝えられており、田中は訪中前から周恩来の意向を承知していたことも周知の事実だ。その前年一九七一年十月、国連総会で中国代表権問題が結着し、国連で「中国」の座を代表するものが中華民国政府（台湾）から、中華人民共和国（北京）に代わったことは、田中訪中に至る前夜の出来事として、誰でも知っている。田中訪中は国際社会の大きなうねりを背景として実現されたのであった。

当時、人々の視線は、世界でも日本でも、北京に注がれていた。毛沢東が中華人民共和国の成立を宣言した一九四九年からすでに二〇年以上を経ており、冷戦構造に阻まれていた日中の和解がようやく成ろうとしていたからだ。沖縄、返還協定の調印は一九七一年、実施は翌一九七二年であり、「沖縄返還」と「日中正常化」という二つの戦後処理は、いわば臍の緒で結ばれていた。その「臍の緒」こそが尖閣問題にほかならない。

一九七一年秋の国連総会は、こうして第二次大戦後に成立したヨーロッパにおいて東西を隔てる「鉄のカーテン」とアジアにおける「竹のカーテン」に阻まれた対立構造のうち、東アジアの部分、すなわち「竹のカーテン」に風穴を開け、田中訪中は、この風穴を通って実現したと見てよい。この大きな舞台回しの一方の主役は、むろんニクソン大統領であり、その助手キッシンジャー補佐官であることはよく知られており、この主役を迎え入れて、強烈な存在感を世界に示したのが毛沢東主席（一八九三〜一九七六）であり、周恩来総理（一八九八〜一九七六）であったこともよく知られている。

たとえば周恩来は一九七一年四月に名古屋で開かれた世界卓球選手権大会に参加した米国の選手たちを北京に招き、「ピンポン外交」を演じて世界を驚かせた。ここでピンポン外交の舞台裏を少し説明しておく。一九七一年、中国政府は同年三月二十八日から四月七日まで日本で開催される第三一回世界卓球選手権への参加を表明した。一九六一年から一九六五年まで三大会連続で団体優勝し、文化大革命以来二大会連続で不参加だった中国の卓球チームが六年ぶりに世界の舞台に立つことで大きな話題となった。当時の日本卓球協会会長（アジア卓球連盟会長兼務）・愛知工業大学学長後藤鉀二が地元名古屋での大会を成功させるべく西園寺公一（日中文化交流協会常務理事）らと協議し、「二つの中国」問題解決に必要な処置、すなわち「台湾をアジア卓球連盟から除名する」ことを決断し、直接中国に渡り周恩来と交渉を行なった結果実現したものである。

表舞台は名古屋だが、このスポーツ・イベントを利用して、米中両国が、地下水脈を構築し、接触を重ねていたことを当時の日本人は、ほとんど知らなかった。アメリカの卓球チームを招くパフォーマンスの裏には、ニクソン招請計画が隠されていた。

図２　在米華人たちの意見広告「保衛釣魚台」

An open letter to
President Nixon
and members of the Congress

We write to call your attention to the violation of Chinese sovereignty over the Tiao Yu Tai islands by the Japanese and Liu Chiu (Ryukyu) governments. This took place after a 1968 United Nations geological survey had revealed that the continental shelf in the East China Sea might hold rich oil reserves. We urge you to respect and to take appropriate measures to ensure Chinese sovereignty over these islands. Such action by you will remove a source of conflict in East Asia and will further the friendship between the American and Chinese peoples.

We therefore ask you to reconsider the United States' policy on this issue. State Department spokesman Robert McCloskey stated on September 10, 1970, that the United States would remain neutral. Any attempt to turn the Tiao Yu Tai islands over to Japan in the forthcoming "Okinawa Reversion Agreement" will contradict the principle of neutrality. Specifically, we ask that you:

(1) Disavow any claims that the Tiao Yu Tai islands are part of the American-administered Liu Chiu Islands or Nansei Shoto.
(2) Recognize Chinese sovereignty over these islands.
(3) Censure actions by the Japanese and the Liu Chiu governments which violate Chinese sovereignty and condemn attempts by these governments to resolve the issue through the use of force.

We appeal to you to use your initiative and moral authority to assure that the legitimate rights of the Chinese People will not be sacrificed as an expedient to international politics. Your just action in this matter will improve the prospects for peace in the Pacific area.

保衛釣魚台

卓球チームの訪中から一ヵ月後、一九七一年五月二十三日に『ニューヨーク・タイムズ』に、在米華人たちの意見広告「保衛釣魚台」（図２）が掲載され、「釣魚台（日本名＝尖閣諸島）は中国の領土である」と主張した。その主張を読んで見よう。

ニクソン大統領および米国議会議員諸氏への公開状（意見広告）

日本政府および琉球政府により、釣魚台諸島に対する中国の主権が蹂躙されていることについて各位に注意を呼びかけます。この問題は一九六八年に国連地質調査によって東シナ海の大陸棚に豊富な石油資源が埋蔵されていることが明らかになった以後に生じたものです。これらの諸島に対する中国の主権を尊重し、かつこれを確保するためにふさわしい措置を講じられるようわれわれは各位に訴えます。各位によってそのような措置がとられるならば、東アジアの紛争の原因を除去し、米中両国人民の友好を促進するでありましょう。〔中略〕国務省マクロスキー報道官は一九七〇年九月十日に、国務省は（主権問題について）中立を保つと言明しました。

この意見広告は米国内外に大きな反響を呼び、同年十月の米上院外交委員会での沖縄返還協定公聴会にも討議用参考資料として提出され、後日公聴会記録付録にも収載されている。この意見広告は、尖閣の領有問題について「米国が中立の立場を保つ方針」を「一九七〇年九月十日の時点」で、すでに国務省スポークスマン・マクロスキーが明らかにしたことに触れている。マクロスキー発言を在米の保釣運動の活動家たちが知っていたことはきわめて重要であろう。ちなみに日本の国会で領有権問題が初めて議論されたのは、三ヵ月後、すなわち一九七〇年十二月八日であった。沖縄選出の國場幸昌議員が四日前の新聞報道に驚いて質問したものだ。

意見広告から一ヵ月後、六月二十一日周恩来は天安門広場に面する人民大会堂福建の間で、米国からやってきた『ニューヨーク・タイムズ』の副編集長トッピング夫妻、『ウォールストリート・ジャーナル』の外報部キートレイ記者夫妻ら三組の夫婦を招いて懇談した。『周恩来年譜』（下巻四八四頁）に次の記述がある。「一九七一年六月二十一日の項。『ニューヨーク・タイムズ』助理総編輯西摩・托平（シーモア・トッピング)、『デイリー・ニュース』社長兼発行人威簾・阿特五徳和夫人および『ウォールストリート・ジャーナル』外事記者羅伯特・基特利(ロバート・キートレイ)夫妻と会見した」と。

この会見は、日本ではほとんど知られていないが、尖閣問題にとってはきわめて重要な出来事であった。

キートレイ夫妻執筆の「ピンポン外交の後、キッシンジャー訪中の前に——周恩来かく語りき」によれば、周恩来は米国側に対して、「米中関係改善の前提条件」として台湾問題を挙げ、さらに台湾に付属する無人島にすぎない尖閣諸島の扱いは、台湾問題と同時に解決すべきものと指摘していたからだ。「ひとたび台湾問題が解決されるならば、他の問題はすべて解決できる。そうすれば、中国は米国と外交関係を樹立できよう。釣魚台問題がいかにこの問題と深く関わっているかを知るには、次の周恩来発言を引用するのがよい。「釣魚台、黄尾嶼、赤尾嶼、南礁、北礁を含む島嶼は、台湾省に付属している」(Once [the Taiwan] problem is solved, then all other problems can be solved. The People's Republic would then be able to establish diplomatic relations with the United States. To illustrate how the issue of Tiao Yu Tai Islands is intimately related to this matter, we quote; "Taiwan Province and the islands appertaining thereto, including Tiao-yu, Huangwei, Chiwei, Nanhxiao, Peihxiao and other." [Robert Keatley, Anne Solomon, "After Ping Pong Before Kissinger," *China File*, December 31, 2012])と」。

ここで周恩来はわざわざ五つの島名に言及している。これは周恩来が対外的に初めて「尖閣棚上げ」を語った重要談話なのであった。この回想記によれば、「中国旅行の焦点は六月二十一日人民大会堂福建省の間で行われた周恩来首相の招宴であった」、「メッセージの核心は明らかだった。中国は変わりつつあり、米国と従来とは異なる条件での交渉を準備している。(周が米記者を招いたことは)その小さな証拠にすぎない。とはいえ、周首相を含めていかなる中国人も当時はこの件について詳細をおおやけに語る準備はなかった」(なおChina Fileは非営利のアジア協会米中関係センターthe Center on U.S.-China Relations at the Asia Societyの主宰するオンライン雑誌である)。

周恩来が田中角栄との日中首脳会談で、「尖閣問題の棚上げ」を提起したのは、一九七二年九月である。米国のジャーナリストたちに対して、一九七一年六月に語ってから一年余のことであった。

では、周恩来はなぜ棚上げを提起したのか、その真意は何か。その答は簡単明瞭、尖閣諸島は台湾に付属した島嶼であるからだ。卑近なたとえだが、仮に台湾島を小犬に例えるならば、尖閣諸島は小犬の尻尾にすぎない。「台湾自体の帰属が解決を見ない段階」で、小犬の尻尾にも似た「付属島嶼を論じても無意味だ」、「尖閣問題は台湾問題と同時に解決するほかに道はない」これが周恩来の大局観であった。そしてこのメッセージを『ニューヨーク・タイムズ』『ウォールストリート・ジャーナル』などの幹部記者たちに対して説いたのである。

なぜ『ニューヨーク・タイムズ』か。一九七一年五月二十三日の意見広告に明らかなように、在米華人社会の意見として「保衛釣魚台」をアピールしていたからだ。この動きを注意深く追跡しつつ、国務省の担当者たちは沖縄返還協定の条文を練り上げたのだ。しかし遺憾ながら日本政府は、この動きについて信じられないような鈍感な対応しかしなかった模様だ。少なくとも国会における問答には、あとで触れるようにまるで緊迫感が欠けていた。外交当局が「国会には内密で」努力した形跡もほとんど見られない。

まるで蚊帳の外に置かれた日本とは大違い、外交関係にはない「敵国同然」の国から届いた、周恩来メッセージを最も的確に受け止めていた一人が上院外交委員会のフルブライト委員長にほかならない。彼は、一九七一年十月二十七日に開始された上院での沖縄返還協定公聴会の冒頭の開会挨拶で、ピンポン外交とキッシンジャー秘密訪中が国連総会を大きく動かし、中国の代表権問題が結着したことに触れて、こう述べた。

「沖縄返還協定は長年の経済摩擦で緊張した日米関係と中国に関わる過去数ヵ月の成り行きに悩まされるわれわれの前にやってきた。米国はいまや中華人民共和国との国交正常化を求めると声明したが、政策変更は見たところ日本との協議なしに行われた」（米上院公聴会記録[*5] Hearings, p. 1）。

このフルブライト発言ほど、当時の舞台転換をズバリ説明した言葉は探せないほどだ。一つは日米関係が繊維交渉で緊張していたこと、他方国連の場では、中国代表権の問題が大詰めを迎え、十月二十五日、ついに中国の国連復帰を決定したこと。

このような日米、米中関係、そしてその影響を受ける米台、米韓関係への影響も見据えながら、米国が米中関係正常化への第一歩を日本の頭越しに始めたことを最も短い言葉で触れたのであった。

遺憾ながら朝鮮戦争以来約二〇年にわたる「中国封じ込めの最前線基地」として沖縄に米軍基地の提供を強要してきた日本には、「事前協議」は一言もなかった。米国のほとんど信義に悖る豹変ぶりに対しても、抗議一つできないほどに飼育されきっていたのが日本政府である。国民もまたそのような政府に対して弱々しい批判しかできなかった。

沖縄返還四〇年後に、尖閣をめぐって日中が激突したのは、このときに仕掛けられたダイナマイト

（ヘイグ補佐官）が炸裂したものだ（本書二四五頁）。沖縄返還協定当時の米国の背信の意味に無知で、米国に向けるべき怒りを中国に向ける倒錯した世論支配に誘導された結果と見るべきである。なぜこのような奇怪な事態がもたらされたのか。それを四〇年前に遡って検証することが本書の課題である。

中国政府は一九七一年十二月三十日付で「釣魚島／尖閣諸島に関する中国外交部声明」によって、国際的に広く、釣魚台問題を公式に提起した。同年六月末における米記者に対する周恩来ブリーフィングから半年後のことであった。返還協定調印の一週間前のことである。もう一つの中華民国外交部声明は一九七二年五月九日付であり、返還協定が施行された五月十五日の一週間前であった。

内容は両者ともに「尖閣／釣魚台諸島は台湾の付属島嶼だ」という一点に尽きる。

周恩来の見るところ、尖閣諸島の問題はあくまでも「台湾解放（統一）」の一部にすぎず、台湾問題について解決の方向すら見えない状況で尖閣を論ずることは無意味と説いたのであった。むろんすでに『ニューヨーク・タイムズ』の意見広告へのコメントで触れたように、一九七〇年九月の時点で米国務省スポークスマンは尖閣領有についての米国の中立の立場を表明したことは、この問題が沖縄返還交渉の当初から返還対象の範囲画定の問題として、テーブルに乗っていたためというよりは、この時点で急に浮上した争点であることを示唆する。いいかえれば、ニクソンが「尖閣の帰属に関わる態度を最終的に決断した」のは、実に「調印の一〇日前、直前のこと」であった。中国の国連復帰が具体的な日程に上り、これと連動して中国の国際的な発言権が格段に強化されつつあった潮流と、米国の豹変は決して切り離せない。

この豹変に最も鈍い感度で対応しつづけ、ほとんど最後まで意識的、無意識的に無視しようとしたのが日本政府・外務省であったことは、十分に記憶されるべきである。そしてそこに仕掛けられた爆弾が四〇年後に爆発した。

周恩来が米記者を応接した一ヵ月後、七一年七月にキッシンジャー秘密訪中が行われた。キッシンジャーは周恩来との間で、七月九日から十一日までの三日間に四回の会談を重ねた。アメリカは泥沼化したベトナム戦争を終わらせるには、北ベトナムを後方から支援し続ける中華人民共和国の協力を必要としたため、朝鮮戦争以来二〇余年にわたって敵対し、「封じ込め作戦（Containment Policy）」を展開してきた中国に対する政策を大転換し、のちに「関与政策（Engagement Policy）」と呼ばれる方向に大きく舵を切った。

こうした「アメリカの豹変」は、国際世論に衝撃を与え、十月二十五日、国連総会は常任理事国の座を北京政府に渡す決定を行い、常任理事国の座を失った中華民国（台湾）の蔣介石政府は自ら国連を脱退した[*6]。

こうして一九七一年四月のピンポン外交から十月末の中国国連復帰までの半年、世界の冷戦政治の舞台はいわば北京を基軸として一回転し、これによって長いベトナム戦争に終止符を打つ展望が開かれ、あたかもその余波を受けつつ沖縄返還が実現した。この文脈で一九七一年半ばは、第二次大戦後に発展してきた冷戦構造の再編成の大きな転換点として注視すべきである。

沖縄返還はこのような転換期に行われた交渉であったために、その交渉の不備、あるいはツメの甘さが、際立つ。それこそが今日の尖閣問題を生み出した直接的契機なのだ。

3 尖閣問題の起源

歴史的源流をたどると、尖閣問題の起源は一八九五年の閣議における尖閣諸島の「無主地（terra nullius）」の「先占（occupatio）」決定に始まるが、一九四五年のポツダム宣言受諾当時も、対日講和条約（サンフランシスコ平和条約）第3条に基づき、南西諸島（琉球列島や大東島を指す）の処理が決定され、米国を施政権者とする信託統治制度のもとに置かれ、沖縄に対する米軍の占領行政が継続されることが決定した時点においても、尖閣諸島という固有名詞が特定されて、その扱いが問題になることは一切なかった。

この講和会議に参加しなかった中国の周恩来外相は、「対日講和問題に関する声明」（一九五一年八月十五日）において領土問題に関わる中国の主張を次のように述べた（〔 〕内は著者矢吹）。

第二に、領土条項における対日平和条約のアメリカ、イギリス草案は、占領と侵略を拡げようというアメリカ政府の要求に全面的に合致するものである。一方では草案は、さきに国際連盟により日本の委任統治のもとに置かれていた太平洋諸島に対する施政権の他、さらに琉球諸島、小笠原群島、火山列島〔硫黄島〕、西鳥島〔スプラトリー〕、沖之鳥島および南鳥島など、その施政権まで保有することをアメリカ政府に保証し、これらの島嶼の日本分離につき過去のいかなる国際協定も規定していないにもかかわらず、事実上これらの島嶼を引き続き占領しうる権力をもたせようとしている。他方では、カイロ宣言、ヤルタ協定およびポツダム宣言などの合意を破って、草案は、ただ日本が台湾と澎湖諸島および千島列島、樺太南部とその付近のすべての島嶼に対する一切の権利を放棄すると規定しているだけで、台湾と澎湖諸島を中華人民共和国へ返還すること、ならびに千島列島および樺太南部とその付近の一切の島嶼をソビエト連邦に引き渡すという合意に関しては、ただの一言も触れていない。後者の目的は、アメリカによる占領継続を覆い隠すために、ソビエト連邦に対する緊張した関係をつくりだそうと企てている点にある。前者の目的は、アメリカ政府が中国領土である台湾のアメリカ占領を長期化することにある。しかし中国人民は、このような占領を絶対に許すことができないし、またいかなる場合でも、台湾と澎湖諸島を解放するという神聖な責務を放棄するものではない。〔後略〕

沖縄返還に際しては、その前提として米国の占領行政の対象範囲を確認することから始まった。その範囲は、琉球列島米国民政府布告第27号（USCAR27, 1953）によって告示されていたが、それは、平和条約をふまえ、旧沖縄県の行政区画「八重山郡」の管轄範囲をそのまま踏襲したものであった（図3）。

沖縄への占領行政が始まったとき、沖縄の地位については、さまざまの議論が行われたが、尖閣問題についての議論は皆無であったように思われる。当時、当面の課題とされたのは奄美大島の復帰であり、沖縄本島や八重山群島の地位については、日本本土から切り離すさまざまの言説が行われていた。沖縄

図3　敗戦から沖縄返還までの四段階

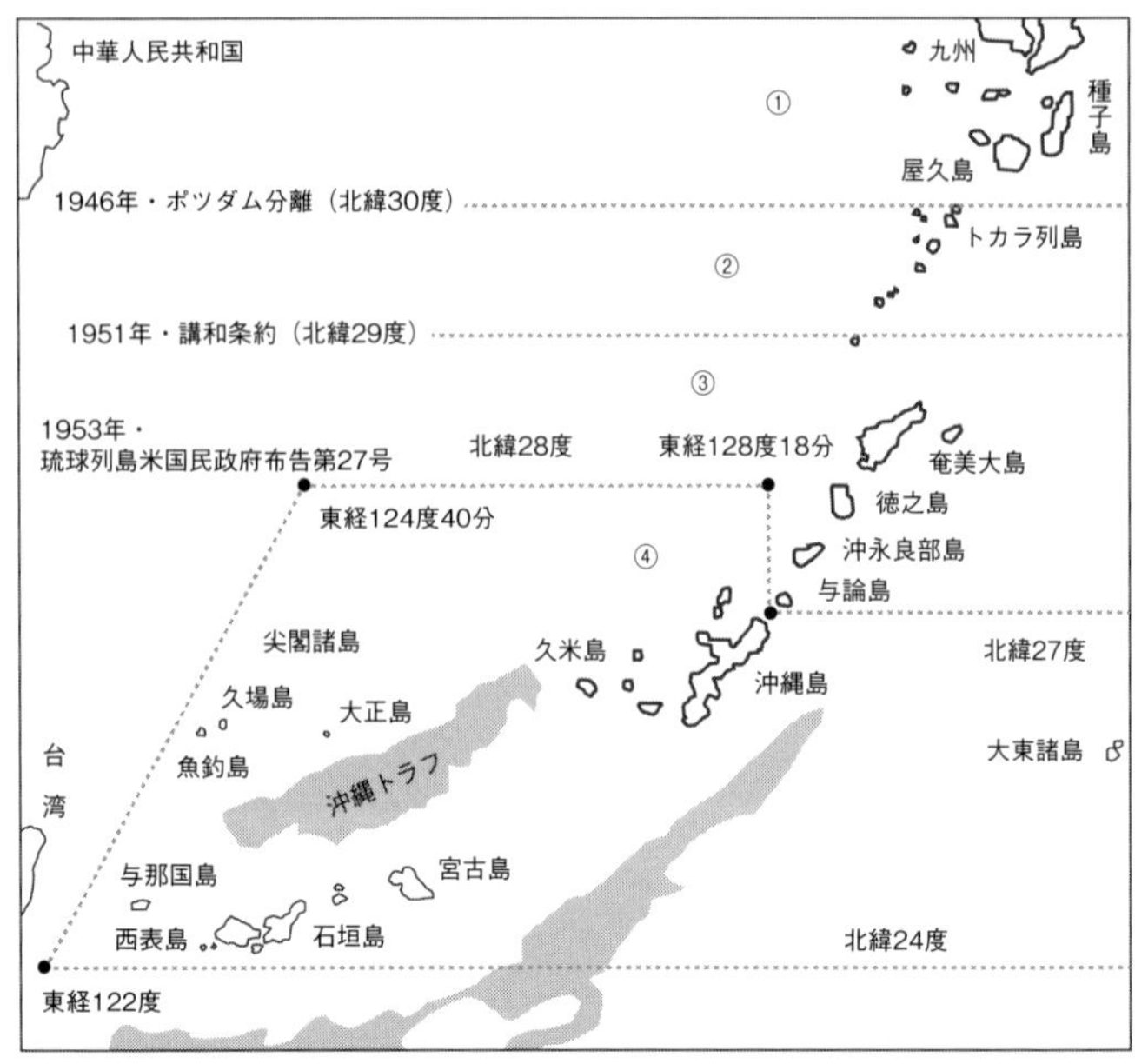

① ポツダム分離、北緯30度、1946年1月29日。

② 対日講和条約、北緯29度、1951年12月5日。

③ 琉球列島米国民政府布告第27号（奄美諸島返還、琉球列島米国民政府および沖縄民政府の管轄区域の再指定）、1953年12月5日。北緯28度・東経124度40分を起点とし、北緯24度・東経122度、北緯24度・東経133度、北緯27度・東経131度50分、北緯27度・東経128度18分、北緯28度・東経128度18分の点を経て起点に至る。

④ 沖縄施政政権返還、1971年6月。

の独立を主張する動きさえ、沖縄諮詢会の投票では二〇票中三票を占めた。[*7]

尖閣諸島の扱いが突然浮上したのは、沖縄返還交渉の終盤段階からであった。一般には無人島が問題となり始めたのはエカフェ（ECAFE）の調査報告（本書三三二頁）がこの海域における石油資源に言及して以後のことと認識されている。なるほど当時は経済成長に伴うエネルギー資源の確保が問題になっており、関心がより深まったことは事実である。

しかしながら、この無人島は、日中のまさに境界線に位置して、古来海上交通の一経過地点として認識されてきたのであり、この地域に日中境界線を引こうとすると、争いになりやすい場所に位置していた。石油資源が火をつけたのは事実だが、石油報道がないとしても、日中間に境界線を引こうとすれば、必ずここが尖点になる位置にあった。古賀辰四郎[*8]がいわゆる「無主地」を発見してから、日本内閣が「先占」を密かに決定する（ただし公表せず）までにおよそ一〇年の歳月を費やしている。この諸島が日中（台）三者の接点という微妙な位置にあるからだ。

グラント米元大統領（Ulysses Simpson Grant, 1822～85）が「李鴻章の沖縄三分割提案」（奄美大島までは日本、沖縄本島は「中立の独立国」、宮古と、石垣島・西表島など八重山は清国にという案）を明治天皇に伝えたのは一八七九年七月四日、古賀辰四郎が「無主地を発見」し、沖縄県知事が「国標を立てたい」とする上申書を出したのは一八八五年、閣議決定は上申から一〇年後の一八九五年一月であった。当時は石油資源の話は一切なく、漁業資源やアホウドリの羽が資源として認識されていたにすぎない。

「石油が出るから騒ぎになった」としばしば語られるが、日清・日中の国境線を引こうとすれば必ずその境界線になり、争奪戦は避けられない位置に、この島嶼は位置していた。

清朝は七歳の光緒帝の代わりに軍機大臣だった恭親王・愛新覚羅奕訢（咸豊帝の弟）がグラント将軍を接待した。グラントの『世界旅行記』（*Around the World with General Grant*, the American News Co., 1879）でPrince Kungと表記されている恭親王が、天津の直隷総督兼北洋通商大臣・李鴻章（Viceroy, Li Hung Chang）とともに、日清間の「琉球所属問題」を持ち出し大いにグラントに訴えた。グラントは清朝のこの伝言を明治天皇に伝えるために、一八七九年七月四日と八月十日、二度にわたって明治天皇の謁見を受け、その間に、内務卿伊藤博文、陸軍卿西郷従道と協議を重ねたのであった（松井順時編『琉球事件』一八八〇年二月）。

4　沖縄返還に関わる台湾のクレーム

本書の結論をここにあらかじめ提示しておく。沖縄返還交渉の最後の時点で、当時米国と外交関係をもつ台湾政府はニクソン政権に対して、日本への沖縄返還にクレームをつけた。たとえば米国国家安全保障会議の東アジア担当作戦スタッフ、ジョン・ホルドリッジによれば、一九六九年十一月十四日に中華民国が沖縄住民による県民投票（plebiscite）によって沖縄返還の是非を確認せよと提案している（FRUS[*9], 45, 44）。この発想はカイロ会談当時に蔣介石が提案した沖縄に対する「中米共同管理」構想の系であることはいうまでもない。というのは日中戦争と戦後処理を通じて、蔣介石は、カイロ会談以来、一貫して沖縄の地位についていくつかの提案を行っており、その延長線上で、沖縄返還にクレームをつけてきていたのだ。

尖閣諸島の領有権

しかしまもなく、中華民国は沖縄返還と尖閣諸島を切り離して論ずるようになり、「沖縄返還は是認するが、尖閣諸島釣魚台返還には強く反対する」立場を主張するようになった。すなわち蔣介石政府は沖縄返還の内容に尖閣諸島が含まれることを知った一九七〇年九月十六日、四頁からなる「口上書」(Note Verbale)を国務省東アジア担当次官補グリーンに提出した(FRUS, 61)。

外交慣例からして、この「口上書」自体は公表されていないが、国務省のトマス・シュースミス(当時国務省東アジア太平洋局中華民国担当のカントリーディレクター)が、尖閣諸島の日本管理に反対して台北で学生デモが行われた背景を説明しつつ、要約した文書があり、そこには要旨が次のようにまとめられていた。「(台北の米国)大使館が判断するには、デモのイニシヤチブは政府よりは学生の発意によるものだ。しかしながら政府はおそらくは若者の愛国主義に反対せず暗黙のうちに承認しており、これは米国の対台湾政策と石油開発の一時的禁止措置への不満から生じたものだ」(FRUS, 76)。

学生の抗議デモは米国と香港でも行われた。七一年四月十二日のホワイトハウス録音は、周書楷大使が尖閣諸島の最終的扱いは未定としておくこと、この問題は中華民国が自らを守る方策だとニクソンに強調したことを示している(シュースミスのメモおよびニクソン大統領文書、ホワイトハウス録音シリーズ所収の、一九七一年四月十二日のニクソンとキッシンジャーの会話記録、FRUS, 113）。

尖閣切り離し論を支える象徴的な動きは、『ニューヨーク・タイムズ』の前掲の意見広告である。これによれば、一九七〇年九月には、尖閣諸島の主権についてのアメリカにある中立論はこれらの活動家たちも知る情報となっており、それから九ヵ月後に意見広告が実現した。

ジョン・ホルドリッジがキッシンジャーのために要約した「尖閣諸島に対する中華民国の要求」には、以下のように書かれていた。

キッシンジャー氏が尖閣諸島に対する中華民国の要求に関する情報を求めた。直近の要約は、（七一年）三月十五日在米中華民国大使館から国務省に届けられた尖閣諸島に対する中華民国の口上書（Note Verbale）である。その要点は以下の通り。

——一五世紀の中国の歴史書には、尖閣が台湾と独立した琉球王国とを隔てるものと考えられていたことが記録されている。——尖閣諸島の地質構造は台湾に付属した他の諸島と類似している。尖閣は琉球よりは台湾により近く、大陸棚の端に位置する沖縄トラフ（海深二〇〇〇メートル）によって隔てられている。——台湾の漁民は伝統的に尖閣諸島地域で漁業を行い、これらの諸島を釣魚台諸島と呼んできた。——日本政府は一八九五年の日清戦争後に台湾と澎湖諸島が割譲されるまでは、尖閣諸島を沖縄県に編入しなかった。——中華民国はこれまで地域的安全保障の見地から、米国がサンフランシスコ平和条約第３条に基づいて軍事占領を行うことに対して異議申し立てをしなかった。しかしながら国際法によれば、ある地域に対する一時的な軍事占領によってその主権の最終決定が影響されることはない。――琉球列島に対する米国の占領が一九七二年に終了することに鑑みて、米国が尖閣諸島に対する中華民国の主権を尊重し、中華民国に返還されるよう要求する（FRUS, 115）。

中華民国の駐米大使周書楷は一九七一年四月十二日ニクソンを訪ねて離任の挨拶を行い、次のように脅迫ともとれる発言を行ったことが、国務省の記録に収められている。「周書楷はそこで尖閣諸島の問題を持ち出した。これは中国の国益防衛と関わる。もし台湾が国益を失うならば、知識人や海外華僑は「向こう側に行かざるを得ない」と感じるだろう〔台湾支持をやめて北京支持に転ずるの意〕。尖閣諸島が沖縄の一部だとする国務省の言明はすでに暴力的な反発を招いている。それは海外華僑の運動を招くであろう」（FRUS, 113）。

周書楷大使は、以上の引用から察せられるように、尖閣問題について、もし米国が国民党政権の利益を守らないならば、知識人や華人華僑が大陸の共産党政権の側になびくと警告したのであり、これはほとんど米国を脅迫するにも似た強い主張であったと読める。

米政権内での強い異論

では国務省は、中華民国政府の要求を受けて、どのような態度であったのか、国務省のコメントは、以下のごとくであった。

「容易に想定できるように、日本政府もまたこれらの中華民国政府の主張を覆すような論点を挙げて、尖閣諸島は日本のものと主張するであろう」、「国務省の立場は一九四五年に琉球と尖閣を占領し、一九七二年に返還する立場は、次のようなものだ。すなわち対立するクレームについては、いかなる部分についても、いかなる判断も行わない。それらは関係諸国間で直接に解決すべきである」。

米国はこうして、日台の対立する要求に判断を行わず、「両者間の直接解決を求める」、米国は日台の争いに対して「中立の立場を保持する」方針に転じたのであった。国務省当局の、この「中立」策がどのようにして生まれたか、その背景は必ずしも明らかではない。しかしこの「中立」策を初めて耳にしたキッシンジャーの反応が興味深い。国務省のファイルを整理した編集担当者は、キッシンジャーの見解を次のように紹介した。

（ホルドリッジのメモへの）キッシンジャーの手書きメモは「一方で尖閣の日本返還を行いつつ、他方で「米国の立場は中立」と語るのはナンセンスだ。もっと中立的なやり方はないものか」と問うている。キッシンジャーは初めて国務省の原案に接して違和感を抱いたのだ。尖閣諸島を日本に返還する以上は、米国はもはや「中立ではない」と考えたものであろう。そしてキッシンジャーは、米国の「中立の立場」をより明確に打ち出す手はないものかと部下に対案提出を指示したのだ（FRUS, 115, n. 3）。

ちなみに繊維交渉のために日本、台湾、韓国に派遣されたデイビッド・ケネディ特使（当時財務長官兼任）の見解は、ピーターソン補佐官（国際経済問題担当）からニクソン大統領へのメモによれば、日本に対してより厳しいものであった。曰く「尖閣は歴史的にも地理的にも沖縄列島の一部ではない。日本への施政権返還は台湾のメンツをつぶすものだ。尖閣諸島の帰属問題は係争中であるから、紛争解決まで「米国預かり」とすべきだ。万一、尖閣の施政権を一度日本に返還してしまえば、日本がそれを台湾のために譲ることは決してありえないと台湾は強く感じている。私は、台湾に渡せというのではない。日本への施政権返還ではなく、むしろ現状維持のために知恵を出してはどうか」（七一年六月七日付、FRUS, 133）。

尖閣諸島の日本返還について、返還直前になってニクソン政権内部で強い異論が生まれていたことがうかがわれる。こうした紆余曲折の上、六月七日にニクソンが最終的に決断した。

返還協定調印直前の決定

ニクソン大統領の補佐官ピーターソンから在台北のデイビッド・ケネディ宛てに送った極秘メッセージ（七一年六月八日付、FRUS, 134）は、沖縄返還協定に尖閣を含める決定がニクソンによって行われたのは、実に調印の一〇日前であったことを生々しく伝えている。最終的決断がギリギリまで延びたのは、米国が外交関係を保持していた中華民国の蔣介石総統の強い交渉態度と国際環境によると見てよい。この極秘資料には、「ケネディ特使限り、大使親展（Secret; Eyes Only for Amb Kennedy）」と特記されている。この資料によると、ピーターソン補佐官はケネディ特使宛てに次のように経過を説明している。

「長い議論の挙げ句、尖閣についての大統領の決断は、（米日返還交渉が）あまりにも深く行われ、たくさんの約束を行ってきたので、もはや（交渉を振り出しには）戻せないというものだ」。ここでピーターソンが「長い議論」というのは、佐藤・ニクソン共同声明以来の時間を指すが、より直接的には六月七日午後三時二五分から四時一〇分まで四五分間の議論を指す。ニクソン、キッシンジャー、ピーターソンの三名は、これまでの議論に最終結着を行うべく、キャンプデイビッドで最終的な協議を行っていた（FRUS,134）。

国務省のアレクシス・ジョンソン次官（一九六九年一月まで駐日大使、肩書は当時）からウィリアム・ロジャース長官に宛てた電報によると、「キッシンジャーはジョンソンが用意していた資料を用いて解決に乗り出したのだ。そして六月七日に「尖閣については米国のこれまでの立場を変えない」とする大統領の決裁を得た」（FRUS, 134）。「これまでの立場」とは、「尖閣を含めた沖縄」の日本への返還（ただし施政権のみの返還）である。

むろん中華民国政府はこれに納得しないであろうが、これは懸案を米国が長らく放置してきたからだ。六月七日朝、キッシンジャーはジョンソンと電話で尖閣問題を話し合った。そのときジョンソンはキッシンジャーにこう説明した。「米国が適用しようとしている原則」は、日本から「施政権を受け取った」ので、「その権利状態を損なうことなく、そのまま日本に返還する」（Hearings, p. 91）、日台〔中〕間の領有権争いについては「米国は立場をとらない」（FRUS, 134）というものだ。

「私はケネディ特使の電報を大統領に示して、重要箇所は読み直しながら説明した」（FRUS, 133, n. 2）とピーターソンは書いている。大統領は「日本への尖閣返還」を決断するほかなかったことを〔中華民国のために〕深く遺憾とするが、これ以外に方法はなかったのだと弁解しつつ、中華民国の「今後の良好な」防衛体制を点検するために、「軍事担当の大統領特使を八月に台北に派遣する」よう私（ピーターソン）に指示した。これは十月初めまで実行されるに至らなかった。

国家安全保障会議のヘイグ補佐官代理宛ての十月五日付覚書で、国家安全保障会議のホルドリッジはこう書いている。「ピーターソンの事務所から私（ホルドリッジ）に連絡してきたところでは、台湾にまだ軍事支援使節が派遣されていないことに留意されたい」と。ホルドリッジはこう返答した。「中華民国に対するケネディ特使の約束もあり、軍事特使の派遣延期は台湾側に疑念を抱かせる恐れがあるので、すみやかに適当な将官を台湾に派遣すべきである」。

ヘイグの手書きメモの末尾には、「畜生め、これはダイナマイトだ。いずれにせよ、繊維交渉がまとまるまで、待つべきだ」（FRUS, 134, n. 4）と書かれている。このこと〔日本への尖閣返還決定を指す〕が繊維交渉の最終局面を難しくするし、八月は議会が休会になるので、「特使派遣は八月がよい」と指摘した。あなたの仕事をこれ以上ややこしいものとしないためには、とロジャースに提案したのであった。

台湾への配慮

在台北のケネディ特使が蔣経国にニクソンの決定を通告した経緯は国務省の極秘文書「バックチャネル・メッセージ」（Backchannel message from Kennedy to Peterson, June 9, FRUS, 134）に記録されている。「バックチャネル」とは、言い得て妙だが、大統領補佐官から「ケネディ特使親展」として特使だけに宛てた極秘メッセージである。これを受け取ってケネディ特使は、「六月七日、尖閣の〔日本〕返還決定を蔣経国に伝えた」のであった。

このとき蔣経国は、米国政府が沖縄返還協定の調印時に際して、尖閣の最終的地位が決定されていないこと、この問題はすべての関係国によって決定されるべきことを「categorically（明確に断言する形で）」言明するよう要求したのであった。

この蔣経国の要求に対して、国務省は真摯に対応した。まずロジャース国務長官から愛知揆一外相との間で行われた一九七一年六月十日のパリ会談の内容が伝えられた（Alexis Johnson Files: Lot 96 D 695, Kissinger, Henry, 1971）。つまり国務省ジョンソン国務次官の指示にしたがって、ロジャースは愛知に「返還協定の調印前に中華民国と協議すること」を求めた。曰く「日本は調印前に台北と話し合いをぜひとも行ってほしい」と強く懇願したのだ。それだけではない。国務省は調印日の六月十七日に尖閣の「対日返還は施政権のみの返還」であること、「主権ではないこと」を改めて明確に内外に言明しつつ、「これは中華民国の潜在請求権を損なうものではない」と特に強調したのであった。

日中・日台の尖閣衝突は、ここに始まる。ダイナマイトはこのときに埋められたのだ。このときの日本外務省と政府の対応はまことにお寒い限りとしか評すべき言葉のない体たらくであった。問題の核心を理解して的確な対応をしたとは到底いえないことは四〇年後に暴露された通りである。

アメリカから日本への「懇願」

蔣介石からのクレームに言及しつつ、ロジャース国務長官は一九七一年六月十日、パリで行われた愛知揆一外相との会談で、日本側に話を持ち出した。日本国パリ駐在大使館中山賀博大使から外務省本省宛ての極秘電報**図4**はこう書いている。

冒頭、ロジャース長官より、大部分の問題は既に解決を見ているが、若干の点についてお話したいとして、まづせん閣諸島問題につき、国府は、本件に関する一般国民の反応（台湾の世論を指す）に対し、非常にゆう慮しており、米国政府に対して今、国府から圧力をかけてきているが（これは極秘電に対する外務省担当者の注釈である）、本件について日本政府がその法的立場を害することなく、何らかの方法で、われわれを助けていただければありがたいと述べ、例えば、本件につきなるべく速やかに話合を行なうというような意思表示を国府に対して行っていただけないかと述べ

図4　愛知・ロジャース会談を伝える極秘電報

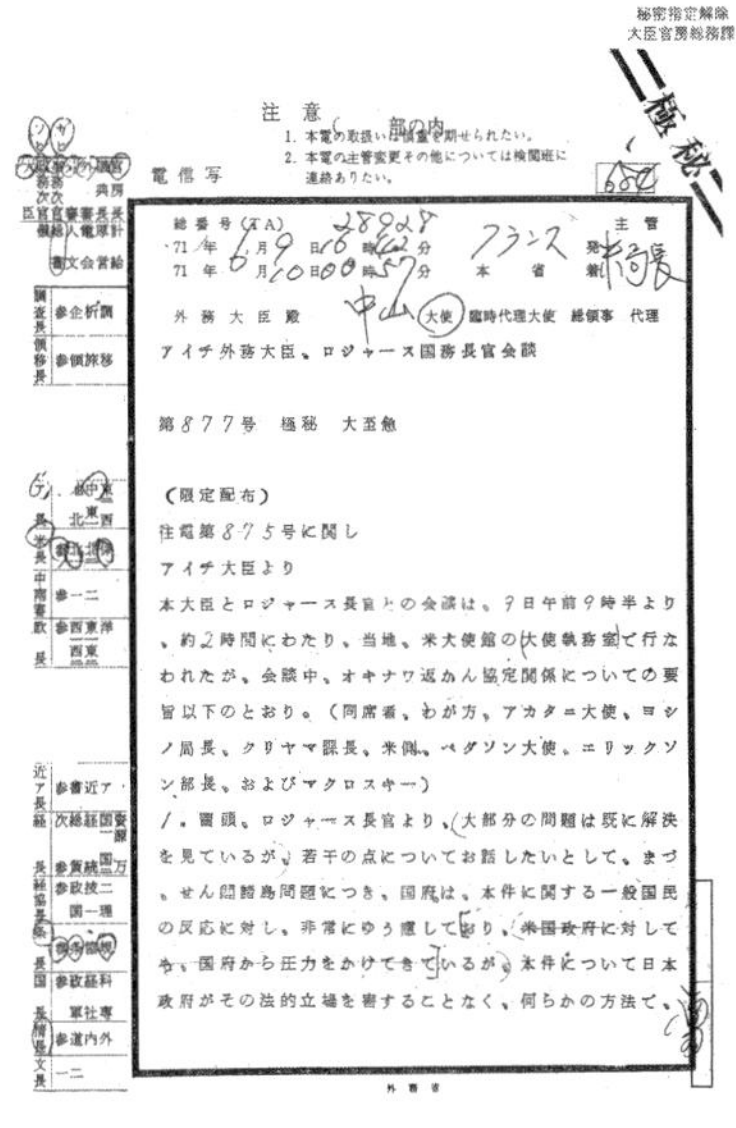
秘密指定解除
大臣官房総務課

極秘

注意
1. 本電の取扱いは慎重を期せられたい。
2. 本電の主管変更その他については検閲班に連絡ありたい。

電信写

総番号（TA）28928
71年6月9日16時62分　フランス　発
71年6月10日00時57分　本省　着
外務大臣殿　中山大使

アイチ外務大臣、ロジャース国務長官会談

第877号　極秘　大至急

（限定配布）
往電第875号に関し
アイチ大臣より
本大臣とロジャース長官との会談は、9日午前9時半より、約2時間にわたり、当地、米大使館の大使執務室で行なわれたが、会談中、オキナワ返かん協定関係についての要旨以下のとおり。（同席者、わが方、アカタニ大使、ヨシノ局長、クリヤマ課長、米側、ヘダソン大使、エリックソン部長、およびマクロスキー）
1．冒頭、ロジャース長官より、大部分の問題は既に解決を見ているが、若干の点についてお話したいとして、まづせん閣諸島問題につき、国府は、本件に関する一般国民の反応に対し、非常にゆう慮しており、米国政府に対して今、国府から圧力をかけてきているが、本件について日本政府がその法的立場を害することなく、何らかの方法で、

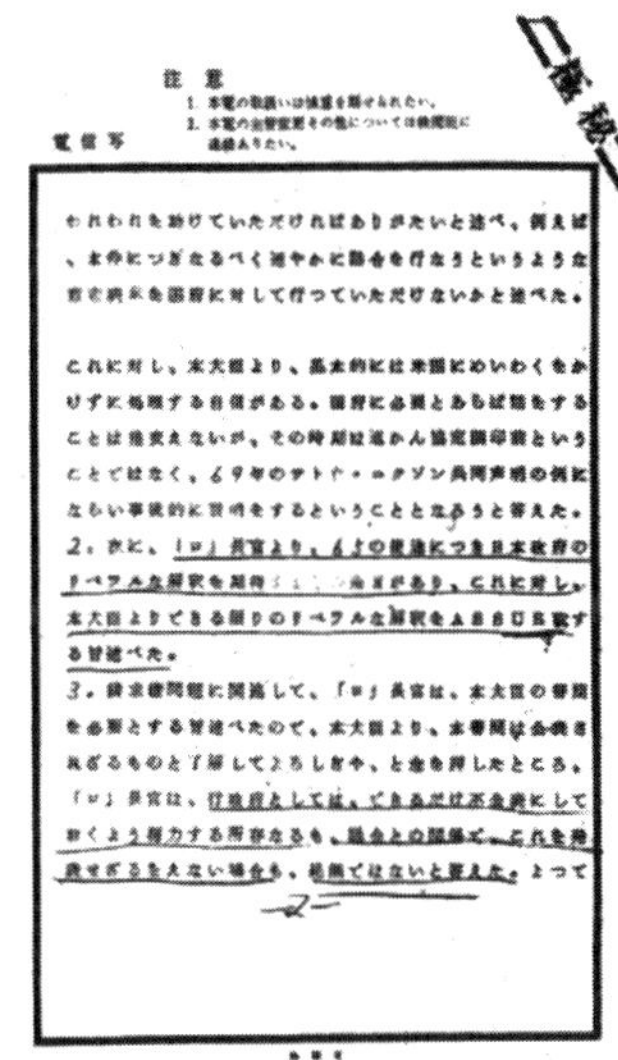
極秘

注意
1. 本電の取扱いは慎重を期せられたい。
2. 本電の主管変更その他については検閲班に連絡ありたい。

電信写

われわれを助けていただければありがたいと述べ、例えば、本件につきなるべく速やかに話合を行なうというような意思表示を国府に対して行っていただけないかと述べた。

これに対し、本大臣より、基本的には米国にめいわくをかけずに処理する自信がある。国府に必要とあらば話をすることは差支えないが、その時期は返かん協定調印前ということではなく、69年のサトウ・ニクソン共同声明の例にならい事後的に説明をするということとなろうと答えた。
2．次に、「ロ」長官より、65の援助につき日本政府のリベラルな解釈を期待[illegible]向きがあり、これに対し、本大臣よりできる限りのリベラルな解釈を[illegible]する旨述べた。
3．繊維問題に関連して、「ロ」長官は、本大臣の善処を必要とする旨述べたので、本大臣より、本件は会期を越えざるものと了解してよろしきや、と念を押したところ、「ロ」長官は、行政府としては、できるだけ不公表にしておくよう努力する所存なるも、議会との関係で、これを発表せざるをえない場合も、絶無ではないと答えた。よって
—2—

た。これに対し、本〔愛知〕大臣より、基本的には米国にめいわくをかけずに処理する自信がある。国府に必要とあらば話をすることは差支えないが、その時期は返かん協定調印前ということではなく、69年のサトウ・ニクソン共同声明の例にならい事後的に説明をするということとなろうと答えた。

この極秘電報において、著者が傍線を付した部分の「言い回し」は意味深長である。国務省は日本に対して内政干渉を行う意図はないとして一見、日本の自主性を尊重しつつ（日本政府がその法的立場を害することなく）、台湾との妥協を要求している。「助けていただければありがたい」という「懇願」（外交辞令）のウラに潜む属国に対する「事実上の指示」にも似たニュアンスを読み取るべきであろう。こうしてロジャースは中華民国に対しては「施政権と領有権」の分離返還（すなわち中華民国の主権留保）で了解を求めつつ、日本に対しては「施政権のみ」の返還だと指摘し、かつ、台湾政府との協議を要求した。

あえてもう一つ加えれば、この時点でロジャースは、中華民国に対して行った説明を中華人民共和国に対しても行う手筈を整えていた。そのことは十月二十七日に上院外交委員会公聴会で行われたロジャース報告にも一端がうかがえる。こうして表向きは日本に対する沖縄返還だが、キッシンジャーたちの視線は北京に注がれ、これを警戒する台北の慰撫工作に意を用いていたのであった。

愛知・ロジャース会談についての日本外務省極秘報告から、沖縄返還交渉の最後のツメが読み取れる。尖閣の運命はここで決められたのだ。しかしながら、国民は米国の二〇〇〇年（協定以後三〇年）の情報公開まで何も知らされなかった。

ロジャース長官・愛知外相によるパリでの会談の一週間後に沖縄返還協定は調印された。繰り返すが、調印直前の段階で、ロジャース長官が、「米国を助けてほしい」と日本に懇願した形になっている。これは「協定の調印以前に、日本が台湾政府と協議を行ってほしい」というものだ。愛知外相は「返還協定の調印後に、事後説明を行う」と返答した。

中島敏次郎外務省条約課長は、台湾への説明について、「知らない」「行われなかった」旨を語っているが（矢吹晋『尖閣衝突は沖縄返還に始まる』第6章、参照）、これは虚偽証言であろう。[*10] ピーターソン補佐官がソウル滞在中のケネディ特使に宛てた電報によると「六月十五日東京で愛知外相は尖閣問題を協議するために（to discuss Senkaku issue）中華民国駐日大使彭孟緝と会談した」と報告されている（FRUS, 134, n.6）。しかしながら米国務省資料を読むと、日台協議は行われたが、ものわかれに終わったことが明記されている。調印後の七月十二日に蔣経国はマコノイ大使（台北駐在）に対して「［日台協議は行われたが］日本側は主題について意味のある対話を拒否した（the Japanese so far have refused to talk in any meaningful way on the subject）」と苦情を述べたことが明記されている（FRUS, 134, n.6）。

ロジャース国務長官の「懇願」を軽く扱った日本政府はその後、煮え湯を呑まされることになる。すなわち今日の尖閣紛争において、何ら有効な手段をもたない日本外交のジレンマなのだ。

米国政府は、在米華人や留学生たちが保釣運動のために、『ニューヨーク・タイムズ』で意見広告を行ったこと、中華民国政府からも強い抗議が届いていたことに留意した事実はすでに触れた。実は米国政府が当時国交関係にあった中華民国側の動きよりもはるかに重視していたのは、周恩来の意向であったように見える。ニクソン・キッシンジャー政権は、沖縄返還の実質から尖閣諸島の扱いを切り離すとの高度に政治的な意味を熟考していたのではないか。表向きは尖閣についての一見「台湾への譲歩」だが、同時にこれは「北京に向けた微笑外交」の側面をもっていた。この裏面は、あたかも隠し絵のように、その後四〇年を経て、いっそう鮮やかに浮かび上がる。

ニクソン政権が台湾の蔣介石政権に対してここまで丁寧な対応を行ったのは、日中戦争当時からカイロ宣言、ポツダム宣言に至るまで同盟軍であり、戦後は反共陣営の最前線の闘士として蔣介石を位置づけてきたおよそ三〇年の同盟関係史を踏まえたものである。そこから「尖閣抜きの沖縄返還」を主張する蔣介石の要求をニクソンはまず拒否したが、その根拠は「沖縄への残存主権をもつ日本」に「そのまま返還する」という論理からにほかならない。こうして日本が沖縄に対してもつ「残存主権」という新造語は、沖縄に対する「米軍統治の合法性」を保証する論理となり、同時にまた「沖縄返還の論理」ともなった。

ここまでは論理の世界である。しかし、この「返還」とは「施政権のみ」の返還にすぎず、主権＝領有権とは、範疇的に区別されることをあえて、強調した。その理由は、蔣介石＝蔣経国父子の強い要求を容れたものである経過がいまや十分に明らかになった。実は、ここで米国の立場は、表向きは米国が外交関係をもつ中華民国のクレームを受け入れた形だが、ホワイトハウスも国務省も、中華民国（台湾）に対するサービスはそのまま中華人民共和国（大陸）へのサービスに直結することを当然ながら計算していたはずだ。

こうして、尖閣返還は「施政権のみ」と限定する論理は、その後米国が日中台関係に介入するうえでのピナクル＝尖角と化した。これは最初から意図した陰謀というよりは、苦し紛れの方便から生まれた窮余の一策にすぎないことは、経過を見ればわかる。とはいえ、「窮余の一策」もまた次の展開にとって「重要な布石」に転化できよう。それが外交的知恵の使いどころではないか。

5　沖縄返還をしぶしぶ認めた蔣介石

沖縄返還前夜の一九六七年、返還交渉をめぐり、佐藤栄作首相が蔣介石総統と会談していた。沖縄返還からおよそ三〇年後、『沖縄タイムス』（二〇〇〇年五月二十九日付）は、沖縄返還交渉の原点となった日米共同声明に先立って行われた佐藤・蔣介石会談を次のように報じている。

沖縄復帰問題が大きく進展した一九六七年十一月の日米首脳会談の二カ月前、佐藤栄作首相が台湾で蔣介石総統と会談し、沖縄の日本復帰が実現しても「米国の極東防衛体制の弱体化を招くことは本意ではない」と、沖縄の米軍基地機能を引き続き維持する考えを伝えていたことが、〔二〇〇〇年五月〕二十八日付で公開された外交文書から明らかになった。首相は同年十一月のジョンソン米大統領との会談でこの考えを明確に表明。米側は返還時期や、返還後の基地の態様について言及を避けつつ、沖縄の施政権返還の方針を初めて示した。当時、中国の脅威を深刻に受け止めていた台湾から沖縄返還交渉への了承を得るため、首相は対米交渉方針を事前に伝達した。蔣総統は中国への大陸反攻に理解を求めたが、首相は「憲法は軍事的介入を禁止している」と拒んだ。

会談は九月八日に二回〈午後の会談と夜の宴会での対話〉行われ、沖縄問題は第二回会談で取り上げられた。この中で首相は「日本国民、沖縄住民は「沖縄の復帰」を願っている。自分も沖縄復帰を完成せねば、戦後は終わらぬという気持ちを持っている」と切り出し、沖縄返還後も米極東防衛体制を維持する考えを示した。総統は「沖縄問題は合理的に解決する日が来ると思う。しかし、すぐではない。日本国民もそう急がないでもよいのではないか」などと応じた。

蔣介石はこのような言い方で佐藤を牽制したが、そこには米軍の駐留を望む気持ちと、もし返還するならば、そこに一言注文をつけたい思惑が潜んでいたはずである。後者は『蔣介石日記』に明らかだが、日本側はこの側面をほとんど認識できていない。解説は続く。

これに先立つ第一回会談で、総統は中国の核について「アジア諸国は深刻な不安を感じている」などと指摘、中国打倒を訴えた。首相はこの後、東南アジア歴訪を経て訪米。ジョンソン大統領との会談で、沖縄が復帰しても極東の戦略的安全を阻害しない考えを伝え、両三年内に返還時期について合意すべきだと求めた。

これらの事実を解説しつつ、同紙は佐藤の台湾訪問の目的が「沖縄返還に関する台湾の懸念を打ち消す努力をしたという米国向けのアリバイづくりだった」「台湾や韓国は当時、沖縄返還に伴う米軍基地機能の低下を非常に危ぐしていた。実際、蔣介石総統は会談で間接的に返還に反対している」と解説したが、蔣介石の意向は、これらの報道ではほとんどわからない。

一九六七年九月八日、佐藤との会談を終えて、蔣介石は『日記』にこう記した。

招宴において佐藤が琉球問題を提起したので、私はこれを存分に話した。事柄の性質は米国の思惑よりも重大だ。名義上台湾は信託管理権を放棄するすべはないが、この問題に佐藤は然りと同意した（在宴請中佐藤提琉球問題余乃与之暢談、此事性質重要与美国之意度、現時在名義上無法放棄其託管権之理由彼甚以為然）。九月九日、昨晩招宴ののち、佐藤栄作はソ連問題と琉球問題を再度提起した。私と佐藤、両者の見解は〔共産主義の脅威に対する認識では〕同じであり、食い違いはない。私が思うに佐藤の政治的言行は比較的実際的であり、私は「琉球の日本返還に反対しない」態度を明言した。わが国民党の政策は、琉球を勝ち取る方針ではないが、共産党は「琉球を中国に帰還させようとする」ばかりでなく、「日本への返還に反対」している（昨晩宴後佐藤再提赤俄与琉球問題彼此意見相同並無出入之処、余認為佐藤政治言行比較実際可行余対琉球一節対於帰還日本並不採取表示反対之態度明言。我国民党政策並無争取琉球之方針但共匪則不僅要琉球帰還中国而且与北韓亦然受其統治不可之野心甚明以提醒対共匪之（警？）党非由我光復大陸日本無法生存之意作間接之示意彼似甚動容余認為此次佐藤来訪乃可増加其対我攻意義之重要而其結果如何自不得而知耳）（『蔣介石日記』フーバー図書館蔵）。

蔣介石のこの言明は、重要である。蔣介石の大陸反攻を「支持できない」という佐藤の態度はもどかしいが、大陸の北京政府がもし琉球「返還」を要求しているならば、蔣介石としてはこれに反対する、すなわち「日本への返還に反対しない」という態度を採る。蔣介石がここで「明言した」と記しているのは、初めて日本側に伝えたことを強調する狙いが読み取れる。逆にいえば、この佐藤会談までは、蔣介石は沖縄返還に反対であり、国連の信託統治か、さもなくば米台による共同管理を、少なくとも表向きとしては方針としていたことを意味しよう。蔣介石はここでカイロ宣言以来の立場をようやく修正し始めたことになる。*11

6　沖縄返還の内実

沖縄返還をめぐる尖閣の扱いについての台北と北京の攻勢は、一九七一年十月末に行われた米上院の外交委員会公聴会に向けて行われた。米国は、台湾の抗議や今後に予想される米中関係の展開を先取りして、慎重に考慮して沖縄返還とは、「施政権の返還」であり、「領有権の返還」ではない、と巧みな二枚舌を用いた。日本政府はこれに対して一片の抗議すらすることなく、単に「米国の事情を忖度する」にとどめた。なんとも歯がゆい属国根性丸出しの奴隷外交であった。他方、これを追及する野党の声も、いささか迫力を欠き、言い放しに終わった（矢吹晋『尖閣衝突は沖縄返還に始まる』第5章、参照）。

二〇一二年の時点で衝突の発生後に、「歴史的にも国際的にも日本固有の領土」と決まり文句を並べることしかできず、他方米国は「中立」を強調して、沖縄返還交渉での曖昧さはそのまま再現された。「外交不在、政治不在」は極点に達しつつある。

沖縄返還劇の背後にライシャワーの陰謀とさえ呼んでよいほどの提案が存在していた。沖縄返還は一般に、佐藤首相の日米共同声明（一九六七年十一月十五日）に始まると受け取られているが、実はその共同声明の二年前に陰謀が練られていた。

一九六五年七月十六日付極秘文書によれば、当時の駐日大使エドウィン・O・ライシャワーが沖縄の「核つき、基地つき返還」のシナリオを提案していた。米国公文書館は一九九六年に、三〇年期限が過ぎた資料として「ライシャワー大使と陸軍高官たちとの沖縄についての極秘会合の記録」（Record Number 79651, Memorandum of Conversation "U.S. Policy in the Ryukyu Islands," July 16, 1965）を公開した。これはワシントンで陸軍長官と副長官など四人の陸軍高官、国務省官僚二人との極秘の会合で、ライシャワーが述べた分析である。

ライシャワーは一九六三年までは米国が沖縄を撤退する期限について憂慮したことはなかったが、ベトナム戦争の深刻化に伴い日本と沖縄における米国への反感や沖縄の復帰運動が高まる現実を見て、米国が沖縄を占領できる「残された時間」は短いと判断した。そこでライシャワーは「米国に有利な条件」を伴いながら、表向きは「日本に返還する」ことによって、自民党に花をもたせ、自民党にも米国にも有利な解決法を提案した。「もし日本が、沖縄を含む日本に核兵器を受け入れ、軍事的危機に際して沖縄の実質支配を米軍司令官たちにまかせると保証してくれるなら、施政権または「完全な主権

（full sovereignty）」が日本に返還されても、われわれの基地を沖縄に保持することができよう」（"U.S. Policy in the Ryukyu Islands," p. 5）。

『沖縄の〈怒〉』の著者は、怒りを込めて次のように告発している。「日本の完全主権による「沖縄」返還という表向きさえ提供すれば、基地は米国が自由に使用できますと言っているのである。日本生まれで、日本人妻を持ち、日本の立場に配慮する名大使であったとの評判を今でも保持するライシャワーが、占領者・植民者意識を露骨に表現していた場面である。ライシャワーはロバート・マクナマラ国防長官とも会って、「返還」案を提案し、マクナマラの指示で、マクナマラとディーン・ラスク国務長官に文書として提出した。そして結果的に返還の形態はライシャワーの提案通りになっている」（ガバン・マコーマック、乗松聡子『沖縄の〈怒〉――日米への抵抗』法律文化社、二〇一三年、五三頁）。

ここでライシャワーが返還以後について「フル・ソブリンティ（full sovereignty）」を語っていることは、この時点で米国政府が、事態をこのように認識していたことの証左となるものだ。ライシャワー証言に見られる「フル・ソブリンティ（full sovereignty）」が「単なる施政権のみ」と、「完全な主権」から区別される観念に豹変したのは、協定調印の直前であった。

しかも意志決定の当事者の一人であったキッシンジャーでさえ、四月十三日の時点では、「ナンセンス提案」と一時は感じたほどの非論理的な扱いであった。ホルドリッジからキッシンジャー宛て一九七一年四月十三日メモによると、米国は日台の対立する要求に評価を加えず、両者の解決を求める、すなわち日台の争いに対して「中立」の立場を保持する方針を採用した。ここで「尖閣を日本に返還しつつ」、なおかつ「尖閣の主権については中立の立場」を堅持するという国務省原案を知って、キッシンジャーは当初「ナンセンス」と批判した。すなわち「日本に返還しつつ、中立を語るのはナンセンスだ。より中立的立場は、どのようにしたら保てるか」と問うた。このときキッシンジャーは、「尖閣諸島の日本返還案」ではなく、「より米国の中立性を際立たせる案」を模索していたことがわかる（本書二四二頁でも触れた）。

沖縄「返還」の過程は、「現状維持」であったばかりでなく、返還というよりは、実際には「購入」であった。日本が基地存続を望んでいるとわかると、米国は日本から引き出す値段を考えた。米国は正式に六五〇〇億ドル（二三四〇億円）を、一括払いで要求した。これは「一九六五年に日韓関係の正常化に際して日本が韓国政府に支払った5億ドル」と比べて桁外れであった（『沖縄の〈怒〉』五四頁）。

「六・五億ドルは返還協定で正式に公表された金額三・二億ドルの約二倍」であり、「交渉責任者であった吉野文六元外務省アメリカ局長が「核兵器撤去費」は日本側だけで決めた積算根拠のない額であったと暴露した」（『沖縄の〈怒〉』五五頁）。なお、『毎日新聞』二〇一一年二月十八日に「米、沖縄返還時に六・五億ドル要求、協定明記の倍額」という外交文書公開に関わる報道がある。日本政府は、いわば「根拠なきつかみ金で、沖縄を買った」のだ。買われた沖縄こそ迷惑千万であろう。これが「糸（繊維問題）で縄（沖縄）を買った」物語だ。

愛知外相からの極秘電報（図4、二四七頁）に見える「六五の使途」とは、六・五億ドルの暗号である。当時は、表向きの支払いは協定第7条に「三億ドル以内」と明記されており、「残りの三・五億ドル」は秘密の裏金扱いとされた。日韓国交正常化に際して日本政府は三五年にわたる植民地支配の賠償として「三億ドル（一ドル＝三六〇円）と円借款二億ドル」（ほかに民間借款三億ドル以上）を約束したが、この金額とよい対比になる。ちなみに当時の韓国の国家予算は三・五億ドル、日本の外貨準備額は一八億ドル程度であった。

繰り返すが、一方は旧植民地への賠償である。他方は、基地租借への賃貸料のはずだ。貸借の論理からいえば、これは米軍が賃借料として沖縄県民に支払ってもおかしくはないはずではないか。実際には、「賃租を許した側」の日本政府が許された米国政府に支払った。なんと寛大な政府、国民であることよ。四〇年後に、改めて沖縄返還の真相に接して、驚き呆れる読者は少なくないと思う。

私が本稿でこれから課題とするのは、「日本の完全主権による沖縄返還」という「表向きの言辞の内実」を検証する仕事である。「完全主権（full sovereignty）」とは、ダレス流の「残存主権（residual sovereignty 外務省の定訳では「潜在主権」）」とツイになる概念だ。

日本は敗戦により、連合国の管理下に置かれた。しかし沖縄の占領行政は、英中ソ三ヵ国を排除して、「米国のみ」が行うためには、「日本との協定」に依拠するという虚構を必要とした。すなわち日本国に対して「残存主権」を認めつつ、「残存主権をもつ日本」との協定の形で沖縄行政を進めた。六〇年代半ばに至り、ベトナム戦争のエスカレーションにより、もはや前線爆撃基地としての沖縄基地の維持が危うくなった時点で、沖縄返還が行われたが、返還の真の狙いは、「米軍基地の温存」であり、いわゆる「核抜き、本土並み」とは、日本国民と沖縄県民の目を欺く虚偽宣伝にほかならない。しかもこのような猿芝居の費用は日本政府が支払わされた。ここまでは『沖縄の〈怒〉』あるいはその他、先行著作が分析してきたことである。

私がいまこれに加えようとしているのは、ケネディ＝ライシャワー路線からニクソン＝キッシンジャー路線に為政者が交代したとき、返還の「内実」にどのような「突然変異」を生じたかである。国際情勢の最も大きな変化は、国連総会において中国代表権問題が結着し、台北政府に代わって北京政府の声が大きくなり始めたことである。

それによって新たな様相を帯びることになったのが、「日米中三角関係の頂点(ピナクル)(=尖閣)」としての尖閣問題」にほかならない。五つの小島と三つの岩礁からなる尖閣諸島の総面積は、わずか五平方キロメートルに満たないが、四〇年後の今日、日米中三角関係の喉のトゲと化している。誰も住まない無人島がなぜ喉に残る小骨と化したのか。

これはペリー艦隊による米国の沖縄発見と、明治維新以後、近代国家への邁進を急ぐ日本と清国の関係(李鴻章)、近代化の出発点で挫折し、遅れて世界に登場した中国との三つ巴の先進・後進(蔣介石と周恩来)、帝国主義宗主国・植民地国、一見平等なタテマエのもとの支配国と従属国(ダレスと吉田茂、ニクソンと佐藤栄作)との接点に尖閣が位置するからにほかならない。

7　中華民国の国連脱退と蔣介石引退

一九七一年半ばに展開された戦後世界の転換劇を象徴する一つは、中華民国の国連脱退、即蔣介石の政治引退である。これをもって蔣介石の中国国民党と毛沢東の中国共産党の国共内戦の国際局面における勝敗に結着がつく。軍事面での結着はすでに一九四九年中華人民共和国の成立によってついていたが、蔣介石の中華民国は「光復大陸」すなわち大陸反攻のタテマエをその後二〇年堅持した。しかしながら大陸反攻に若干の光が見えたのは朝鮮戦争中だけであり、朝鮮休戦以後は、ほとんど希望は消え、台湾海峡は東アジア冷戦の前線として、緊張にさらされ続けた。

米軍の第七艦隊は常時パトロールを維持して蔣介石政権を支え続けた。一時はベトナム戦争の戦火が中国大陸に拡大するかに見えたときさえも、あったとはいえ、一九六〇年代末から七〇年代に入ると、もはや蔣介石流の「大陸反攻」に期待をつなぐものは外部世界には皆無であった。フランスとカナダは六〇年代半ばに中華人民共和国と外交関係を結んでおり、この潮流はいまや世界を包もうとしていた。

身近な友人の証言を紹介したい。アメリカ人研究者マーク・セルデンの妻入江恭子は、返還協定のおよそ数年前の台北の政治をこう感じていた。

一九六三～六四年の雰囲気は不思議でした。手を振れば気づいてもらえるような対岸に中国の人がいるのに、マークたちフルブライト奨学生の大学院生は心理作戦風船を投げるように言われました。私は風船を飛ばすことができませんでした。たぶんマークも。また、台北市でバスに乗ると「大陸光復」というスローガンが貼ってありました。映画館に行くと、起立して国歌を聴き、蔣介石の映像を観ました。人々の生活は明るく楽しそうで穏やかでしたが、少し公のこととなると緊張が感じられました。台湾独立を願う人が話しに来た夜は、かすかな物音にも動揺していました。彭明敏〔一九二三～、台湾の国際法学者、台湾大学教授。一九六四年に「台湾自救運動宣言」を発表し、懲役八年の実刑判決を受けた。のち亡命し、一九九二年に帰国。著書『台湾の法的地位』東京大学出版会、一九七六年）が逮捕されていました。とりわけ台湾の人々と、次には山地人といわれる人々と、知り合いましたが、一方よい外省人にも出会いました。考えてみると、面白い時期のひとつに居合わせたのかもしれません。（中略）中央研究院、なつかしい名前です。マークがよくそこに通っていました。沖縄はすぐ近くですね。ずっと前、大陸と台湾の関係が難かしかったころ、台湾の南端から小型飛行機に乗って島へ行きました。金門島といったかと思います。対岸に中国が見えました。人も何人か見えました。（矢吹への二〇〇八年八月の私信メール。ここで彼女が「中央研究院」に言及したのは、著者がこの宿舎に滞在し、ここからメールを書いたことによる）。

著者自身は一九六九年秋に初めて台湾を訪れ、台北市内で「莒に在るを忘るなかれ（勿忘在莒）」（「勿忘在莒」は『呂氏春秋・直諫』に見える。莒はタロイモだが、ここでは山東省莒県を指す。台湾に敗退したのち、蔣介石が座右銘として大陸光復を呼びかけた）のスローガンに接して、国共内戦の継続を意識させられたが、大陸反攻はそもそも信じていなかったので、単なるアナクロニズムしか感じなかった。こうして今は昔、「大陸反攻の夢」が一つ一つ消えてゆく最後の砦こそが国連における中国代表権問題にほかならない。蔣介石の政治的運命に引導を渡す意味をもつ中国代表権問題の結着が迫りつつあったとき、老いた蔣介石は世界の潮流をどのように認識していたのか。

スタンフォード大学フーバー図書館に寄託されている『蔣介石日記』によると、北京とワシントンでピンポン外交が準備されていた当時、蔣介石はこう記した。

「一九七一年四月七日、釣魚台列島問題の政策と処理方針は以下の通り（関於釣魚台列島問題之政策与処理方針）：甲、当該列島（釣魚台列島）の主権は歴史的にも地理的にも台湾省に属することについて問題はなく、論争の余地はない（該列島主権在歴史上与地理上而言、其属於台湾省的乃無問題、亦無可争弁）」。

その趣旨は、一九七〇年九月十六日に周書楷大使を通じて、米グリーン国務次官補に口上書として手交済みであり、またこれに先立ち中華民国外交部長魏道明が釣魚台は地理的近接さ、測地構造、歴史的背景、台湾漁民が継続的に使用してきたことからして中華民国の一部であると声明していた（一九七〇年八月二十六日付）。

蔣介石日記は続く。「乙、事実上は米軍が現に占領しており、それをどこの国に帰属させるかはまさに米国がこれを決める（事実上現為美軍佔領、其為属何国当有美国定之）。丙、もしそれを一時的に日本に渡すならば、わが方は国際法廷に提起して国際法でこれを解決する（如其臨時交帰日本、則我応提交国際法庭以法律解決之）。丁、この件は軍事的解決策はありえない。わが方にいまこの列島に駐軍し防衛する能力が欠けており、わが兵力を分散するならば徒に共匪（中国共産党という匪賊）の乗ずるところとなるので、わが現有基地を保てない（此事不可能以軍事解決、以我此時無此能力駐防該列島、如我兵力分散則徒為共匪所乗、則我現有基地且将不保矣）。戊、わが国策は「光復大陸、拯救同胞」（大陸を取り戻し、同胞を救う）をもって第一とすべきである（我之国策応以光復大陸、拯救同胞為第一）」。

沖縄返還の前夜、蔣介石がこのような認識をもっていた事実を敗戦国日本としては、十分に認識する必要がある。日本人のほとんどは日華平和条約の締結をもって、中華民国との問題はすべて解決したものとみなしているが、肝心の相手の認識はこのようなものであった。

四月十四日、外交部長に就任するため離任した周書楷大使（一九一三〜九二、一九七一年三月〜七二年五月中華民国外交部長）が、大統領ニクソンに大使離任、外相就任の挨拶を行った際の報告によれば、「大統領は私的な特使を派遣して中華民国側との間で国連代表権問題と釣魚台問題を協議したい由だ。余〔蔣介石〕が思うに、これは情をかけるだけのリップサービスだけだ（外交部長新任周部長談其在美向尼氏辞行時之語与情形、彼将派其私人代表来此与我商討連合国代表権問題及釣魚台問題、余認為其表示人情而已）」。

敗軍の将・蔣介石は事態の急変を読み切っていたことがわかる。一週間前の四月七日の時点では、尖閣問題についての基本政策を確認して、処理方針を四ヵ条に整理していたが、その七日後、十四日の日記では、ニクソンの厳しい対応について「情をかけるだけのリップサービス」と底意を見抜いている。腹心周書楷の帰国報告を通じて、米国大統領が仇敵中国共産党との関係改善を試みようとしていること、国連代表権問題では最後まで努力するとの伝言にもかかわらず、それはリップサービスにすぎない。この日記を書いた時点で、蔣介石は「光復大陸、拯救同胞」構想の終焉を否応なしに再確認させられたのではないか。

こうして調印日を迎える。「六月十七日、経児〔父蔣介石が子蔣経国を呼ぶ愛称〕と釣魚台列島問題を語る。米国はすでに日本にわが方と協議するよう促している。今日は米日が琉球返還に調印する日なり（与経児談釣魚台列島問題、美国已促日本与我商談矣。今日美日簽訂交換琉球書）」。

日米間で沖縄返還協定が調印されたその日に、蔣介石が愛児蔣経国に後事を委ねつつ、「釣魚台列島問題を語る」と記したことは、含蓄に富む。一つは米日、米中関係の逆風の中で蔣介石が引退を決意するに至ったこと。一つは米国が半ばリップサービスを含みながらも、蔣介石のクレームを容れて日本との協議を促したとする報告を聞いたからだ。後者はむろん、ロジャース国務長官がパリで愛知揆一外相に伝えた事実について米国側から報告を受けたことを指す。米側の立場は、「日本へは施政権のみの返還であり、領有権については、中華民国と日本との間で協議されよ」というものであり、この点は蔣介石の要求を米国が呑んだ形であった。

だが、米国の打算と思惑は、それにとどまらない。尖閣問題について「領有権を主張し始めた北京」の動向が背景にあることを、蔣介石は国連の代表権問題を通じて、熟知していた。その蔣介石の心境はいかばかりか。まさに「四面楚歌」の中で、追い詰められる項羽の立場で、後事を蔣経国に託すことになる。

蔣介石は七二年六月肺炎で危篤状態に陥り、その後持ち直したものの、七五年四月五日死去した。享年八十七。これを待つかのように周恩来は七六年一月八日に死去し、毛沢東は九月九日に死去した。尖閣はこうして、蔣介石から見ると、沖縄に対する「米中共同管理」という見果てぬ夢の最後の尖角であり、毛沢東や周恩来にとっては、台湾統一という大事の前の、当面棚上げするほかには手だてのない小事であった。

8　尖閣射爆撃場は台湾の要求

ここで蔣介石の残した置き土産二つを整理しておく。一つは、一九七一年五月二十六日に、米国務省が中華民国に対して公的な覚書を送り、「ワシントンが釣魚台諸島の施政権を〔日本に〕移転することは、これらの諸島に対する中華民国の主権請求に対して影響するものではない（Washington's transferring of administrative rights over these islands does not affect the ROC's claim of sovereignty over the Diaoyutai Islands.）」と約束したことである（FRUS, 134, n.6）。

さらに一九七一年六月七日蔣経国行政院副院長は、デイビッド・ケネディ繊維交渉特使を通じて、国務省に次の一件を約束させた。それは「釣魚台諸島の最終的状態は未定であり、この問題について日本側に中華民国と協議するよう働きかけること」（FRUS, 134）であった。愛知外相はパリでのロジャース会談の際には、「調印後の事後説明」と答えたが、その後日本は中華民国とどのような協議を行ったのか。七月十二日、蔣経国は台北駐在の米国大使マコノイに対して、「日本は尖閣問題について意味のある協議を拒否している」と苦情を述べたことから、日台協議がもの分かれに終わったことを確認できよう（FRUS, 134）。

この点について中島敏次郎外務省条約課長は、知らぬ存ぜぬの一点張りである。中島曰く「そういうことがあったのですかね〔中略〕これとは別に、愛知外相が「もう早くまとめてくれよ」と述べていると条約局長から伝わってきたことはありましたけれども。どう処理したのか、私は全然聞いておりません。愛知さんもその後そんなに経たないで辞められたのではないでしょうか。その後については、あまり聞きませんでした」（矢吹晋『尖閣問題は沖縄返還に始まる』第6章、参照）。

中華民国の周書楷駐米大使の後任、沈剣虹大使は一九七一年五月十三日に尖閣に射爆撃場をつくる提案（『蔣経国総統文書』No. 005-010205-00159-015）を行い、翌七二年三月二十六日には周書楷外交部長も台北駐在のW・マコノイ大使に対して尖閣諸島を米軍の射爆撃場とするよう提案（『蔣経国総統文書』No.

005・010205-00013-002）している。前者は返還協定調印の約一ヵ月前であり、後者は返還協定が実行される約二ヵ月前であった。

沖縄選出の照屋寛徳議員の「尖閣諸島と日米地位協定に関する質問主意書」に対して、当時の菅直人首相は二〇一〇年十月二十二日、尖閣五島（八島のうち岩礁を除く）についてこう答弁した。

「大正島は国有地であり、その他の四島については、民間人が所有している。当該四島のうち魚釣島、北小島及び南小島については、平成十四年四月一日から（中略）国が賃借している」「久場島については、昭和四十七年五月十五日から、（中略）安全保障条約第六条に基づく施設及び区域並びに日本国における合衆国軍隊の地位に関する協定（昭和三十五年条約第七条。以下「日米地位協定」という。）第二条1(a)の規定に基づき、米軍の使用に供するために、国が賃借している。久場島は民間人が一名、大正島は、国が所有している」「黄尾嶼射爆撃場及び赤尾嶼射爆撃場は、（中略）米軍がその水域を使用する場合は、原則として十五日前までに防衛省に通告することとなっている」「昭和五十三年六月以降はその通告はなされていないが」（「使用されていない」かもしれないが）、「米側から返還の意向は示されておらず、政府としては、両射爆撃場は、引き続き米軍による使用に供することが必要な施設及び区域であると認識している」（衆議院質問主意書・答弁書 https://www.shugiin.go.jp/internet/itdb_shitsumon.nsf/html/shitsumon/b176044.htm）。

この内閣答弁書はまことに奇怪千万である。まず何よりも、なぜ「久場島」に設けられた基地が「黄尾嶼（射爆撃場）」、「大正島」に設けられた基地が「赤尾嶼（射爆撃場）」と、中国流で呼ばれているのか。名は体を示していないか。米軍が中国流の呼称を用いていることに対して、日本政府はなぜそれを容認し、返還以後も改めさせないのか。

第二の疑問は、二つの射爆撃場が沖縄返還以後もAリストに載せられ、基地として継続使用扱いされることになった経緯である。久場島／黄尾嶼は一九五五年以来、大正島／赤尾嶼は一九五六年以来射爆撃場として指定されていたが、一九七二年の返還以後は七八年まで、わずか六年のみ「使われた形」になっている。実はこれは演習申請書からの推断にすぎず、申請書提出がただちに演習を意味するものではない。一説によると、返還以後一度たりとも実際に演習が行われた形跡がないという。これら二つの射爆撃場は、米軍にとって真の軍事的必要から返還対象から外され、基地として残されたのかどうか、疑わしいところがある。

ここで改めてピンポン外交に至る米国の対中国大陸政策の軌道修正を点検すべきであろう。ピンポン玉はのちの「ニクソン訪中」に大化けした。その前夜には第7艦隊の台湾海峡パトロールを修正するなど、さまざまの緊張緩和措置が、周恩来に宛てたメッセージを裏付ける行為として進行中であったことは、蔣介石とマコノイ大使との会見記録に明らかだ（FRUS, 52)。この流れから推して中国大陸に最も近い位置にある久場島／黄尾嶼、大正島／赤尾嶼を射爆撃場として使用しないことは、対北京を睨んだ緩和路線に役立つ。

しかしながらニクソン政権の北京シフトについて台湾政府が安全保障に対する不安を抱き、とりわけ尖閣諸島の日本返還に強い抵抗を示し、米軍による留保を求めている立場への配慮措置としては、「基地として継続使用を約束する」ことによって、引続き米軍の管理下にある姿を示すことの有効性は、当然想定できるであろう。

すでに指摘したように、ホルドリッジが国務省原案を提示した際に、キッシンジャーは自家撞着を指摘して、「米国の中立性をより際立たせる手段」を模索した。尖閣を含めて日本に返還するが、尖閣の主権に関わる最終状態（final status）は未定であり、中華民国の潜在主権を認める裏付け措置としては、米軍の事実上の継続管理措置としてきわめて有効な扱いになる。要するに蔣介石政権の官僚たち（蔣経国、周書楷、沈剣虹ら）をなだめるための保証として、射爆撃場温存を決断したと解してよいのではないか。

あえてもう一度繰り返す。ニクソン政権は最終的に尖閣諸島を含む沖縄を日本に返還したが、同時に中華民国側に対しては「尖閣の主権問題は日台間で係争中」であり、「主権の最終状態（final status）」は「未定」である旨を台湾側に約束し、日本側にもこの問題で台湾側と協議するよう強い圧力をかけていた。ケネディ特使に至っては、尖閣のみは沖縄から切り離して、「返還棚上げ・一時米軍預かり」扱いとし、日台で領有権問題が結着した暁に改めて最終処理を行うことさえ提案していた。このケネディ特使提案に呼応する形で、台湾側は尖閣諸島を「米軍の射爆撃場（U.S. firing range）」とする提案を行ったと読むことができよう。

そこには二重の意味が込められていた。一つは、米軍が引き続き管理することによって日本への返還を骨抜きにすること。もう一つは中華民国政府の安全保障を守るという「米国の約束」の象徴として「射爆撃場を置き、米軍が引続き管理する」という意味だ。これら二つの思惑を込めた「象徴としての米軍基地」だからこそ、そこに中国島名が残され、しかもその射爆撃場は実際には、その後用いられるには至らなかった。いかにも「象徴」にふさわしい基地ではないか。

ここでもう一つ、補足すべきポイントがある。この地域を自衛隊の防空識別圏（ADIZ）に含めたことの意味である。楢崎弥之助議員は、韓国と紛争状態の「竹島／独島が防空識別圏から外されている」のに対して、「尖閣諸島が含まれる」のは、中国に対する挑発となりかねないので、防空識別圏から外すべきではないかと国会で追及した（本稿「四　沖縄国会における尖閣論議」国会問答で後述）。この射爆撃場もまた尖閣諸島を事実上「米軍の管理下に置く」という隠された目的に照らせば、当然に防空識別圏（ADIZ）から外すことはできない。表向きは自衛隊の防空識別圏に加えるが、事実上は米軍の防空識別圏にほかならない。これも中華民国の安全保障上の危惧に対する配慮と読むならば、当然に識別圏から外すわけにはいくまい。

ただし、一九七九年米国は北京政府と国交正常化を行い、台湾の中華民国政府と断交した。以後、米台関係、米中関係は新たな構図に変化し始め、今日に至る。これに対して日台関係、日中関係は米国より一足先に変化し始めたが、その後の展開は順調ではない。七一～七二年の構造変化から四〇年後、沖縄返還協定に埋め込まれたダイナマイトが爆発した。

本稿「一　尖閣衝突は沖縄返還に始まる」でスケッチした尖閣紛争の経緯を、二七三～二七六頁に表1として整理しておく。

〔補〕日台漁業取り決めについて

交流協会（日本）と亜東関係協会（台湾）は二〇一三年四月十日、台北賓館（台北市、元台湾総督官

図5　日台・日中漁業協定

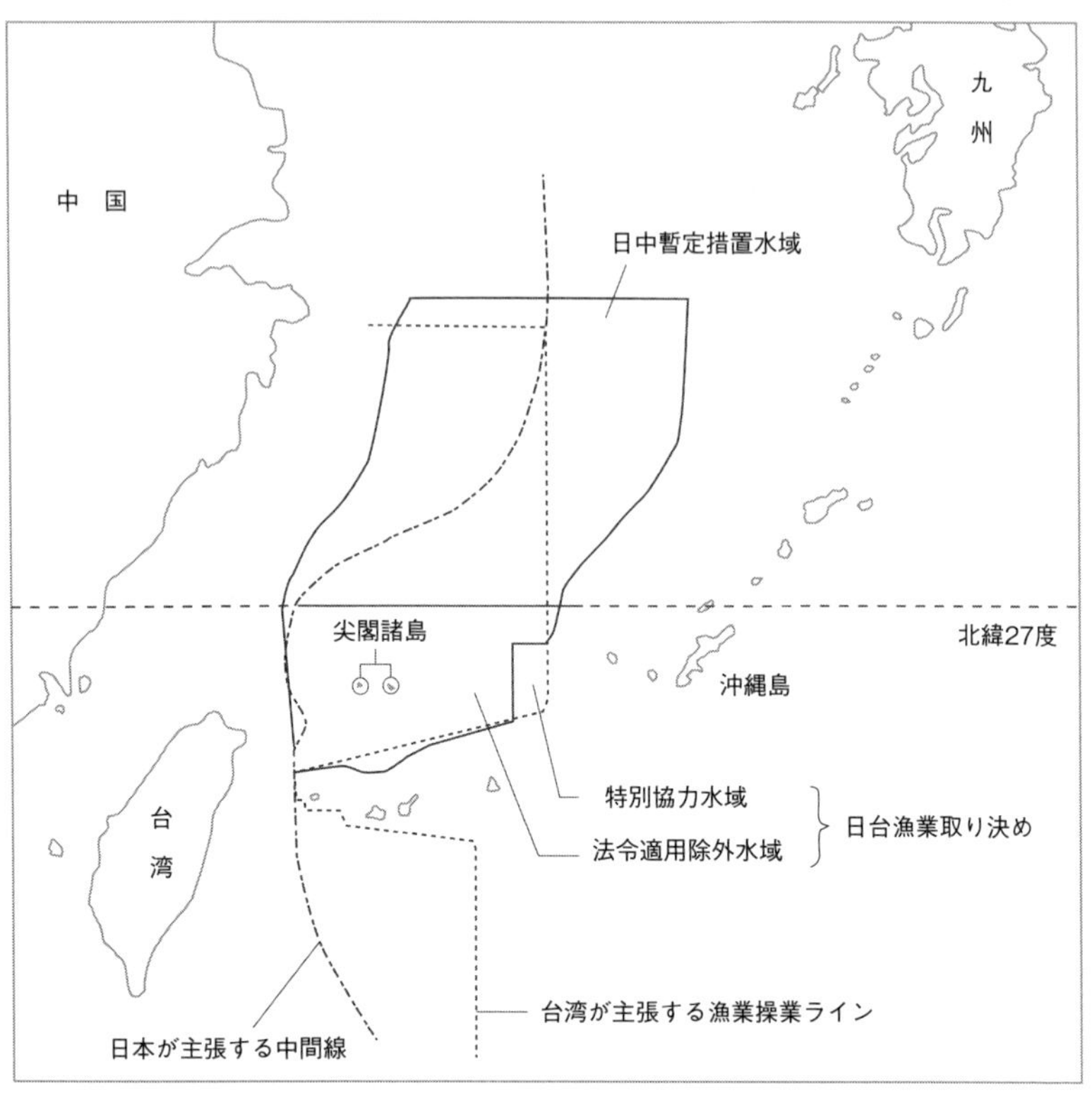
九州
中国
日中暫定措置水域
尖閣諸島
北緯27度
沖縄島
台湾
特別協力水域
法令適用除外水域
日台漁業取り決め
台湾が主張する漁業操業ライン
日本が主張する中間線

邸）で、日台民間漁業協議を行い、「日台漁業取り決め」に合意し、一九九六年から一七年にわたって話し合いを続けてきた懸案を解決した（図5）。

今回の日台漁業取り決めによると、「対象となる水域」は、①「法令適用除外水域」と、②「特別協力水域」からなる。前者は、尖閣諸島周辺を含む「日本側排他的経済水域の一部」を台湾の漁船が自由に操業できるよう譲る地域である。後者は、法令適用の除外水域とはしないが、台湾漁船の操業を最大限尊重する水域である。そのほか三地点で、台湾側がこれまで主張してきた漁業操業ラインである「暫定執法線」を越える部分に「法令適用除外水域」が制定された。これによって台湾漁船が操業できる漁場は新たに約四五三〇平方キロメートル拡大された。

馬英九政権は、二〇一二年八月に「東シナ海平和イニシアチブ」を提唱し、領有権問題を避け、海洋資源の有効活用を訴えていたが、今回の合意は、馬イニシアチブを実現したことになる。この取り決めは尖閣諸島の領有権問題には触れていない。双方の漁船の自由な操業を認める「法令適用除外水域」には尖閣諸島周辺一二カイリの範囲が含まれず、この範囲は棚上げした形である。この部分については、日台双方が領有権を主張している。ちなみに林永楽外交部長は調印式後の記者会見で「合意文書の中には、台湾側の利益を損なう文言は一切含まれていない」とコメントして、「取り決め合意」は領有権問題には影響しないと強調した。

では、この日台協定と既存の日中協定との関係はどうか。日中両国は一九九七年に漁業協定を締結しているが、これは北緯27度以北を対象としたものである（図5）。今回は北緯27度以南を対象としたので、日中協定を前提としつつ、そこに含まれない南方の部分について補足した形となる。「釣魚台／尖閣諸島は由来台湾の付属島嶼である」とするのが中国政府の見解であるから、日台取決めを基礎として日中協議、中台協議を進める上で不都合はない。それが行われるならば、出口の見えない尖閣諸島紛争を解決する契機となりうる可能性がある。

（初出：『尖閣衝突は沖縄返還に始まる——日米中三角関係の頂点としての尖閣』花伝社、第1章、二〇一三年八月）

表1-1　尖閣紛争の経緯（1943～1978年）

年月（出来事）	連合国		敗戦国日本の認識
	中国の主張	米国の対応	
1943年11月22日 英米中カイロ会談	（民）四ヵ条。甲、旅順、大連の公有財産および建設類は無償で中国に引き渡す。乙、南満洲鉄路と中東鉄路は無償で中国に返還。丙、台湾及び澎湖列島の公有財産及び建設類は無償で中国に引き渡す。丁、琉球群島を国際管理・非武装区域とする。『蔣介石日記』の1943年11月23日の項。「領土問題を語る。東北4省および台湾澎湖群島はすべて中国に帰属すべきだ」「琉球は国際機構に委託して中米共同管理とする」。	ルーズベルトの対応。中国側の記録によるとルーズベルトが、「中国による琉球の支配を歓迎していた」ことを示唆するが、国務省領土小委員会にとっては「考えられないような発言」。ルーズベルトは「中国が琉球を欲していると本気で信じていた」「ルーズベルトは中国を四大国の一員とみなすことを蔣介石に示して、中国の自信を強めようとした」（エルドリッヂの評価）。	
1945年8月			ポツダム宣言受諾
1957年6月		アイゼンハワー大統領が琉球に対する日本の「残存主権」を確認。	
1961年		ケネディ大統領が琉球に対する日本の「残存主権」を確認。	
1962年3月1日		ケネディ大統領「琉球のための執行命令」において「琉球は日本本土の一部と認識」し、「自由世界の安全保障上の利益が日本に対する完全な主権の返還を許す日の到来するのを期待する」と言及。	
1967年9月8～9日	（民）佐藤栄作・蔣介石対談。8日「佐藤が琉球問題を提起したが、名義上信託管理権を放棄するすべなし」。9日佐藤は琉球問題を再度提起。「琉球の日本返還に反対しない」態度を蔣介石が佐藤に明言した（言外に尖閣の日本返還は反対）（『蔣介石日記』）。		
1970年			
8月26日	（民）中華民国外交部長魏道明が「釣魚諸島は中華民国の一部」と声明。		
9月2日		CIAの台湾情勢報告。「中華民国は急速に時代の終わりに近づきつつあり」「数年内に台北の国際的地位は大変化に見舞われよう」「台湾社会は急速に都市化している」。	

9月16日	（民）駐米周書楷大使がグリーン国務次官補に4頁からなる「口上書」を手渡す（*FRUS*, 22）。		
1971年			
3月15日	（民）駐米周書楷大使から国務省宛てに「尖閣口上書」を送り尖閣の領有を主張（*FRUS*, 115）。		
4月7日	（民）蔣介石の釣魚台列島の処理方針4カ条：甲、当該列島の主権は歴史的にも地理的にも台湾省に属することについて問題はなく、論争の余地はない。乙、事実上は米軍が現に占領しており、それをどこの国に帰属させるかはまさに米国がこれを決める。丙、もしそれを一時的に日本に渡すならば、わが方は国際法廷に提起して国際法でこれを解決する。丁、この件は軍事的解決策はありえない。戊、わが国策は「光復大陸、拯救同胞」をもって第一とすべきである（『蔣介石日記』）。	蔣介石の4カ条は米国に直接伝えられたものではないが、その趣旨は外交ルートで米国に伝えられ、米国は当惑するが、旧連合国の一員として無視はできない。	
4月10日	（民）ワシントンで台湾留学生たちが保釣デモ（*FRUS*, 113）。		
4月12日	（民）午前、周書楷大使がニクソン大統領に離任挨拶し、尖閣の主権を主張。ニクソンは初めて尖閣問題を認識した。午後3時31分から47分までキッシンジャー補佐官と米台関係を協議。周書楷は4月10日のワシントン保釣デモに言及しつつ、尖閣諸島に対する主権を主張する。キッシンジャーは初めて尖閣問題を認識し、ホルドリッジに問題点の要約を指示した（*FRUS*, 113）。		
4月13日		ホルドリッジが要約した周書楷口上書（71年3月15日）にキッシンジャーは次のコメントを書き加えた。「一方で尖閣の日本返還を行いつつ、他方で「米国の立場は中立」と語るのはナンセンスだ。もっと中立的なやり方はないものか」（*FRUS*, 115）。	米国の動きに鈍感
4月14日	（民）蔣介石が周書楷から帰国報告を聴取した印象を日記に記す。「大統領は私的な特使を派遣して中華民国側との間で国連代表権問題と釣魚台問題を協議したい由だ。余が思う	ニクソンは台湾の安全保障のために特使派遣を約束し、特使にもたせる土産を検討。	日本は台湾と米国の動きにきわめて鈍感。

4月14日	に、これは情をかけるリップサービスにすぎぬ」(『蔣介石日記』)。蔣介石はピンポン外交の行方を深く憂慮した。		
5月3日	(民) 繊維交渉担当のD・ケネディ特使が台北で蔣介石と会見。尖閣も語り合う (*FRUS*, 121)。		
5月10日		4月21日付周恩来発ニクソン宛てメッセージ (ヤヒア・カーン経由) にニクソンが返信。「高級対話の用意あり」(*FRUS*, 125)。	
5月13日	(民) 新任駐米大使沈剣虹が尖閣に射爆撃場を作る提案を行う。『蔣経国文書』(No.005-01020-00159-015)。	米国は尖閣の軍事基地化を検討。	尖閣射爆撃場受け入れ。
5月23日	台湾の米国留学生が保釣運動。	『ニューヨーク・タイムズ』に「保衛釣魚台」の意見広告。	
5月26日	(民) 米国務省が中華民国に公的覚書。「ワシントンが釣魚台の施政権を移転することは、これらの諸島に対する中華民国の主権請求権に対して影響するものではない」(*FRUS*, 134, n.6)。		
5月29日	(共) 周恩来総理はニクソン訪中の準備のためにキッシンジャー訪中を歓迎。		
6月7日	(民) 蔣経国行政院副院長がケネディ特使を通じて、国務省から「最終状態は未定」の言質をとる (*FRUS*, 134)。	午後3時25分～4時10分、ニクソン、キッシンジャー、ピーターソンがキャンプデイビッドで最終協議。「尖閣日本返還の立場を変えない」と最終決議 (*FRUS*, 134)。 釣魚台諸島の「最終状態は未定」であり、米側は中立と説明しつつ、日台協議を愛知揆一外相に求める (*FRUS*, 134)。 ピーターソンがニクソンに伝えたケネディ特使の尖閣論。「尖閣の領有は係争中」「日本返還を棚上げし、係争解決まで米国預かりが望ましい」(*FRUS*, 134)。	愛知はロジャースに調印後に説明すると返答。
6月9日		パリでロジャース長官と愛知外相が会談して協定案に日米が結着 (*FRUS*, 134)。	
6月11日	(民) 中華民国外交部の琉球群島および釣魚台列嶼に関する声明。		

6月15日	（民）駐日大使彭孟緝、愛知外相と尖閣問題で会談（*FRUS*, 134, n.6）。		
6月17日 沖縄返還協定に調印	（民）蔣介石が蔣経国と釣魚台列島問題を語る。「米国は日本にわが方と協議するよう促す。今日は米国が琉球返還に調印日なり」（『蔣介石日記』）。	米声明「沖縄返還は中華民国の潜在的請求権を損なわない」（*FRUS*, 134, n.6）。	
6月21日	（共）周恩来が米キートレイ記者に尖閣は台湾の付属島嶼にすぎぬと、台湾と一括解決論を語る（*China File*, December 31, 2012）。		
7月12日	（民）蔣経国が台北駐在の米国大使マコノイに対して、「日本は尖閣問題について意味のある協議を拒否」と苦情（*FRUS*, 134）。		
12月30日	（共）中華人民共和国外交部声明（尖閣の帰属）。		
1972年			
3月26日	（民）周書楷外交部長が台北駐在マコノイ大使に尖閣を米軍の射爆撃場とするよう提案。『蔣経国文書』（No.005-010205-00013-002）。	沈剣虹大使提案を周書楷外交部長が再度要求し、米国がこれに応ずる。	基地化受け入れ。
5月9日	（民）中華民国外交部の琉球群島および釣魚台列嶼に関する声明。		
5月15日		沖縄返還施行。	
9月25〜28日			田中角栄・周恩来会談。
1978年			
4月12〜18日	（共）尖閣諸島周辺に200隻近くの中国漁船集団が集結し、大騒ぎとなる。		
8月10日			園田直・鄧小平北京会談。
1979年1月1日	（共）米国と中華人民共和国（北京）が国交正常化。米台関係は民間交流に格下げ。		

＊　おもに1971年10月までは中華民国が代表し（民）、以後は中華人民共和国が代表（共）。
資料（1）*FRUS*, 1969-1976, China, 1969-1972に収められた文書による。*FRUS*,134のように文書番号で示した。（2）『蔣経国総統文書』（President Chiang Ching-kuo Archive）。（3）『蔣介石日記』。

二　占領下沖縄の残存主権とは何か――ダレス方式の形成と展開

ここでは、サンフランシスコ対日平和条約草案の起草に当たったダレスが、一方で新生国連の憲章を十分に意識し、その場合に安全保障理事会の常任国・ソ連の発言権を無視できないこと、他方で、沖縄の東アジア軍事情勢における決定的な位置から、米軍の長期的な駐留を不可避とするための具体的な処理をどのように行うか、熟考の末に、ついに沖縄への残存主権（residual sovereignty）を認めるに至った経過を分析する。実にこの残存主権論こそが、一方で米軍駐留の根拠を作り、他方で後日の沖縄返還の根拠を作ったのだ。

1　尖閣にも日本の残存主権

中国で異例の反日デモが吹き荒れて一ヵ月後の二〇一二年秋、時事ワシントン電は「米、尖閣諸島は日本に残存主権」と題した四〇年前の沖縄返還交渉に関わる特電を報じた。興味深いニュースなので全文を紹介することから始めよう。

一九七一年六月の沖縄返還協定調印直前、当時のニクソン米大統領とキッシンジャー大統領補佐官（国家安全保障担当）が尖閣諸島を沖縄の一部とみなし日本の「残存主権」が及ぶことを確認していたことが、〔二〇一二年十月〕二日までに分かった。カリフォルニア州のニクソン大統領図書館がこの時のやりとりを記録した音声資料を保存していた。「残存主権（潜在主権）」は、外国施政下にある地域に潜在的に有する主権を指す。オバマ政権は現在、日中が争う尖閣問題では「主権問題に関与しない」との立場を取っている。音声資料によれば、ニクソン大統領とキッシンジャー補佐官らは同年六月七日午後、ホワイトハウスの大統領執務室で約二〇分間、一〇日後に迫った沖縄返還協定の調印と当時の中華民国（台湾）が日本への返還に反対していた尖閣諸鳥の地位について検討を行った。キッシンジャー補佐官はこの中で、一九四五年に日本が台湾から撤退した際、尖閣諸島は「沖縄と共に残された。五一年のサンフランシスコ講和条約で、沖縄の日本の残存主権はわれわれによって認められた。その時にこれらの島々に関する大きな決断は成された」と主張した。中華民国の反対をめぐっては、講和条約から七一年に入るまで尖閣諸島に関する「特別な交渉は一切行われていない。既に（中華民国から）手放され、自動的に沖縄に含まれた。これが（今日までの）歴史だ」と指摘。ニクソン大統領も、沖縄返還交渉を「台無しにすることはできない」と応じ、同補佐官の意見を支持していた（時事ワシントン電二〇一二年十月二日）。

この記事で注目すべき箇所はどこか。「オバマ政権は現在、日中が争う尖閣問題では「主権問題に関与しない」との立場を取っている」（しかし七一年六月七日午後、ニクソン大統領とキッシンジャー補佐官との会話で、五一年のサンフランシスコ平和条約で）「沖縄に対する日本の残存主権を米国が認めていた」とする電話録音が、「カリフォルニア州のニクソン大統領図書館」に残されていた事実を確認したことである。

尖閣問題では、現在、日本、中国、台湾が主権を争っているが、米国は一九七一年の沖縄返還以来、「立場をとらない、中立（takes no position, neutral position）」を明言してきた。そして米国の立場は、サンフランシスコ条約に基づいて米軍が沖縄占領を始めて以来、この立場で一貫していると主張してきたことは、私自身もそう書いてきた通りである（たとえば本書「尖閣問題の核心 三」）。

しかしながら沖縄占領の前提となるサンフランシスコ平和条約では、米国の立場は、日本が沖縄に対してもつ「残存主権（Residual Sovereignty）」を明確に認めていた（Jean-Marc F. Blanchard, China Quarterly, March 2000, p. 110）。ここでの残存主権とは、米国が「琉球諸島を日本以外の国に返還しない」ことにほかならない。当時、米国政府のこの意図を再確認したのは、サンフランシスコ講和会議の英国代表ヤンガー（Kenneth Younger）であり、彼は「サンフランシスコ平和条約は琉球の主権を日本から切り離すものではない」（China Quarterly, p. 110）と述べた。アイゼンハワー大統領は一九五七年六月、岸信介首相に琉球諸島に対する残存主権とは「米国が一定期間、権利を行使したのち、主権は日本に返還されるであろう」と語った（China Quarterly, p. 117）。

ある資料（China Quarterly, p. 109）は、「残存主権（Residual Sovereignty）」を否定する側の論理を次

のように解説した。「米国政府は尖閣を含む琉球諸島を米国が併合するか、国連信託制度下で長期的に施政権を行使し続けるかを議論していた」。これは明らかに、日本の「残存主権」を認めない主張、すなわち沖縄没収の論理を説明したものだ。なるほど冷戦の激化する過程で「米軍内部」においてこのような議論が行われたのは、当然予想しうることだ。しかしながら、これは「米国の領土を拡張しない」とする大西洋憲章にまったく背馳することも自明であり、国務省にとってはとうてい受け入れられない考え方であったはずだ。

2　一九七一年の豹変

一九六二年三月、ケネディ大統領は琉球のための執行命令において、「私は琉球を日本本土の一部と認識し、自由世界の安全保障上の利益が日本に対する完全な主権の返還を許す日の到来するのを期待している」(China Quarterly, p. 118) と述べている。このケネディ命令には、琉球諸島から尖閣諸島を切り離す意図はなく、明らかに尖閣諸島を含めて、全沖縄を日本に返還するものと米議会のためのCRS (Congress Research Service) 報告 (「中国の海洋権益要求」、November 12, 2001) は指摘している。

時事ワシントン電の趣旨は、サンフランシスコ講和会議では「日本の残存主権」を認めておきながら、いまになって米国が「中立」のみを語るのは、信義に反する。これが記者やデスクの感覚であろう。以上の検討から明らかなのは、五一年の講和会議と七一年の沖縄返還との間で、米国政府が「立場を変え、豹変した」事実である。

顧みると、サンフランシスコ講和会議で「残存主権」を公言して、戦敗国であり、当該国である「日本の同意」を得る形で出発したのが沖縄に対する占領行政である。しかしながら一九七二年の沖縄返還に際しては、単に「施政権のみ」を返還する、「主権、領有権については立場を採らない」というスタンスに豹変した。ここで米国が「施政権と領有権との区別」論に転換したのは、まさに「一九七一年前半」に生じた国際情勢の激変が生じたからであった。すなわち一九七一年半ばだからこそ、強調されなければならなかった区分論と見るべきである。当時の国際環境の激変とは何か。

七一年四月に東京の世界卓球大会に参加していたアメリカチームが突然北京を訪問するピンポン外交が行われた。六月に『ニューヨーク・タイムズ』副編集長のトッピング夫妻、『ウォールストリート・ジャーナル』の国際問題担当記者ロバート・キートリー夫妻が周恩来に招かれて北京を訪問した。七月九日キッシンジャー米大統領補佐官が秘密裏に訪中し、周恩来と会談して「七二年五月までにニクソン大統領訪中」で一致した（このニュースは一九七一年七月十五日に発表され、世界を驚かせた）。

繰り返す。そもそも沖縄返還交渉はなぜ行われることになったのか。日本が「残存主権を保持した」ゆえに、「返還されることになった」ことは自明だ。というのは、そもそも日本が沖縄に対して何も権限をもたないならば、返還すべき根拠はないはずだ。

問題は尖閣返還のあり方だ。このとき、米国は「施政権のみの返還」を強調する一方、「主権争いについては中立」と逃げた。その理由は、当時からむろん推測できたことだが、その後の事態に照らせば誰でもわかるように、表向きは「蔣介石の意向」を尊重しつつ、合わせてこれから正常化交渉を始めようとする中華人民共和国・北京の動向を見据えたものであったことは明らかだ。ニクソン訪中がすでにホワイトハウスの政治日程に入っており、相手側の主張に十分配慮しつつ、交渉を進めようとキッシンジャーは計算していた。

上院外交委員会公聴会の記録には、尖閣諸島の扱いについてさまざまの代替提案が見える。典型的な例は、尖閣諸島は台湾（中国）に帰属するので、返還協定から外すべきだという、蔣経国や華人系米国市民のものであった（Hearings, p. 112）。

米国務省は、尖閣諸島について、①日本の期待する領有権返還、②中国・台湾の期待する日本への返還対象から尖閣諸島を除く案、これら「両者の中間案」を決定したことになる。すなわち尖閣諸島を日本に返還するが、それは「施政権のみの返還であり、領有権を含まない」とする分離案だ。

領有権については米国は「中立の立場を堅持する」という折衷案であった。そして国務省は、「中立の立場」をことさらに強調して、台湾（＝中国）への配慮を印象づけたが、これは中華民国側が強く要求した条件に応えたものにほかならない。これは同時に、ニクソン訪中へ向けた、「土産の一つ」ともなった。米国は、一方では中国の立場に十分に配慮していると指摘しつつ、他方では、日米安全保障は「日本の施政権の及ぶ範囲に適用するものだ」と説明して日本を安心させ、中国を牽制したのであった。

米国がこのようなスタンスに転換したのは、沖縄返還交渉の最終段階において、キッシンジャー・ニクソン訪中の構想が浮上したからと見てよい。要するに、沖縄返還協定に調印した六月十七日の四ヵ月後、十月二十五日に国連安全保障理事会における中国代表権問題が結着するという間の悪さが日本の不運、米中の幸運をもたらしたことになる。

返還交渉を進める米国側は、これら二つの外交課題に象徴されるベトナム戦争以後の冷戦体制を深く認識しつつ米日交渉を進めていたのに対して、中国代表権問題で最後まで米国の指揮にしたがう「愚忠」を貫いたわが外務省には、米国への警戒感は微塵もなく、対米追随の奴隷外交を少しも疑わなかったように見える。その結果、経済面におけるいわゆるニクソン・ショックだけではなく、国際関係におけるニクソン＝キッシンジャーの謀略はまるで眼中に入らない。返還交渉の最後の切り札として登場した「施政権と主権の分離論」の意味にまるで無頓着、「施政権の返還とは、主権の返還と同義である」「潜在主権を完全な主権に戻すことが施政権の返還である」とする、米国とは同床異夢の解釈を国会で繰り返した。議会では、その詭弁を論駁することができず、その矛盾がついに四〇年後に爆発した。

話を元に戻すと、沖縄返還に際して、米国は二〇年前に日本から得た「施政権」を、「そのまま返還するもの」と強弁した。「そのまま」とは何か。米軍施政権行使の二〇年間に米国は沖縄の主権状態に対しては、「何ものも付加せず、何ものも減じていない」、「単に施政権を行使し続けたのみ」と強弁した。通常の法的秩序からすれば、借地を継続するならば、借地権が発生するし、いわんや日本敗戦に伴う敗戦処理をひきずる沖縄租借とその返還劇であり、その国際・国内環境に対する影響は甚大だ。この間の変化はまことに大きい。

これを十分に認識しつつ、米国は、国際社会における中華人民共和国の登場を踏まえた上での米国のスタンスを決定するために、いわば「チャイナ・シフト」を模索していた。返還協定の大きな不備に日本が気づくのは調印後であり、その不備を苦い体験として再確認させられるのは四〇年後であった。

ただし、本書の主題は「沖縄問題一般」ではない。日清戦争前夜に領有を閣議決定し、沖縄県の一部として扱ってきた尖閣諸島の帰属問題だ。いまや尖閣問題は、四半世紀の日本の戦後復興を経て沖縄返還の前後には、沖縄返還全体を揺るがすほどの怪物に成長した。その直接的理由は、国連アジア極東委員会の調査報告で「尖閣周辺には巨大な石油資源が眠る」という資源情報のためであり、一介の無人島が巨大な妖怪のごとく海中から浮かび上がり、日中関係の全局を左右し始めた。あたかも「犬の尻尾が犬を振り回す図柄」である。この悲喜劇に幕を下ろすには、問題の由来を解くことが必要だ。

3 沖縄に対する日本の「残存主権」——ダレス方式

では、ダレスの考えた「残存主権（Residual Sovereignty あるいは Residual Authority）」とは、そもそもなにか。これとツイになるのは、当然に「完全な主権（Full Sovereignty）」であろう。『世界大百科事典』（平凡社）は、「残存主権」をこう解説する。

国際法上確定した特定の意味のある言葉ではない。対日平和条約署名のためのサンフランシスコ会議で、アメリカの全権J・F・ダレス〔一八八八〜一九五九。一九五〇年トルーマン政権下のディーン・アチソン国務長官のもとで国務長官顧問に就任。五一年サンフランシスコ平和条約を主導した〕が、沖縄・小笠原について「アメリカは〔サンフランシスコ〕平和条約3条によって統治権をもつが、日本はなおResidual Sovereigntyをもつ[*12]」と述べて注目された。

さらに『世界大百科事典』は、「〔Residual Sovereigntyは〕〈潜在主権〉ともいうが、潜在する主権が将来顕在するというより、むしろ日本に残された主権という意味であるから、〈残存主権〉と訳すほうが適切である」と補足されている。この解説から明らかなように、サンフランシスコ講和会議の当時、ダレスは、国務省に根強く存在したリベラルな考え方、すなわち「沖縄の即時日本返還」ではなく、軍部の主張する「沖縄占領の継続論」に傾斜した。

ちなみに当時の国務省では一九四一年八月九〜十二日チャーチルとルーズベルトによって調印された大西洋憲章（Atlantic Charter）の第1条「両国は領土的その他の増大を求めず」、第2条「両国は関係国民の自由に表明する希望と一致せざる領土的変更の行われることを欲せず」とする領土不拡大の原則を堅持するリベラルな見解が多数を占めていたのである。

リベラル派と対日強硬派の軍部との綱引きの中で産まれた苦肉の策が「日本が残存主権をもち」、「米国が施政権を行使する」という「残存主権・施政権」の分離論なのであった。その精神は、サンフランシスコ平和条約の第3条には、こう書かれた。「日本国は、北緯二十九度以南の南西諸島（琉球諸島及び大東諸島を含む。）、孀婦岩（そうふがん）の南の南方諸島（小笠原群島、西之島及び火山列島を含む。）並びに沖の鳥島及び南鳥島を合衆国を唯一の施政権者とする信託統治制度の下におくこととする国際連合に対する合衆国のいかなる提案にも同意する」。「北緯二十九度ライン」は、トカラ列島と奄美大島の中間に位置する（図3、二三六頁）。つまり種子島、屋久島までは講和条約段階で鹿児島県に戻り、トカラ列島の南に位置する奄美諸島以南（沖縄本島、宮古、八重山群島）においては、引き続き米軍の施政権下における「信託統治」という名の占領が続けられたわけだ。

その根拠は何か。米国が国連にそのような提案を行い、「国連が米国の提案を認めた」というのがそのタテマエである。国連の創設において米国は主導的な役割を果たしていたことからして、米国の提案を国連が受け入れるのは自明だが、米国が「国連の信託」の名において行う統治形態を選択したのは、やはり大西洋憲章以来の米国の第二次大戦処理方針の枠組みの中で行う方法を尊重したものであろう。ただし、ここで「国連の権威」は用いつつ、連合国軍としてではなく、「合衆国を唯一の施政権者」とし、さらに「国連安全保障理事会」のもとに置くことをしなかったことには、深謀遠慮があった。ソ連や中華民国の干渉を排して、米国が英国（および英連邦諸国）の支援を得つつ自由に施政権を行使できる枠組みを構築したのであった。

「合衆国を唯一の施政権者とする信託統治制度の下におく」とする「国際連合に対する合衆国のいかなる提案」をも日本国が「同意」した形で沖縄の施政権を行使するという大義名分は、国際政治的にも、日米関係にとっても決定的に重要な枠組みであったと見てよい。

ここで肝心なのは、一方で「国連の権威」を掲げつつ、他方では「安全保障理事会のその他の連合国軍参加国の干渉」を排する枠組みとしたことである。さらに、沖縄占領の継続は、「敗戦国・日本の同意」に基づいて行われるとしたことである。秀吉以来、あるいは江戸時代以来の沖縄と本土の歴史、さらには明治以来の沖縄県の歴史を知る日本人にとっては、日本国の「同意」は当然に見えるが、東アジアの日本の近隣諸国には、たとえば中華民国の蔣介石のように、これを当然とは見なさない動きが根強く存在したことも見逃してはならない。この事実に対して日本人の歴史認識はきわめて甘い。これがアジアの近隣諸国からしばしば「歴史問題」として批判されるものだが、批判に対して反発するあまり、いよいよ「歴史問題」を軽視する過ちを繰り返しているように見える。

日米戦争中の米軍の「沖縄帰属」に対する認識には、さまざまの試行錯誤があったが、これをいわば統一してみせたものが「ダレス方式」にほかならない。

（1）大西洋憲章に見られる領土不拡大のリベラルな精神を守るためには、米国の沖縄占領には大義名分が必要だ。これに答えるのが「国連による信託統治」論である。

（2）他方で朝鮮戦争に見られるように東アジアでは冷戦が始まっており、そこではゼロサムの領域獲得競争が行われている。もし沖縄の即時返還を行えば、日本の左翼政権がソ連を同盟国として扱い、「沖縄にソ連軍基地が設けられる」極端なケースもありえない話ではない。

（3）さらに国連は、組織としては創設されたものの、その運営においてはさまざまの力関係を反映して、順調な運営が可能か否かは未知数である。ここで米国にとって他国（特にソ連）の干渉を排しつつ、米国の国益を追求するには、国連組織規定のどの条項を選ぶべきか慎重な検討を要する。

これら「複雑な三ヵ条を同時に満たす解」としてダレスの考えた方式こそが「日本国は沖縄に対して残存主権をもつ」という観念にほかならない。ここで吉田内閣との交渉になるが、その場合「天皇の意向」として日本国民の総意をまとめることの有効性をダレスは深く認識していた。こうして米国は吉田内閣を表の窓口、実質的には天皇の意向、両者を合わせて日本国家の意志と認識し、これに「残存主権」を賦与した。

国務省リベラル派は、講和会議をもって日本本土の占領が終わるのと同時に、「沖縄占領も停止して日本に返還すべし」とする意見を主張し、他方米軍は冷戦態勢のカナメとして沖縄基地を位置づけて永久基地化を狙っていた。とりわけ沖縄作戦で血を流した米軍が沖縄占領の永続化を主張した背景には、真珠湾の奇襲を繰り返させないためには、沖縄の死守が必要だと見る観点が色濃く反映し、サンフランシスコ平和条約構想は、日米安保体制の樹立とセットの形で進められた。もし平和条約締結時に国務省リベラル派の構想する「沖縄の即時日本返還」が実現していれば、連合国間の協議のもとで、尖閣諸島は台湾の一部として、中華民国に帰属していたであろう。

こうして、初歩的に姿を見せ始めた冷戦構造への対応措置としての講和会議である以上、しかも米国は被占領国・日本の同意を根拠として、沖縄占領を続けるとする大義名分を掲げる以上、日本側に対して「契約当事者としての資格・権限」を賦与しておく必要が生じた。逆にいえば、敗戦国日本が沖縄に対する一切の権利を失う場合には、租借に同意を与える資格をもたないことで、租借論は成り立たない。これら内外の諸条件を解く連立方程式の解として産まれたものこそ「ダレス・フォーミュラ」、すなわち「残存主権論」にほかならない。

当時、近隣の中華民国（台湾）や韓国、そして中華人民共和国（北京）、ソ連陣営が沖縄に対する主権をどのように考えていたかについては、ここでは立ち入る余裕がないが、明らかなことはこれらの諸国がサンフランシスコ講和会議に参加していない事実である。[*13]

ダレス国務長官は、冷戦構造における西側の陣営作りを意識して、「全面講和」ではなくあえて「片面講和」を選んだ。そのためにこそ、沖縄に対する「日本の残存主権」を設定し、「残存主権をもつ日本」の同意を得て、沖縄占領を継続する形式が必要となった。

比喩的にいえば、帝国主義戦争に敗れた宗主国・日本から「沖縄という旧植民地」を剥奪する構図とは、異なる統治形態をダレスは選んだ形になる。

沖縄における占領行政は、ニミッツ布告[*14]に始まり、連合国軍最高司令部訓令（SCAPIN677）を経て、沖縄（琉球政府）の地理的境界を再指定した琉球列島米国民政府布告第27号（USCAR27）に至る。

この過程を通じて、「信託統治反対、即時祖国復帰」を主張する「沖縄の民意」は根強く存在し、他方で日本国上層部からの働きかけも無視するわけにはいかない事情もあった。後者の文脈で特に注目されるのは、宮内庁御用掛の寺崎英成の工作である。彼は一九四七年九月十九日、日本橋三井ビルの三階に置かれていたGHQ政治顧問シーボルドを訪問したが、その目的は、琉球諸島の将来および米軍による沖縄の軍事占領継続について、天皇の考えをマッカーサーに伝えるためであった。

4 「沖縄の民意」と「天皇の意向」からダレス方式へ

「シーボルドがマッカーサー司令官宛てにまとめた寺崎英成との会談メモ」（John Michael Purves 氏の個

人ホームページ niraikanai, Document Archive 一九四七年九月二十日）には、次のように記録されている。

宮内庁御用掛の寺崎英成氏は、沖縄の将来に関する天皇の考えを伝えるため来庁した。寺崎は天皇が米国が「沖縄と琉球の他の島」の「軍事占領を継続するよう」望んでいると述べた（重要なので英原文も付す）。Mr. Terasaki stated that the Emperor hopes that the United States will continue the military occupation of Okinawa and other islands of the Ryukyus.

天皇の意見では、そのような占領は米国の利益となるばかりでなく、日本自身の防衛にも役立つ。天皇が思うに、そうした措置は日本の人々の中で広く受け入れられよう。日本国民はロシアの脅威を恐れているばかりでなく、占領が終わったのちに左右の勢力が台頭し、日本に内政干渉する根拠としてロシアが利用しうる「事件」を引きこすのではないかと懸念した。In the Emperor's opinion, such occupation would benefit the United States and also provide protection for Japan. The Emperor feels that such a move would meet with wide spread approval among the Japanese people who fear not only the menace of Russia, but after the Occupation has ended, the growth of rightist and leftist groups which might give rise to an "incident" which Russia could use as a basis for interfering internally in Japan.

天皇はさらに沖縄（および必要とされる他の島）の米国軍事占領は、日本に主権を保持しながら「二五年から五〇年以上の長期租借」というフィクションに基づいて行われる必要あり、と感じている。The Emperor further feels that United States military occupation of Okinawa (and such other islands as may be required) should be based upon the fiction of a long-term lease-25 to 50 years or more-with sovereignty retained in Japan.

天皇によると、この占領方法は、米国が琉球諸島での永久的な計画がないことを日本国民に納得させるとともに、特にソ連・中国による、類似の権利要求を封ずることができよう。According to the Emperor, this method of occupation would convince the Japanese people that the United States has no permanent designs on the Ryukyu Islands, and other nations, particularly Soviet Russia and China would thereby be stopped from demanding similar rights.

手続きに関して寺崎は、（沖縄と琉球の他の島の）「軍事基地権」取得は、日本と連合国の平和条約としてではなく、米国と日本の二国間租借条約によるべきだと感触を述べた。というのは連合国との平和条約方式は、押しつけられた講和になり、将来日本国民の好意的理解を危うくする恐れがあるからだ。As to procedure, Mr. Terasaki felt that the acquisition of "military base rights" (of Okinawa and other islands in the Ryukyus) should be by bilateral treaty between the United States and Japan rather than form part of the Allied peace treaty with Japan. The latter method, according to Mr. Terasaki, would savor too much of a dictated peace and might in the future endanger the sympathetic understanding of the Japanese people.

シーボルドは二日後の九月二十二日に国務省に報告した。

注目すべきことだが、天皇は米国が沖縄と琉球の他の島々への軍事占領を継続することを期待している。これは天皇自身の利益に基づいた希望であると見て疑いない。It will be noted that the Emperor of Japan hopes that the United States will continue the military occupation of Okinawa and other islands of the Ryukyus, a hope which undoubtedly is largely based upon self-interest.

天皇はまた、長期の租借形式で、米国がこれらの島々の軍事占領を続けることを予想している。天皇の意見では、日本の国民は、米国が下心をもたないことを確信し、防衛目的のための米国の占領を歓迎する。The Emperor also envisages a continuation of United States military occupation of these islands through the medium of a long-term lease. In his opinion, the Japanese people would thereby be convinced that the United States has no ulterior motives and would welcome United States occupation for military purposes.

天皇のメッセージは九月二十日に国務省極東局に届いた。この日、極東局のボートンは、琉球における米軍基地は、「信託統治」方式ではなく、「基地だけの租借」方式とすることを軍部・国務省の代表者に提案した。軍部には「沖縄基地をソ連の軍事基地として使わせてはならない」とする強い決意があり、その観点からボートン提案を拒否した。国連がらみのテーマとした場合、ソ連が拒否権を発動する危険性は明らかであった。そこで米国政府は、最終的に「日本の残存主権」を虚構として想定し、その日本との同意に基づいて米国が占領を続ける方式を選択した。これこそが「ダレス・フォーミュラ」の成立にほかならない。

5　残存主権から返還交渉へ

苦肉の策として生まれたダレス方式が生まれた経緯について、一九七一年十月二十七日の上院外交員会・沖縄返還協定公聴会でのロジャース国務長官報告を見てみよう（Hearings, pp. 4-6)。

（1）サンフランシスコ平和条約の起草が嚆矢である。日本は「残存主権（Residual Authority）」を持つ。一九五一年九月五日平和会議への平和条約を起草したとき、ダレス大使は、一部の連合国が、条約のためには日本がその主権を放棄する必要があると要請していると指摘した。

（2）他方、他の連合国は「（沖縄）島嶼は完全に日本に返還されるべきだ」と主張した。連合国の分裂に直面してダレス大使は、最良の方策は日本に残存主権の保持を許し、国連の信託統治とした上で米国の施政権下に置くことだと米国は考えると述べた。

（3）これらの島嶼を国連の行政的権威のもとで国連信託統治制度下に置くことを可能にするには残存主権の方式は、明らかに次の思想を日本と世界に伝えるものであった。すなわち米国は「安全保障のために一時的に管理する」とはいえ、かつて日本の領域であったものを「永遠に日本から切り離し、戦争の結果として米国が領土を獲得する」ものではないことを明示する形が必要であった。

（4）一九五三年十二月に米国は沖縄列島の北部地区・奄美大島を日本の施政下に返還した（USCAR 27）。その後一九五七年六月には、アイゼンハワー大統領と岸首相の共同声明で琉球に対する「日本の残存主権」を再確認している。

（5）日本の残存主権の認識（Recognizing of Japan's Residual Authority）。

一九六一年六月、ケネディ大統領と池田首相も同じ形で残存主権（Residual Authority）を再確認した。翌六二年三月、ケネディ大統領は琉球政策を研究する米政府タスクフォースのために下した命令でこう述べた。島の行政に関わる行政命令との関わりで、琉球を「日本本土の一部」として認識するとともに、「自由世界の安全保障上の利益が日本による主権回復を許す日の到来を期待する」と。

（6）ニクソン大統領と佐藤首相は、一九六九年十一月二十一日の共同声明で「一九七二年内に返還を達成する協議」に同意した、どの大統領もどの米国政府も認識してきた「日本の残存主権」は、占領の終焉に伴って回復する、と（Hearings, p. 5）。「一九七〇年には一〇年を期間とした日米安保が終わり、条約はいずれかが一年前に通告すれば終わる」ことになる。「予想されていた米軍基地に対する暴力的なデモが起こらなかったのは、共同声明によって七二年の沖縄返還が動き出そうとしていた」からであろう。

残存主権の本質

そもそも主権（ソブリン sovereign あるいはソブリンティ soverignty）とは、何か。それは分割したり、加算したりできるものであろうか。ダレスが「残存主権」なる新語を創造するまで、「残存」とか、形容句のつくソブリン概念は存在しなかった。少なくとも国際法ではソブリンとして単一であり、分割不可能な概念として措定されていた。施政権と足し算したり、引き算できる概念ではなかった。ダレスがこの用語を発明したのは、あくまでも政治的必要に迫られた苦肉の策にほかならない。この文脈であくまでも政治用語なのだ。

日本政府・外務省は、米軍の沖縄占領以後、日本に残されたのは Residual Sovereignty あるいは Residual Authority と認識して、一九七二年の施政権返還によって、これを加えるならば、〈潜在主権＋施政権〉＝〈完全な主権〉と信じて疑わなかった。これは国会における福田赳夫外相の答弁などに明らかである（図6）。

図6　主権、残存主権、施政権とは――尖閣諸島の領有権紛争

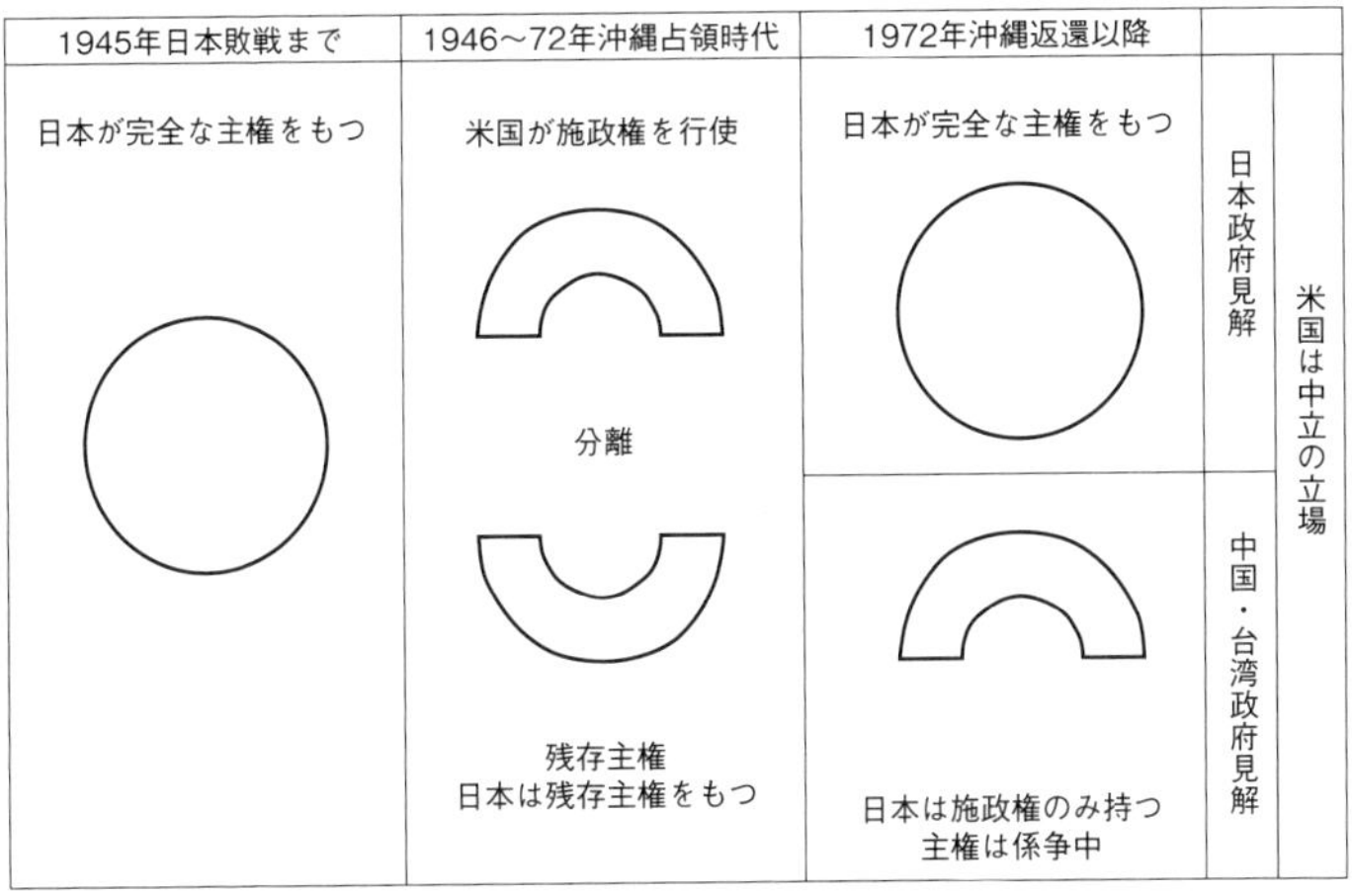

1945年日本敗戦まで	1946～72年沖縄占領時代	1972年沖縄返還以降		
日本が完全な主権をもつ	米国が施政権を行使 分離 残存主権 日本は残存主権をもつ	日本が完全な主権をもつ	日本政府見解	米国は中立の立場
		日本は施政権のみ持つ 主権は係争中	中国・台湾政府見解	

だが、ニクソン政権は返還協定の最後の段階で、尖閣諸島に関してのみ、中華民国（および中華人民共和国）にソブリン主張のあることを認めて、「中華民国および中華人民共和国による潜在的主権請求権（underlying claims of the ROC, PROC）」を認定し、尖閣の「主権紛争、日台中の紛争」に対して米国は「中立の立場（neutral position）」を保ち、日台中いずれの主張にも与しない（U.S. takes no position）と法的立場を説明した。

米国は沖縄占領中、一九五七年アイゼンハワー大統領（対岸内閣）、一九六一年ケネディ大統領（対池田内閣）と続けて、日本のもつ残存主権を確認し、ダレス方式を追認してきた。しかしながら、一九七一年の沖縄返還に際しては、特に尖閣諸島に対して、中華民国（および中華人民共和国）が領有権を主張していることに鑑み、彼らの主張を容認して、既存の立場を軌道修正した。どこを変えたのか。

米国が沖縄に対して施政権を行使してきたと自己規定して、その施政権を「そのまま」日本に返還したとする

点では、一貫している。米国政府がもしこれだけを語ったならば、無用の紛争は避けられたかもしれない。しかしながら、ニクソン政権は、台湾政府との繊維交渉、北京政府との対話再開などの諸条件を勘案して、（沖縄列島全体ではなく）尖閣諸島についてのみ、中華民国（および中華人民共和国）の主張を容れて、関係国の協議を呼びかけた。これは日本政府にとっては、想定外の出来事であったが、この事態に対する状況認識はお粗末きわまるものであった。その結果、日本の自己認識と、周辺隣国との認識のギャップが拡大し、今日の事態を招いた。

要するにソブリンという概念は、切り分けることの不可能な概念である。それゆえ、その扱いはきわめて難しい。これに比して、漁業資源や海底資源は、単なるモノである。それゆえ、数で分割可能だ。分割できない主権は主権として棚上げし、分割できる資源を分割する……この試みが馬英九尖閣論文の核心である。彼はこの発想で博士論文（ハーバード大学）を執筆し、二〇一二年八月には「東シナ海平和イニシヤチブ」を提起した。二〇一三年春に日台漁業協定が成立したのは、（日本政府の決断も一方の要素だが）馬英九の発想を基礎としたことに注目すべきである。この民間レベルの漁業協定もまた主権の扱い方の難しさを逆証明している。

（初出・『尖閣衝突は沖縄返還に始まる――日米中三角関係の頂点としての尖閣』花伝社、第3章、二〇一三年八月）

三　なぜ尖閣問題か——沖縄返還協定の米上院公聴会

一九七一年六月二十七日に沖縄返還協定が日米政府間で調印されたことを受けて、米上院外交委員会は、同協定の批准の是非にむけて、七一年十月二十七日から二十九日までの三日間、沖縄返還協定の公聴会を開催した。公聴会には、ロジャース国務長官、デビッド・パッカード国防副長官はじめ四名の政府当局者、ならびに沖縄問題に詳しい専門家、さらには返還協定に意見を寄せている関係者、計一二人が招聘された。本稿「三」では、この沖縄返還協定に関する米上院公聴会記録（Okinawa Reversion Treaty, Hearings before the Committee of Foreign Relations, United States of Senate, Ninety-Second Congress, First Session on Ex. J. 92.1. 以下、Hearings と略記）こそが、米国の豹変、すなわち政策大転換の舞台裏を読み解く最良のカギであることを示す。上院公聴会における米国政府の答弁こそが、尖閣問題を生み出した直接的契機の解説である。記録を解読することによって、その秘密が暴かれるであろう。

1　ロジャース国務長官の報告

報告

公聴会の冒頭報告でロジャース国務長官は、対日講和条約（サンフランシスコ平和条約）によって規定された沖縄の残存主権について経緯を紹介した上で（本稿「二」参照）、沖縄返還のさしせまった意義を説明した。サンフランシスコ平和条約では、沖縄は一時的に米軍の施政権下に入ったが、いずれ日本に返還されるべきものであり、沖縄住民の祖国復帰の要求は、復帰運動の先頭に立っている屋良朝苗氏が主席に選出されるように強いものがあり、同時に、米軍にとって沖縄は戦略的にきわめて重要である。沖縄返還についての一九六九年十一月二十一日のニクソン・佐藤共同声明では、米軍の存在が極東、とりわけ韓国・台湾の安全にとって枢要であり、米軍の機能の障害にならないかたちで沖縄が日本に返還されること、すなわち日米安保条約の適用下に置かれることを確認。今回、日本政府も沖縄返還に際して、三億二〇〇〇万ドルを支払うなど応分の負担をすることになっている。もし沖縄返還がこれ以上遅れて、沖縄の祖国復帰運動が強まれば、沖縄駐留の米軍の機能にも重大な支障をきたしかねないとして、返還の実施を上院議員たちに強く訴えた（Hearings, pp. 2-7)。

質疑

沖縄・尖閣諸島の主権問題

フルブライト外交委員長「提出リポートを読んで厄介な問題と感じているが、尖閣諸島に関わる点について米政府は、「主権を決定せずに残す」ということか?」

ロジャース国務長官「聞いて下さってありがとう。この条約はこれらの「島の法的状態に何も影響しない」ことを明らかにしておきたい。「条約に先立つ法的状態」のあり方が「条約の発効後」にも、そのまま同じ法的状態となる」(Hearings, p. 11)

フルブライト委員長「戦後の日本と連合国との平和条約で米国は「日本の保有する主権を接収しなかった」のは、事実であるとしてよいか?」

ロジャース「然り、その通り」

クーパー議員「ソ連は琉球に対する主権を要求しなかったのか?」(Hearings, p. 22)

国務長官「われわれの知る限りソ連はそれを要求しなかった」

クーパー議員「日本は北方諸島の主権をソ連に割譲したのか?」

国務長官「主権が割譲されたとは考えていないが、ソ連は北方島嶼を占領しており、そのために条約ができていない。日本はこの問題を沖縄返還と同様の観点から幾度かソ連と議論してきたが、まだ成功していない」(Hearings, p. 23)

クーパー議員「ソ連は北方島嶼の施政権を日本に返還するつもりがあるかどうか、長官は承知していないということか?」

国務長官「現在の情報を基礎として判断する限り、ソ連は北方領土について柔軟性はないと教えられている」（Hearings, p. 23）

大陸中国と台湾に関わる米国の立場

ジャヴィッツ議員「長官よ、大きな問題を一つだけ伺いたい。最も単純化した対比をやってみたい。もしわれわれが日本の主権回復のために沖縄を日本に譲るとして、世界における日本の立場を強化し威厳を高めるが、台湾は中国の一部とすることで一致している蔣介石と毛沢東は、返還に同意するのか、台湾は大陸に譲るのか？」（Hearings, p. 24）

国務長官「然り。私は昨日の陳述（陳述は十月二十七日、質疑は二十八日）でそれを指摘した。国連における投票結果は米国と台湾政府との関係には影響しない。米国と国民政府との関係は投票から影響を受けないというのは、台湾との防衛協定は続くということだ。米国は国府と外交関係を保持しており、二国関係には影響しない。国連の代表権問題では密接に協力して議論してきた。台湾は当然に失望しているが、米国はいかなる意味でも台湾を放棄することはない。国連における座席継続のための攻撃的な努力に台湾は喜んでいる。だからそこへ私の注意力を向けてくれてありがとう。もう一度いうが、国連における投票結果によって米台関係が変わることはない」（Hearings, pp. 24-25）

ジャヴィッツ議員「ところで長官よ、対話の前提は米国がトルーマン宣言に固執するのは、台湾の大陸反攻に加わったり、これを煽動するためではないと思うが、どうか？」

長官「その通りだ」

ジャヴィッツ議員「だから米国の立場は両面で整合性（台湾の擁護と大陸反攻の牽制）が必要だ」（Hearings, p. 25）

2　パッカード国防副長官の報告

公聴会でパッカード国防副長官は、「返還の時期は到来した」と次のように証言した（Hearings, pp. 42-44）。

――沖縄は国連の西太平洋における主要防衛勢力として、五万の兵力を展開している。これには軍隊の重要な部隊組織とすべての分野の部隊組織を擁している。沖縄の戦闘部隊と後方兵站部隊は、東アジアにおける前線基地の主要部分を構成している。日本への返還に伴い、これらの兵力は沖縄にとどまり、返還後も任務を継続する。しかしながら、米軍の活動は、従来とはちがい、本国における活動と同じレベルの自由をもつのではなく、ホスト国たる日本との間で了解された範囲の自由に制約される。これらの部隊が外国の領土で展開されるに当たっては、外国政府の見解に関心をもたないほうが容易であり望ましいが、一定の条件だけについて合意することが現実的である。

沖縄はユニークな歴史のゆえに、この原則の例外として扱われてきた。まず戦争で征服された領域であり、それから日本との平和条約下で施政が行われてきた。しかし日本および沖縄の人々との関係を正常化すべき時期が到来した。こうして日本と沖縄の返還要望に応えるのである。端的にいえば、返還以後、沖縄における米軍の活動は、日本本土で展開する米軍と同じ条件にしたがうことになる。これらの条件は、日米安保と関連協定に基づいて設定される。これは米日両国の安全保障上の利益に役立つ素晴らしい条約である。われわれは三万の兵力を日本に駐留させているが、この部隊は西太平洋における防衛態勢の重要な要素として役立つ。

事前協議

日米安保と関連する交換公文に定められた規定のもとで、東アジアにおける国際平和と安定維持に関わる日本防衛のために、そして他の軍事活動のために、日本で展開する米軍の数、主要な装備の増減、そして日本防衛以外の直接的戦闘のために在日基地を用いることについては、それを行う前に日本政府の了解を要する事前協議を経て、われわれの武装勢力を用いることができる。実際の条件としてはこれら三つの制約は、次のことを意味する。第一に、日本政府の許可なしに米国は米軍の増強をしてはならない。しかしながら、小部隊は展開してよいし、これは単に日本政府に通告するだけで、しばしば行われるであろう。

返還以後の沖縄の直接的防衛

一九六九年十一月の佐藤ニクソン共同声明で合意したように、佐藤首相は日本がいずれ沖縄の防衛に責任をもつことを約束した。日本との交渉の一つの局面は、日本が責任をとる方式である。沖縄交渉チームの軍事代表たるウォルター・カーチス准将と防衛庁の代表〔久保卓也と〕の間で交渉が行われた。この防衛協力は、返還以後に自衛隊が展開する陸上、海上、航空自衛隊の兵力を記述している。目標は一九七三年七月までに沖縄を日本が自衛することである。沖縄に兵力を展開する防衛庁の計画は、想定される使命を十分に果たすものと信じている。これらの交渉は米日間の防衛協力を象徴する密接な協力精神を表している。自衛隊が沖縄防衛の使命を果たす際には、われわれは年間三五〇〇万ドルを国防総省の他の予算にふりむけることができる。この場合、われわれの兵力の一部は撤兵し、他の任務に回される。こうして年間三五〇〇万ドルの節約が可能になる。

返還後の沖縄民政

国防総省は陸軍省を通じて、米国政府のために琉球と大東諸島で施政権を行使してきた。現在の琉球政府高等弁務官ランパート中将は有能な将校であり、この委員会の証人である。米国の施政権機能と沖縄への責任を日本に引き渡す具体的に説明する準備ができている。返還または返還の拒否は沖縄の基地の日常活動にどのような影響を与えるか。端的にいえば返還によって米国とりわけ国防総省は沖縄の民政に対する責務を解除され、沖縄の統治は日本政府と沖縄県庁の責務となる。これによって米国の予算は年間二〇〇〇万ドルの節約となるが、これは返還交渉に先立つ援助を含めて琉球列島米国民政府の経常費用である。

パッカードとの質疑

クーパー議員「パッカード副長官とランパート中将の証言は、きわめて有益で役立つものである。昨日のロジャース証言を論理的に裏付けるものだ。第二次大戦後、連合国が日本と結んだ平和条約において、米国は日本に対して主権の停止を求めることはしなかった。米国は今回、単に日本に対して施政権を返上するだけである。この解釈は正しいか?」

パッカード副長官「その通り」

クーパー議員「米国とは違ってソ連は日本に対して千島列島の大部分などの主権の譲り渡しを要求した」(Hearings, p. 57)

3 専門家などの証言

尖閣諸島の射爆撃場はなぜ?——ノーベル賞学者楊振寧の証言

楊振寧は一九二二七生まれの中国系米国市民で、一九五七年度ノーベル物理学賞受賞者。周恩来に招かれて一九七一年夏に訪中している。楊振寧は新聞記事「米国海軍は尖閣諸島の黄尾嶼と赤尾嶼に射撃場をもっているが、これは訓練用としてほとんど用いられていない。米国が尖閣諸島にもつ唯一の施設である」を引用して、こう追及した(Hearings, pp. 76-80)。

——なぜこれらを米国が保有するのか。日本が米国に課した計略にすぎないのか。中立の原則とは真逆の立場に米国海軍が立つことを意味することに議会は気づいているのか。地理的には小さいが、国際緊張の厄介ものになる可能性を帯びた点の説明を抜きにして条約を批准することを議会は求められているのか。米国市民は過去において米国の利益ではなかったものについて立場をとることを言外に求められているのか。これらの疑問は私を深く悩ませるものだ。

楊振寧はさらに「日本軍国主義の復活への危惧」を続けた。

――三ヵ月前に〔七一年七月か〕、私は中華人民共和国を四週間訪問した。中国について抱いていた多くの誤解が明らかになったことで、きわめて教育的な旅行であった。ただ今日の討論のために、中国の人々と指導者たちが日本軍国主義の復活を深く危惧しているとしたジェームズ・レストン記者のリポートを確認するだけにとどめたい。北京である日の午後、私は二つの日本映画を見たが、レストン記者のコラムでも同じ映画を見たと記してある。二つとも日本映画を中国でコピーしたものだ。映画のタイトルは一九六九年に製作された「日本海大海戦」と一九六八年に製作された「連合艦隊司令長官 山本五十六」であった。両方とも日本の映画会社東宝の作品である。制作者は両方とも田中友幸である。前者は日本海軍が一九〇五年にロシア艦隊を全滅させたことを描いたもの、後者は第二次大戦における日米戦争、真珠湾攻撃の少し前における両国海軍の遭遇の物語である。山本は疑いなくご記憶と思うが、真珠湾攻撃を立案した日本の提督である。両者ともに日本海軍を賛美するものだ。これら二つの映画は日本軍国主義の復活の可能性を示すものか。私の評価は確かにその通り、である。この映画を作り、支えた人々は、日本海軍の復活を主張する人々である。そのこと自体が私を驚かせるが、真に明らかになったことは、過去の日本の「栄光に満ちた」軍事展開が世界と日本の国民に非道徳的かつ悲惨な結果をもたらしたことへの歴史的反省の欠如を暴露したことである。田中氏やその友人たちは歴史から教訓を学ばない人々である。

映画に対する楊振寧の評価が妥当か否かは、ここでは問わない。日中国交回復前夜の中国でこの映画は「日本軍国主義の復活」を意図した宣伝作戦として位置づけられ、中国で反面教師として上映され、話題になった。「佐藤栄作政権下の日本の右傾化」を象徴する作品として位置づけられ、批判のために上映された。これは娯楽が限られていた文化大革命下の中国の観客に少なからぬ影響を与えたようだ。たとえば林彪の長男である林立果はこの映画に感銘を受け、「五七一（武起義＝クーデター）工程」（武装蜂起計画）の中で、毛沢東へのクーデター組織を「連合艦隊」と名づけた。

中国に犠牲をしいる沖縄返還協定——呉仙標の証言

呉仙標は、デラウェア大学の物理学・天文学教授で、その後デラウェア州副知事となる中国系米国市民出身の政治家である。中国側のスタンスに立って釣魚島の扱いをふくめ沖縄返還協定への批判の論陣をはっていた。

呉はまず、ロジャース国務長官の「返還協定に釣魚台諸島は含まれるか」という問い合わせに対して、主権については中立とするロバート・スター（東アジアおよび太平洋担当法律顧問代理。日本ならば法制局長官代理に相当）の書簡を次のように紹介した。

「尖閣諸島の帰属については、中華民国政府と日本政府とで意見の食い違いがある。中華人民共和国政府もまた、同諸島の主権を主張している。尖閣諸島の施政権は日本に返還されるが、日本が受け取る権利は、尖閣諸島に対するいかなる潜在主権をも損なうものではない。米国は日本から引き渡された施政権をそのまま返還するのであり、返還によって権利が増えることも減じることもない。米国は尖閣諸島に対して、いかなる権利も主張しない。尖閣諸島に対する主権の争いは、関係当事者が解決すべき事柄だ」（Hearings, p. 91）。

その上で呉は次のように述べた（Hearings, pp. 91-94）。

――この地図に現行協定に影響する地域を画定する六点を記して示した。沖縄協定付属文書の第1条は、すべての島嶼（islands, islets, atolls, and rocks）が日本に返還されるとしている。それゆえオリジナル文書と協定の間には大きな変化がある。その違いは中国側の犠牲において生じたものだ。なぜそのような線引きが中国の犠牲において行われたか。〔中略〕この変化は国際協定によって変化したものではない。琉球民政府布告27号に基づくものだ。国務省でさえもそのような布告は法律的には「米国と日本との了解事項」以上のものではないと認めるであろう。議会担当国務次官補代理ハリソン・M・シーメスの手紙を引用したい。一九五一年のサンフランシスコ平和条約において、米国は北緯29度以南の南西諸島の施政権を獲得した。この条項は尖閣諸島を含むものと「理解される」。

中国を犠牲にした気まぐれの行為（capricious act）は、中国側の反対を招くのではないか。むろん中国は『人民日報』評論員論文（評論員論文とは高官の筆名を意味する――原注）で次のように述べている。「米国は沖縄を日本の人々に返還すべきだが日米反動派が中国の神聖な領土釣魚島などの島嶼を沖縄返還のペテンを利用して横取りすることを既成事実とすることを許さない。台湾における中華民国の立場も断固たるものであり、外交部スポークスマンは釣魚台諸島の日本への引き渡しはまったく受け入れがたいものだ」と。

国務省の立場は控え目に言ってもきわめて曖昧だ。一方では領土紛争では中立だと主張しながら他方で琉球列島米国民政府布告第27号に基づいてこれらの島嶼を日本に渡そうとしている。国務省は二つの島を射撃場とすることについて、日本の許可を求めている。一九七一年六月二十八日付『ワシントン・ポスト』によれば、日本の外務省広報官は、射爆撃場の許可申請こそ米国が日本の主張を支持している証拠であるとしている。米国は租借によって日中紛争の渦中に立つこととなり、これは軍事衝突に傾く危険性がある。

上院議員のみなさん、正直なところ、現在の国務省の立場は、米国の国益を損なっているのではないか。「始めよくても、道半ば」というが、ニクソン訪中以後の最初の具体的紛争が釣魚島になる恐れがある。米国は明らかな二枚舌だ。米国の最良のイメージを伝えるものか。誠実さを伝えるものか。世界の安定に対するアメリカの良識を伝えるものか。

次に、真に中立的な立場を米国がとる場合、近年最も低潮といわれている日米関係にどのような影響を与えるのか。この問いに答えるに際して、米日関係の違いを区別すべきである。当初の境界を変更したのでは、自民党の主流派とりわけ佐藤首相はきわめて不愉快であろう。だが、私見では佐藤政府と日本国民を区別すべきである。数年前中ソ衝突が珍宝島であり、中国は超大国ロシアと中ロを隔てるウスリー江にある小さな島（珍宝島／ダマンスキー島）で武力衝突の危険を冒した。これは無人島で、戦略価値はないし、石油もない。中国がもしロシアと同様に、釣魚島を守ろうとした場合に、日本は布告第27号だけで、釣魚島を占領できるか。私の感覚では、日本人は中国人とともに、公正で法的なやり方で相違点を平和的に解決すると思う。さもなければ、多くの日本人と中国人は、米国が故意に日中間の紛争のタネを蒔いて、極度に重大な問題としたと感じるであろう。批准を待つ返還協定は世界平和に不安定をビルトインするものになるであろう。

基地付きの返還は問題——歴史学者マーク・セルデンの証言

ワシントン大学歴史学部助教マーク・セルデンは、冒頭、返還協定条文には異議があり、ただちに沖縄の主権が日本に返還されるべきとした上で、（1）問題の返還条件として「軍事基地付き返還」の矛盾を指摘する。次いでこれらの返還条件が、（2）沖縄の人々に対してどのような影響を与えるかを考察する。そして、ロジャース長官と牛場信彦駐米大使が調印を祝している姿と沖縄の反基地闘争に立ち上がった人々が機動隊に制圧される姿とを並べた『ニューヨーク・タイムズ』紙を紹介しつつ、（3）軍事支出の犠牲にされる大衆の利益と願望を論ずる。

次いで、（4）米国の政策は以下の誤った想定に基づくことを指摘する。①沖縄の基地は日本と太平洋の安全に不可欠、②中国の民族解放闘争と対決し阻止する自衛の砦として必要、③日本は陸軍（空軍、海軍にあらず）の負担を増やし米陸軍の削減に貢献すべき、④日米協調と東アジアにおける中国の脅威、という想定だ。

現実には、（5）日本の防衛のためにはもはや米軍は不要だが、東南アジアや中国への作戦の足場として沖縄基地に意義があるにすぎず、「防衛性よりは攻撃性が強い」ものだ。（6）軍事同盟の想定を変えていないのは、ベトナム戦争から教訓を学ばず、冷戦から教訓を学ばないものだ。そして、（7）創造的な新外交の条件は成熟しつつあるにもかかわらず、ニクソン・佐藤共同声明は、韓国や台湾という旧日本植民地の安全を口実に軍事同盟の意義を説いている。日米安保は「日本の軍事的覇権主義を支えるもの」に転化しはじめている。

最後に、（8）望ましい新外交の目的を破壊する返還協定として、沖縄協定を批判し、アメリカは世界の憲兵の役割を止めて、沖縄から軍事基地を除いて返還することを主張した。

委員からも賞賛された格調の高い陳述であった（Hearings, pp. 95-98）。

これは「返還せざる協定」――レイモンド・ウィルソンの証言

この上院公聴会記録を読み進めて、最も驚いたことの一つは「沖縄基地返還」というよりは、沖縄基地は「返還せず（Treaty of Retention Rather than Reversion）」というレイモンド・ウィルソンの証言である。ウィルソンはフレンド（普連土）教会、すなわち絶対平和主義を標榜するクェーカー教徒たちが一九四三年にアメリカで結成したロビー活動のための団体（Friends Committee on National Legislation, FCNL）の名誉主席である。

著者は彼らの平和主義、良心的兵役義務拒否のことは多少知っていた。しかし沖縄返還協定の批准前夜に彼らが次のような意見を上院で述べていたことはまるで知らなかった。

「わが委員会は、沖縄を日本に返還する政治協定を記した第1条を支持する。しかし第2条、第3条では沖縄の軍事基地を残すとされているので、沖縄の非軍事化の交渉が整うまで、すべての米軍基地が琉球から撤退されるまで、われわれは断固として協定の批准を上院は延期するよう求めたい」「この返還協定は一二〇基地のうち八八基地を返還しない、すなわち七三％を返還しないのであるから、〝返還協定〟というよりは、〝返還せざる協定〟（a treaty of retention）と呼びたい」（Hearings, p. 100）。

沖縄返還の内実は、まことにこの上院公聴会の識者の指摘通りであったことが四〇年後の実態を見れば、明らかだ。

ウィルソンは、尖閣諸島についての中国の主張についてもこう指摘していた。「返還協定がいかなる点でも中国の尖閣に対するクレームを排除したり、予断しないことを上院外交委員会は明確に示すことを希望する」(Hearings, p. 101)。

戦略的歴史的関係からみた日米関係──フィンチャー教授の証言

ジョンズ・ホプキンズ大学教授のフィンチャーは、次のように述べた(Hearings, p. 115)。

──米日同盟に対する中国の戦略的歴史的態度および日本軍国主義に対する中国の恐れと米国自身の恐れとを検討しよう。日本人の真の多数派ではないとしても、かなり多くの者によって共有されている見方は、米国の核能力と日本の通常兵器の能力の組合せが、たとえばフランスのように、原爆はもつが中国に対して「限定戦争を行う」ことはできない軍事力とは異なって、中国の脅威となっているというものである。

中国人は戦後日本の反中政策の多くが米国の政策によることを記憶している。日本における米国の占領政策は一九四〇年代遅くに中国が共産化したことによって、ますます反共産主義化した。中国はソ連とあからさまな同盟を組むことによって日本の脅威に対抗した。中国はそこで、日本だけを名指しして批判し、他の盟友の名〔米国〕を挙げることをしなかった。最後に、中国は一九五〇年にソ連に味方して朝鮮戦争に参加した。しかし日本に基地を置く兵力が中国の北東国境を脅かし、蔣介石が避難した台湾省への接近を妨げた。日本は国連に席次をもつ蔣介石政府と別個に平和条約を結び、米国に追随した。

中国から見ると、釣魚島は日米結託の好例である。これこそが日本の通常海軍力を中国が恐れ、日本陸軍の拡大とともに、釣魚台問題を米日軍事結託の危険な例とみなす理由なのだ。新華社一九七一年五月十四日電によると、共同五月十一日電を引いて米国の軍用地図を日本が使用したことを攻撃している。

（初出・『尖閣衝突は沖縄返還に始まる――日米中三角関係の頂点としての尖閣』花伝社、第4章、二〇一三年八月）

四　沖縄国会における尖閣論議

沖縄返還という戦後日本にとって、主権回復のための最後の交渉を日本政府はどのように扱ったのか。外務省はどのような交渉を行ったのか。それらの過程は、立法府においてどのように討論され、検証されたのか、国会会議録検索システムを用いて、議事録からキーワード「尖閣」を抜き出し、国会論議の一端を点検してみよう。

佐藤栄作・ニクソン共同声明を契機として沖縄返還が政治日程に上ったのは、一九六九年十一月だが、その前年から日中平和友好条約を批准した翌々年まで、すなわち一九六八年から八〇年に至る一二年間の国会議事録を一瞥してみよう。

国会議事録のうち、衆院議事録では、キーワード「尖閣」を含む会議は一九二、参議院では一五二である。これらを各委員会ごとに数えると、表2のごとくである。

沖縄返還協定は一九七一年六月十七日に調印されたが、その三週間後にキッシンジャーが秘密裏に中国を訪問した。ベトナム戦争の末期に「ベトナムを支える後方基地」の観のあった中国を米国の大統領補佐官が訪問することは、世界を驚かせ、これが最後の一撃となって十月二十五日国連総会は、中国代

表2　衆参両院における尖閣議論回数（1968～80年）

衆議院		参議院	
外務委	44	外務委	35
沖縄委	30	予算委	28
内閣委	27	沖縄委	18
予算委	25	農林委	14
商工委	19	本会議	12
本会議	13	商工委	11
決算委	10	決算委	9
農林委	6	内閣委	7
科技	6	大蔵委	7
運輸委	4	運輸委	6
法務委	2	社労委	1
大蔵委	2	法務委	1
石炭委	1	議運委	1
社労委	1	公害環境	1
交通委	1	交通安全	1
公害委	1		
計	192	計	152
衆院参院計			344

表権[*15]を台湾の中華民国から奪い、中華人民共和国に与えた。

沖縄返還協定が調印された一九七一年央という時期は、冷戦体制の中で、西側陣営の一員として復興する道を余儀なくされてきた日本が、その後の進路を自ら主体的に選択する契機となしうるはずの好機であった。現実にはそれにまったく失敗した。その失敗を示す負の帰結こそが四〇年後に東シナ海に巻き起こった尖閣衝突にほかならない。

沖縄返還は戦後の冷戦体制の大きな再編成の契機となるが、日本から見ると、それは沖縄復帰、分断された日本の統一であり、対外的には中華民国との外交関係を断絶し、中華人民共和国との国交を正常化するものであった。そして、ここにこそ東アジア冷戦のいわば前線基地が置かれ対峙していたために、歴史的経過と国際情勢の変化を見据えたうえでの的確な判断が求められることになったが、日本の国会は問題をどのように認識して、どのような対応を行ったのか。その功罪が四〇年後に露呈、暴露された。歴史の曲折はあとから見ると、くっきりと浮かび上がる。

沖縄返還が国会で議論され始めた一九六八年八月ごろ、尖閣をめぐる議論は、台湾漁民が尖閣諸島周辺に出没する問題であった。七〇年四月には尖閣諸島の資源調査の必要性が論じられた。なお、以下の国会論議の引用は国会会議録検索システム（https://kokkai.ndl.go.jp/#/）、衆議院質問主意書・答弁書（https

://www.shugiin.go.jp/internet/itdb_shitsumon.nsf/html/shitsumon/menu_m.htm）および参議院質問主意書・答弁書（https://www.sangiin.go.jp/japanese/joho1/kousei/syuisyo/209/syuisyo.htm）による。引用中の〔　〕内は著者矢吹のコメントである。

1　返還交渉をめぐって――一九七〇年八月〜七一年四月

尖閣の領有権を中華民国も主張している事実

尖閣の領有権を台湾の中華民国も主張している事実を挙げて政府の見解を質したのは一九七〇年八月十日、川村清一議員（日本社会党）の質問が嚆矢である。

「この尖閣列島は明治時代に現在の石垣市に編入されており、戦前は日本人も住んでいた〔中略〕しかし、油田開発の可能性が強いと見られるだけに、台湾の国民政府は、尖閣列島は日本領土でないとして自国による領有権を主張し、舞台裏で日本と争っていると伝えられております。今後尖閣列島の領有権問題をめぐって国民政府との間に紛争が顕在化した場合、わが国としてはどのような根拠に基づいて領有権の主張をし、どのような解決をはかるおつもりか」。

これに対して愛知揆一外相はこう答えた。

「尖閣列島については、〔中略〕南西諸島の一部であるというわがほうのかねがねの主張あるいは姿勢というものは、過去の経緯からいいまして、国民政府が承知をしておる。そして、わが国のそうした姿勢・立場に対して国民政府から公式に抗議とか異議とかを申してきた事実はない〔中略〕しかし、ただいま御指摘がございましたように、尖閣列島周辺の海底の油田に対して国民政府側としてこれに関心を持ち、あるいはすでにある種の計画を持ってその実行に移ろうとしているということは、政府としても重大な関心を持っておる〔中略〕中華民国側に対しまして、この石油開発、尖閣列島周辺の大陸だなに対して先方が一方的にさようなことを言ったり、また地図、海図等の上でこういうことを設定したとしても、国際法上これは全然有効なものとはならないのだということを、こうした風評を耳にいたしたときに政府として公式に申し込れ（ママ）をしている」。

中華人民共和国もまた領有権を主張

中華民国の領有権主張に加えて、中華人民共和国もまた領有権を主張している事実に着目したのは、一九七〇年十二月八日、國場幸昌議員（自由民主党、沖縄選出）の質問が嚆矢である。

「尖閣列島の領有権問題について〔十二月〕四日の新聞報道によりますと、尖閣列島に対して、さきの中華民国の領有権主張とは別に、新たに中共も領有権を主張してきておる〔中略〕尖閣列島は八重山石垣市登野城の行政区域に属しており、戦前には同市在住の古賀商店が伐木事業及び漁業を経営していた島であって、琉球列島の一部としてその領有権は日本にあることは明白でありましょう。そこで、このような領有権をめぐる他国の主張に対して、日本政府は明確な論拠をもってその立場を明らかにし、日本国の固有領土であることを国際的に認めさせる努力をすべきである」。

これに対して愛知外相はこう答えている。

「尖閣列島の領有権の問題、主権の問題につきましては、〔中略〕あらゆる角度から見て、これが本来固有の日本の領土であるということについては一点の疑いもございません。この点については、過般外務委員会におきまして西銘委員〔西銘順治議員、沖縄選出〕からも貴重な資料の御披露[*16]がございましたこともその一つの有力な根拠でございますが、いかなる点からいっても領有権には一点の疑いもない。それから平和条約第三条によって、施政権が米国の手で行なわれておりましたが、その施政権の対象となっている地域の中にも、きわめて明白に尖閣列島はその中に入っておりますから、沖縄の施政権返還の場合におきまして、これまた何らの疑いなしに当然本土に復帰するわけでございます。こういうわけでございますから、尖閣列島の主権そのものについては、いかなる国との間にも交渉するとかあるいは国際的に論議を提供するとかいう問題ではございませんで、たとえば、〔中略〕どこかの国の人が鹿児島県はおれのほうのものだと言っているのと同様であって、何人も鹿児島県が日本のものであるということには疑いがないわけでありますから、尖閣列島の主権につきましても、日本としては何らのゆるぎなく、これは自分の主権下にあるものであるという厳然たる態度をとっておることでもって十分である〔中略〕これが政府の態度であります〔中略〕ただ、〔中略〕東シナ海の大陸だなの問題〔中略〕このほうは、海上にあらわれておりますところの領域の主権の問題とは、〔中略〕必ずしも同一には扱えない。〔中略〕国際条約その他の根拠なくして、ある国が一方的にその地域の資源開発のために調査をする、ボーリングをするというようなことを一方的に主張し得るものでないこと、〔中略〕これもまた当然のことでございますが、そういう問題については、〔中略〕これを主張し、あるいは何かやりたいという国との間に話し合いを持つということはあり得ることである、これが日本政府の態度でございます」。

「尖閣列島の主権」を論ずるにあたって、鹿児島県を引き合いに出すのは、相当に乱暴な論理だが、ここには台湾の中華民国に加えて、大陸の中華人民共和国も尖閣の領有権を主張している事実に直面した日本外相の狼狽ぶりを読み取ることができよう。

こうして、一九七〇年末には、沖縄返還問題のさまざまの論点・争点の中に、尖閣問題が加わることが日本国会のレベルで意識されるに至った。

川村清一議員は、十二月十六日再度この問題に触れた。

「私は、八月十日の本委員会におきまして初めて尖閣列島の問題について質問いたしました。その際、将来東シナ海の大陸だな開発をめぐって台湾政府、韓国あるいは中国との間に問題が起きてくることを予想して、この問題を指摘し政府の見解をただしたのであります。その後の経過を見ておりますと、私が指摘いたしましたように、尖閣列島の問題をめぐって国民政府との間に、あるいは中国との間にもいろいろと問題が複雑に発展してきておる〔中略〕この際、八月十日以降の推移について外務大臣からひとつ概略御説明をいただきたい」。

愛知外相はこう答えた。

「尖閣列島の問題については、〔中略〕尖閣列島自身の〔領有権〕問題と、それから東シナ海に及ぶ大陸だなの問題と、まあ二つある〔中略〕尖閣列島の帰属といいますか、主権の問題については、〔中略〕日本の領土であるということは、もう間違いのないこと〔中略〕サンフランシスコ平和条約第三条によってアメリカが施政権を持つ、その施政権の範囲といたしましても、当然これが復帰されることはあまりにも―明白な事実でございます。〔中略〕これについていかなる国がいかなることを申しましても、これとの間に話し合いを持つとか協議をするという性質の問題ではない〔後略〕。

もう一つの大陸だなの開発の問題につきましても、これについても国際法上ある国が一方的に権利を主張し得べき性質のものではないという基本的な立場をとっておりますから、かりに他国がこの海底の開発等に対して一方的にその他の国、あるいはその他の団体、その他との間にいかなる話し合いをしたりあるいは仕事を進めようと思っても―、そうした一方的な一つの国の計画というようなものを承認するわけにはいかないわけでございます。〔中略〕国民政府が何らかの計画をし、あるいは処理をし、あるいは第三国の団体、会社等との間にいろいろの計画を設定するというようなことについては、重大なる関心を持って抗議を申し入れ、そして、その経過あるいは考え方等を十分調査するとともに、日本側としての見解というものを明らかに先方に申し入れておきますことが絶対に必要である〔中略〕国民政府に対しまして申し入れをし、そして話し合いをいたしておる〔中略〕国民政府との結着というようなことについては、まだ終局までは行っておりませんけれども、〔中略〕十分くぎをさしておる〔中略〕中華人民共和国側でも―特にこの大陸だなの問題については主張をいたしておるようでございます〔中略〕新華社の記事その他によって、そうした意見を持っているようであるということがわかっておりますけれども、具体的な態度あるいは申し入れというようなものには全然接しておらない〔日本国と中華人民共和国との間には、この時点で外交関係はない〕」。

尖閣列島は返還区域の対象か

一九七一年五月十七日、返還協定の調印一ヵ月前の時点で、長谷川仁議員（自由民主党）がこう質問した。

「外務大臣の報告によりますと、この返還される沖縄の領域は、平和条約第三条の地域から奄美、小笠原両返還協定によって返還された残りの全域である。〔中略〕この場合、いわゆる尖閣諸島は当然疑いなく返還区域に含まれると考えていいかどうか。これはもう歴史的にも日本領であることは間違いないのでございますけれども、総理大臣も日韓条約のときにたいへん苦労された竹島の問題もございますし、〔中略〕尖閣列島が第二の竹島になりはしないかという心配を持っているわけでございます。〔中略〕沖縄が祖国に正式に返る日は四月一日ということを希望されているというようなことを私伺っているわけでございますけれども、〔中略〕この四月一日という日が沖縄の歴史からいうと実に悲しい不幸な出発の日になっておる。たとえば一六〇九年の四月一日には、薩摩の島津藩が沖縄に侵略して二百六十年間の圧政に苦しんだ。これが一六〇九年四月一日です。それから一九四五年の四月一日、これが悲しい記録を残しました米軍の沖縄本島への上陸。一九五二年の四月一日、これが米軍占領下の琉球政府の樹立だと、こうした記録がある。したがって、沖縄の方々は、やはりこの祖国に返る日はこうした日は避けてもらいたいという声もある」。

愛知外相はこう答えた。

「尖閣島は、〔中略〕明らかに返る中に入るわけでございます。これは条約文の上からいいましても、すでに平和条約第三条で米国が施政権を持っているものの中から奄美、小笠原を除いたすべての領域ということで非常に明確になるはずでございますし、また、それでも安心ができないということでございますならば他の適当な方法も考えたい〔中略〕条約文には何々島、何々島とは書きませんのが通例でございますから、そういう点で必要にして十分な規定を置きたい〔中略〕四月一日の問題は、前々から外務委員会あるいは沖縄特別委員会でも与野党から御質問をいただいておりますように、たとえば琉球立法院のお考え方などは、四月一日が望ましいということで、政府にも御要請がございます。〔中略〕会計年度等の関係から見て四月一日が望ましい〔中略〕ただいま御指摘のような御意見があるとすれば、〔中略〕慎重に現地の方々の意見を残すところなく承知しておく必要がある」。

沖縄返還協定の範囲に尖閣諸島が含まれることについては、愛知外相はいくどか繰り返してきたが、それでも国民の間に疑念が残っていたことを長谷川議員の質問は示す。同議員はさらに島津藩の侵略、米軍の沖縄上陸、米軍下の占領行政の開始がいずれも四月一日である事実を指摘して、会計年度上の純技術的扱いは沖縄の心をふみにじるものとしているのは注目される（安倍内閣は二〇一三年に四月二十八日を「主権の日」と定め、記念式を行ったが、主役たるべき沖縄県知事は欠席した）。

〔補〕　尖閣周辺海底に石油あり――「エメリー・リポート」

一九六一年、東海大学新野弘教授（一九〇五〜七三）がエメリー博士との共同論文「中国東海および南海浅海部の沈積物」（Niino, H., Emery, K.O., "Sediment of Shallow Portions of East China Sea and South China Sea," *Geological Society of America, Bulletine*, Vol. 72, 1961）で、尖閣列島周辺海域に石油埋蔵の可

能性があることを指摘したのが、「尖閣と石油」騒動の嚆矢である。のちに一九六七〜六八年、アメリカ海軍の海洋調査船がひそかに調査し、空中より磁気探査を行い、石油埋蔵の可能性を確認したといわれる。

その後、国連アジア極東委員会（エカフェ）Economic Commission for Asia and the Far East（ECAFE）のもとにアジアオフショア地域における鉱物資源調査の合同委員会Committee for Co-ordination of Joint Prospecting for Mineral Resources in Asian Offshore Areas（C.C.O.P.）が設けられ、一九六八年、十月十二日〜十一月二十九日東シナ海と黄海で米日台韓の共同調査が行われた。

調査には水産大学の海鷹丸を使用し、日本からは新野のほか、石油開発公団の技術者二名が参加した。この調査に基づき、Geological Structure and Some Water Characteristics of the East China Sea and the Yellow Sea（「東シナ海と黄海の地質構造と海水の特徴」）と題する調査報告（通称「エメリー・リポート」）が発表された。[*17]

「エメリー・リポート」が発表されるや、中華民国政府は一九七〇年八月に大陸棚条約（一九五八年）をあわてて批准するとともに、中国石油公司（台湾）は米国の石油企業四社（ガルフ一九七〇年七月、オセアニック一九七〇年八月、クリントン一九七〇年九月、テクスフェル一九七二年六月）と共同開発の協定を結んだ。ニクソン政権は一九七一年四月、石油開発一時停止措置（oil exploration moratorium）を採ったので、米台間の契約は、不可抗力の事情（force majeure clauses）による中断扱いされた。日本政府は台湾側の開発協定に抗議しつつ、自らはエッソ・東洋石油に開発許可を与えたりしている。なお、この調査を主導したのは新野弘[*18]である。

2　ピンポン外交と沖縄返還協定調印――一九七一年四月〜七二年三月――

日本の国会論議がいま一つ、返還協定の諸問題の核心に迫りきれていない一九七一年四月、周恩来のいわゆるピンポン外交が始まった。五月末、『ニューヨーク・タイムズ』紙は、在米華人組織による一頁大の「意見広告」（An Open Letter to President Nixon and members of the Congress）を掲げた。「保衛釣魚台」の五文字がめだつ文面は、ニクソン大統領と米議会議員たちに対して、返還協定に尖閣諸島が含まれることに対して、強い抗議の声を上げたものであった（図2、一二七頁）。

そして、日本国民や沖縄県民が協定の内容やその含意を十分に理解できないうちに、米国の戦略家キッシンジャーは北京に飛び、毛沢東や周恩来と密談をこらしていた。ピンポン外交や『ニューヨーク・タイムズ』紙に掲載された珍しい「保衛釣魚台」の五文字に世界が驚いて、米中の緊張緩和を見守ったが、そこで最も大きな伏線というよりは、時限爆弾にも似た装置が仕組まれたことを日本国民やマスコミはほとんど知らなかった。

返還協定とその付属文書「合意議事録」をようやく読んだ日本の国会議員たちは、さまざまの疑念を国会で追及した。たとえば、以下のごとくである。

尖閣に米軍基地を残すな

日本社会党の爆弾質問男、楢崎弥之助議員は調印から一ヵ月後の一九七一年七月十四日にこう発言した。

「〔アメリカは〕台湾海峡の第七艦隊のパトロールをやめた。あるいは渡航制限の緩和をやった。〔中略〕アメリカの具体的なあかしに対して中国はこたえたわけです。〔中略〕いわゆるピンポン外交の展開であります。〔中略〕沖縄返還協定の中で尖閣列島が一緒に返されることになった。これは領土の帰趨については、いろいろ中国も抗議をしておるし、台湾も抗議をしておるし、アメリカは、尖閣列島の問題に介在するとたいへんなことになるということで、せんだっての上院の外交委員会の小委員会でも、米国は尖閣列島の領土権には絶対介入しちゃいかぬ、そうしないと、せっかくなりかかった米中改善がこれだけでこわれるという警告を発しておるぐらい、この尖閣列島の領土問題は中国はきびしく見ておる。〔中略〕この尖閣列島に——返還協定を見てみると、返還後、依然として米軍基地を提供するようになっておる。〔中略〕米軍に基地を提供することはやめるべきである。〔防衛庁は尖閣諸島をADIZ〕防衛識別圏の中に案として含めておる。これも含めるべきではない。これも総理さえ決断すればすぐできることであります。そして最後に沖縄の特殊部隊、これも認めるべきではない」。

日本のADIZ（防衛識別圏）の中に尖閣諸島を含めることは、確かに焦点の一つと見てよい。というのは、のちに見るように、韓国との紛争になっている竹島／独島は、防空識別圏から除外されていたからだ。

尖閣領有の根拠を明らかに

松下正寿議員（民社党）は七月二十日こう質した。

「台湾政府も、また中華人民共和国も、この尖閣列島が中国の領土であることを主張しております。尖閣列島の問題につきましては、いわゆる大陸だなの地下資源の問題が含まれておって、きわめて複雑な様相を呈しております。日本は、初め日本を中心とする国際的な協力によりまして尖閣列島周辺の海底地下資源開発の計画を進めておりましたが、この計画は、中華人民共和国政府の声明〔外交部声明〕が出された直後放棄されました。これが偶然の一致であるか、あるいはその他何らか日中関係を考慮してなされたものであるか、〔中略〕国民はその点について大きな疑いを持っております。尖閣列島の帰属に関して、総理は〔中略〕どういうように処理されるおつもりであるか。私は、歴史的にまた法的に考えて、尖閣列島に対して日本が領土権を有すること、及びこの領土権は米国による施政権の中断によって絶対に影響を受けるものでないということは、〔中略〕国際法学者の一致した意見でございます。台湾政府や中華人民共和国の主張に対して日米間に成立した沖縄返還協定を持ち出しましても、これはきめ手になりません。日本政府は、尖閣列島に対するわが国の領土権を、歴史的、法的に根拠を示して有効に主張する自信を持っておられるか」。

佐藤栄作首相はこう答弁した。「この尖閣列島の領有権についてはいろいろの御懸念があるようでありますが、十分協定の中身をごらんになればその御懸念は解消すると思います。〔中略〕いわゆる大陸だなの問題につきましては、これはまた別の問題であります。〔中略〕大陸だな開発については別途の関係国間の協議を必要とする」。つまり、大陸棚は別だが、尖閣諸島の日本の領有については、懸念無用と答えたのである。

しかしながら、四〇年後の混乱が示すように、「台湾政府や中華人民共和国の主張に対して日米間に成立した沖縄返還協定を持ち出しましても、これはきめ手になりません」（松下）どころか、米国は「施政権の返還、領有権、主権については中立」と逃げを打っていたのが現実であった。この問題は当時どのように認識されていたのか。

尖閣の主権に関与しないというアメリカに抗議せよ

森元治郎議員（日本社会党）は十二月一日、こう質した。

「アメリカ上院の審議の過程において、この尖閣列島だけが特に問題として取り上げられたのを見て奇異の感じを免れません。アメリカの言い分によれば、尖閣列島の施政権は日本に返すことになるが、その領土主権の帰属については関与しない、もし領有権を主張する国がありとすれば、関係国の話し合いによってきめたらよかろうというもののようであります。一体、アメリカは、どこの国のものかわからないこれらの島々の施政権を押えていたというのでしょうか。そのくせ、返還後も演習場として使用することになっております。キツネにつままれたようで〔中略〕何とも不愉快な話であります」。

福田赳夫外相はこう答えた。

「アメリカ上院の外交委員会はその報告書におきまして、この協定は、尖閣列島を含む沖縄を移転するものであり、〔中略〕尖閣列島に対する主権に関するいかなる国の主張にも影響を及ぼすものでない。

こういうふうに言っておるわけであります。〔中略〕このことをとらえての森さんのお話〔中略〕、御心情はよくわかります。私といえども不愉快なような感じもいたすわけでございます。おそらくこれは他の国からアメリカに対していろいろと話があった、それを反映しているんじゃないかというふうな私は受け取り方もいたしておるのでありますが、この問題は御指摘を受けるまでもなく、すでに平和条約第三条において、これは他の沖縄諸島同様にアメリカの信託統治地域、またそれまでの間の施政権領域というふうにきめられておりますので、それから見ましてもわが国の領土である。つまり、台湾や澎湖島と一線を画しておるそういう地域であるということはきわめて明瞭であり」ます。

川村清一議員が一九七一年十二月十五日に質す。「福田外務大臣から、尖閣列島の領土権について御答弁をいただきましたが、納得できないのは米国政府の態度であります。尖閣列島は、現在、石垣市に編入されており、魚釣島、久場島、南小島と北小島は個人の所有地であり、大正島その他は国有地であります。しかも米軍は、久場島と大正島を射爆場として使用し、所有者に対し年間一万ドル以上も使用料を支払っており、今回の米軍基地了解覚書A表の（八四）黄尾嶼射爆場は久場島であり、（八五）赤尾嶼射爆場は大正島である。この事実から見て日本に施政権は返還するが、その帰属については関係しないと称している米国政府の論理はあまりにもえてかってであり、国際法上も認められるものではありません。したがって、政府は、米国政府に強く抗議すべきであります」。

福田赳夫（外相）はこう答えた。「尖閣列島で米軍の射爆場なんかがあってけしからぬじゃないかと、こういうお話ですが、この米軍射爆場としてA表で提供することにした、これこそは、すなわち尖閣列島がわが国の領土として、完全な領土として施政権が今度返ってくるんだ、こういう証左を示すものであると解していただきたい」。

福田のいう「完全な領土として施政権が今度返ってくる」という言い方は、「施政権」と「領有権」を意図的に区別する米国の見解とは、まったく異なる。福田は米国の区別論を知りつつ、日本の立場としては、返還されるものは「施政権」だけではなく「領有権」も含まれるとする見解である、と単に日本側の主観的な解釈を述べたにとどまる。四〇年後の混乱を生み出した直接的契機は、佐藤首相・福田外相(前任は愛知外相)の対米追随、軟弱外交にあることは、いまや誰の目にも明らかだ。

翌十二月十六日森元治郎議員(日本社会党)はこう質した。「尖閣列島の領有権は問題なく日本だ、大陸だなと尖閣列島の問題は別個の問題である、もう一つは、もし、第三国から話し合いがあった場合には、正当なる申し入れ、〔中略〕話し合おうというだけで必要にしてかつ十分だと思うんです。外務大臣としては。〔中略〕中国に調子づけたようなかっこうなんかする必要はないので、〔中略〕もっと牛歩的な態度でしっくりいかれたらいい〔中略〕なぜアメリカは領有権の問題について奥歯に物のはさまったようなことを特に言うのか、この真意は。さきに竹島問題という問題がありましたね、あれでも同じであって〔中略〕領有権について問題でもあると自分がすうっと引いて、返還したなら返還しただけで黙っておれば必要にして十分だと思うのに、帰属はわからないと、そういうふうな言い方はどういう意味か」。

福田外相は、こう答えた。「帰属はわからないとは言ってないんです。沖縄返還協定は、この協定によってこの帰属に影響を及ぼすものではない、こういうことを言っておるわけです。〔中略〕私どもとすれば、はっきり日本のものですよ、こういうふうに言ってくれればたいへんありがたいわけなんでありますが、これはお察しのとおりのいろんな事情があるんではないか、そのような感じがします。〔中略〕今度の条約が影響を及ぼすものではないというのはまことに蛇足であります。言わずもがなのことだと思いますが、何らかいきさつがあった。しかし、抗議をするというほどのことでもない」。

森議員の怒りに対して、福田外相は「いろんな事情があるんではないか、そのような感じがします」と評論家風情で米国の意図を忖度し、結局は「蛇足」と問題を矮小化して、「抗議をするというほどのことでもない」と逃げてしまった。「いろんな事情」とは、一つは米国と外交関係をもつ台湾政府の抗議、一つは米国がこれから関係を正常化しようと工作を始めた中華人民共和国の立場を配慮したことは明らかである。

しかし、米国政府の土壇場での裏切りの意味を当時の佐藤内閣は的確に認識できず、米国への抗議を決断するには至らなかった。この対米軟弱外交は、核持ち込みの密約問題や沖縄県民の請求権の放棄、思いやり予算等の不当な支出とともに、対米属国外交の欠陥をあますことなく露呈したものと見るべきであろう。佐藤首相が沖縄返還をまとめた功績で「ノーベル平和賞」とは、ほとんどブラック・ジョークの類ではないか。

中国の動向にどう対処するか

『読売新聞』は一九七二年三月三日付でニューヨーク山本特派員発の衝撃的なニュースを伝えた。およそ半年前に国連代表権を得たばかりの中国代表が、これまでと違って蚊帳の外ではなく、国連に代表部をもつ大国として自らの主張を始めたのである。その第一声が「尖閣列島はまさしく中国のものである」という主張であった。これによって日本政府の希望的観測は大きく揺らぎ始めた。中国は尖閣諸島に対する領有権を主張するばかりではなく、大陸棚についても、自らの主張を展開した。

沖縄選出の國場幸昌（自由民主党）議員は、この『読売新聞』記事を読み上げた。

「ニクソン訪中がもたらした米中共存ムードも中国の台湾、沖縄問題への態度にはまったく影響を与えていないことを示した。三日の海底平和利用委員会は初参加の中国が海洋問題でどういう態度を打ち出すかが注目されていたが、一般演説に立った安致遠代表は「超大国」が領海の幅や海洋法を決める独断的な力を発揮していると攻撃し「中国は、領海二百カイリを主張して、米帝国主義の海洋支配と対決しているラテン・アメリカ諸国の闘争を力強く支持する」と公約した。安代表はつぎに台湾、沖縄問題にふれ、米国は今日にいたるまで中国の一省である台湾を力ずくで占領しており、最近では日本の反動派と結んで「沖縄返還」という詐欺行為を行なった。この沖縄返還の詐欺は、台湾に属する釣魚島などの島々（尖閣列島）を日本領にしようというねらいがある。米国はまたこの数年、日本や蔣介石一味と協力して、中国の沿海、海底資源を略奪するための大規模な海底資源調査をしばしば行なっているが、台湾と釣魚島は中国の神聖な領土の一部である——と主張した」。

そしてこれまでとは違って国連の場で口を開き始めた中国の動向に驚きを隠しきれなかった。

一九七二年三月八日、國場幸昌議員（自由民主党）はこう発言した。「尖閣列島の領有権問題に対しましては、再三にわたる本委員会において、また他の委員会においても、古来の日本の領土であるということに間違いはない」としてきたが、「今日のような新聞に報ずるがごとき問題をかもしておって、〔中略〕資源開発ができるでありましょうか」「この問題は〔中略〕日本の領土だということで押しつけて、その資源を開発せんとするときには、国際間においての紛争が出るということも予期される」と危惧を表明した。

そして「米国のスチーブンソン代表〔国連大使〕は、中国やラテン・アメリカ諸国から向けられた対米非難を「いっさい拒否する」と答えただけで、答弁権行使は次回に持ち越した」という記事を紹介しつつ、いまや中国毛沢東政権のみならず、台湾も、宜蘭県に行政区域を定め、三月にはこの尖閣列島に対するいわゆる事務所を設置する、と伝えられる、と危機感を表明した。

福田外相は、従来の見解を繰り返すのみであった。「尖閣列島問題は、これは非常に当面重大な問題だというふうな認識を持っております。この重大な問題につきまして、ただいま國場委員からるる見解の御開陳がありましたが、私も全く所見を同じくします」「最近になりまして、あるいは国民政府からあるいは中華人民共和国からいろいろ文句が出ておる、こういうのが現状であります」「隣の国々の動き、これは非常に不明朗である、非常に心外である」と不快感を表明するのみであった。

國場議員は、「領土権と大陸だなの問題は別だ」が、「大陸だなの上に尖閣列島が乗っかっておる、そうすると領海権に対して、昔は三海里といわれたのでございますが、いまは一二海里説もあるし、あるいはまた三十海里、七十海里というような思い思いの領海権に対しての主張をしておる国々があるわけでございますが、それに対するいわゆる領海権と大陸だな権、これをどう調和させるかということに問題がある」と、不安を繰り返した。

日本の世論の大勢は沖縄返還を喜び、中国の国連代表権問題の解決を喜ぶ反面、沖縄返還に隠されたトゲが中国の領有権主張への逃げであることをしだいに知るに及んで、日本政治は、新たな中国とのつきあい方をめぐって、大きく揺れ動くことになる。

尖閣領有決定の経緯

一九七二年三月二十一日、楢崎弥之助議員は衆院予算委員会第二分科会で、尖閣諸島の領有決定の経過を鋭く質した。領有の経過について、これがほとんど唯一のやりとりである。福田赳夫外相や高島益郎条約局長は曖昧答弁に終始した。

楢崎弥之助議員の質問。

「尖閣列島の問題に入りたいと思います。これは私の記憶し得る限りでは、本格的な論議がなされたことはないのじゃないか。つまりこちら側が領有権の問題について聞き、外務省はその見解を述べるというにとどまったのがいままでの経過ではなかろうか。〔中略〕去る〔七一年三月〕三日に国連の海底平和利用委員会で、初めて中国代表と日本代表とこの領有権の論議をやった。〔中略〕日中正常化の話し合いの中で、やっぱりこの尖閣列島があるいは現実的な障壁になるという可能性について私は憂えるわけであります。領土問題というのは非常にデリケートな問題であるし、隣国感情としても国民感情としても、これはお互いにシビアーなものがある。〔中略〕どこに問題があるということを私は見きわめる必要があろう。〔中略〕この問題は〔中略〕日中の話し合いでこれは解決されるべきものであって、少なくとも第三国の介入する余地はない〔中略〕具体的に言うならば、アメリカの見解は必要ではない。それぱかりかアメリカの意見をこの問題に求めることは根本的な誤りである〔中略〕大陸だなの資源開発問題とこの領有問題は、これまた別個の問題であるという立場で日中間の話し合いに持っていく必要がある〔中略〕沖特委員会で、外務大臣の領有権の根拠についてのお話も承りました。〔中略〕非常に論拠が弱い〔中略〕私に対する回答では、「歴史的に一貫してわが国の領土たる南西諸島の一部を構成し、」〔中略〕この「歴史的に一貫して」ということは、いつからの歴史ですか」。

「明治十七年に古賀さんがいろいろ尖閣列島のことを知って、そしてそれに基づいて沖縄県の知事が、いわゆる国標を立てたいという上申書を提出された〔中略〕それが十年間なぜうやむやになっておるか。二十八年に閣議決定いただいたのでしょう。なぜうやむやになっておったか、その間の理由はどうでしょう」。

「資料によりますと、明治十八年の太政大臣あて、魚釣島、久場島及び清国福州との間に散存せる島に国標を立てたいという上申書を出したわけです。これに対して外務卿の井上馨が、まず一つは、島嶼が清国福建省境に近いということ、二番目に、叢爾たる小島であること、三番目に、清国側に日本が台湾付近の清国領を占領した等の風評がある、そのような理由で、国標の建設と島嶼の開拓は他日に譲るほうがいいのだ、こういうことを言って、同年十二月に、内務卿から知事あてに国標の建設の必要はないということを指示した〔中略〕その後、明治二十三年一月と二十六年十一月の二回にわたって、知事から上申書が出されておる。しかしこれも却下されておる。やっと日清戦争の終えんに近い、つまり勝利の見通しが立った段階の二十七年十二月二十七日、閣議にかけることが了承された。そして二十八年一月十四日に閣議決定〔中略〕この十年間そういう経過をたどってきたということは、日本の内務省や外務省の調査で、尖閣列島が琉球列島に属しておることがはっきりしなかったか、あるいは中国領であることがはっきりしておったからではないか〔中略〕結局は二十八年、つまり日清戦争勝利の見通しが立ったということで、一気になされたという印象を受けます。〔中略〕閣議決定から勅令十三号、これは尖閣列島を領土に編入するということばはありますか。〔中略〕二十九年勅令第十三号というのは、沖縄県の郡の編成をきめただけであります。だから、尖閣列島を日本領土に編入するということは書いてありません。ただ、八重山郡は八重山諸島を当てるということが書いてありますね。〔中略〕八重山諸島の中に尖閣列島が含まれるんだと沖縄県知事自身がいって、そして八重山郡に編入をした、そうして、地方行政区分上の編入と同時に領土編入の措置をとった、これが事実であろう〔中略〕領土編入という国際的に重要なことが、県知事という一地方長官の判断や解釈で行なわれたという疑いがあります」。

「下関条約で尖閣列島は台湾の付属諸島ではない、そういうことをきめた文書がありますか」。

この最後の問いに高島益郎（条約局長）はこう答えた。「下関条約の中には、台湾及びその付属島嶼とあるだけでございまして、その範囲はどこかということについては、われわれの了解では、この尖閣諸島は全然入っておらない」。

つづけて福田外相が「馬関条約に尖閣列島のことが触れてない、これは私、当然だと思うのです。もうすでにそれに先立ち、一月十四日にわが国は法的な措置をとっておる。その島々に対して異議があったと、こういうのならば清国側でも問題を提起し、それが馬関条約に含まれるということだったと思うのですが、異議のない状態だと、こういう状態だから触れるわけがない。〔中略〕わが国の領有権を肯定するという材料にこそなれ、疑問を差しはさむ、そういう材料にはならない」。

楢崎はこう追及した。

「これは重大ですから、想像ではいけない〔中略〕明確な資料に基づいて理論構成しないと弱い〔中略〕日本側代表が水野という弁理公使、清国側代表は李経方という代表ですね、この人がいろいろやり合っておる〔中略〕これは水野弁理公使が言っているんです。他日日本政府が福建近傍の島嶼までも台湾所属島嶼なりと主張するがごときことは決してこれなしと言っておる〔中略〕福建近傍の島嶼とは何か、これは沖縄県知事が上申書を出したときにこういうことを言っておりますね。魚釣島、久場島及び清国福州との間に散在せる島、つまり尖閣列島ですよ。だから、この尖閣列島のことまでも台湾付属島嶼なりと主張することはしない、つまり尖閣列島は台湾の付属の島だとは言わないということが載っておる。だから台湾には含まれない〔中略〕ところがそれが逆に、〔台湾に〕含まないということは、これは中国固有の領土であるということのニュアンスが出ておるんです。だから〔台湾と〕一緒にとらないんだ〔中略〕この辺は非常にデリケートなところです。ですから、もう少し確たる証拠に基づいた理論構成をする必要がある〔中略〕沖縄米政府の布告二十七号なんというのは、〔中略〕根拠にならない〔中略〕これはアメリカがかってにやっておるといわれればそれまでですから、強い根拠にならない。〔中略〕この尖閣列島は、国際法のいわゆる無主島だと思う〔中略〕私はそう思います。〔中略〕問題はその尖閣列島を日本の領土とするというその意思決定及びその後の実効的支配が正当なものであったかというのが〔中略〕中国側との争点になるのではなかろうか〔中略〕それ〔実効的支配〕が正当かどうかというところにおそらく争点がある〔中略〕十年間もほったらかしておって、日清戦争で大勝利というときに、その力をかってきめたという感じ〔中略〕その辺が正当性との問題が出てくる」。

楢崎は、下関条約において尖閣諸島がどのように扱われたか、扱われなかったかを質した。条約の文言では高島の答えたように「台湾及びその付属島嶼の割譲」と書かれており、この付属島嶼に尖閣諸島が「含まれない」とするのが日清双方の解釈であった。では何が問題であったのか。澎湖諸島は北緯東経で具体的に範囲が示されたにもかかわらず、「台湾の付属島嶼」については北緯東経が明示されなかったために、清国の李経方が日本側に疑心を抱いたのだ。つまり、拡張主義の日本が「台湾の付属島嶼」を拡大解釈して、福建省沿岸の島嶼まで、割譲の範囲だと主張されてはたまらないと危惧したのだ。このときに水野弁理公使が「日本政府が福建近傍の島嶼までも台湾所属島嶼なりと主張するがごときことは決してこれなし」と断言したことによって李経方は疑念を解いたのであった。

この経過を十分に調べた上で、楢崎は、論理をウラから読んで見せた。すなわち、「台湾の付属島嶼の範囲」に尖閣諸島が含まれないことは、逆に尖閣諸島が「大陸棚に含まれる」とする解釈、すなわち北京政府に有利な条件となりはしないかと楢崎は危惧したのだ。

今日の地理的知見によれば、尖閣諸島が台湾の付属島嶼に属することは明らかである。大陸棚上にあるとはいえ、福建省沿岸からははるかに遠く、また琉球列島と尖閣諸島の間には、沖縄トラフという海溝があり、黒潮が流れている。

楢崎弥之助は、重ねて「防空識別圏」から外すことと、赤尾嶼／大正島、黄尾嶼／久場島の米軍基地の撤去を求めてこう述べた。「中国側が尖閣列島の領有権を主張する、もしそこに日本の飛行機がＡＤ

IZ〔防空識別圏〕で飛んでいく。そうすると、中国側が自分の領土に飛んできたということで、スクランブルをかけないという確心があなた、ありますか」「現実にやはり非常にトラブルの起こる可能性があると思うのです」「赤尾、黄尾に米軍の基地がある、射爆場があるということ、これも私はたいへん問題があると思う〔中略〕領有権について争いのあるところに米軍の基地があるということは、これはよくない〔中略〕赤尾、黄尾から、これはAリスト〔基地存続〕に入っておりますけれども、基地を撤去するように話し合いをされるべきである」。

この楢崎質問は、日本側の「無主地先占論」の論拠の弱さという歴史的経緯と返還以後の軍事衝突の危険性を指摘した論戦の白眉であった。米上院の公聴会にならって、楢崎の提起した問題をあらゆる角度から点検しておくことを日本の国会は怠った。

補　下関条約における尖閣諸島の扱いについて

ここで下関条約の条文を調べてみよう。

第1条　清国は、朝鮮国の完全無欠なる独立自主の国たることを確認す。因て右独立自主を損害すべき朝鮮国より清国に対する貢献、典礼等は、将来全く之を廃止すべし。

第2条　清国は、左記の土地の主権並びに該地方に在る城塁、兵器製造所及び官有物を永遠日本国に割与す。

一、左の経界内に在る奉天省南部の地。鴨緑江口より該江を遡り、安平河口に至り、該河口より鳳凰城、海城、営口に亙り、遼河口に至る折線以南の地、併せて前記の各城市を包含す、而して遼河の中央を以て経界とすることと知るべし。遼東湾東岸及び黄海北岸に在りて奉天省に属する諸島嶼。

二、台湾全島及び其の付属諸島嶼。

三、澎湖列島、即ち英国格林尼次(グリニッジ)東経119度乃至120度及び北緯23度乃至24度の間に在る諸島嶼。

第3条　前条に掲載し付属地図に示す所の経界線は、本約批准交換後、直ちに日清両国より各二名以上の境界共同画定委員を任命し、実地に就て確定する所あるべきものとす。而して若本約に掲記する所の境界にして、地形上又は施政上の点に付き完全ならざるに於ては、該境界画定委員は、之を更正することに任ずべし。該境界画定委員は、成るべく速に其の任務に従事し、その任命後一個年以内に、之を終了すべし。但し、該境界画定委員に於て更定する所あるに当りて、其の更定したる所に対し、日清両国政府に於て、可認する迄は、本約に掲記する所の経界を維持すべし。

第4条　清国は、軍費賠償金として、庫平銀二億両を日本国に支払うべきことを約す。右金額は、都合八回に分ち、初回及び次回には毎回五千万両を支払うべし。〔以下略〕

この条約で台湾の割譲を規定したのは、第二条の二項及び3項である。二項と三項を比べると、後者は経緯度で示したのに対して、前者は単に、「台湾全島及び其の付属諸島嶼」とあり、全島とは何か、其の付属諸島嶼には何が含まれるか、特定されていない。

伊能嘉矩『台湾文化志』(下巻、刀江書院、一九二八年、九三六〜三七頁)によると、清国の境界画定委員李経方(大清帝国欽差全権大臣、二品頂戴前出使大臣、李鴻章の養子)と日本側水野弁理公使との間で次のような協議が行われている。

李　台湾附属島嶼とある其の島嶼の名目を目録中に挙ぐるの必要なきか。何となれば平和条約中には澎湖列島の区域は経緯度を以て明瞭にせられあるも、台湾の所属島嶼に就ては之等の区域を明にすることなし。故に若しも後日福建省附近に散在する所の島嶼を指して、台湾附属島嶼なりと謂うが如き紛議の生ぜんを懸念すればなり。

水　閣下の意見の如く各島嶼の名称を列記するときは、若し脱漏したるものあるか、或は無名島の如きは、何れの政府の所領にも属せざるに至らん。是不都合の一点なり。又海図及地図等にも、台湾附近の島嶼を指して台湾所属島嶼と公認しあれば、他日日本政府が福建近傍の島嶼までも台湾所属島嶼なりと主張する如きこと決して之なし。小官は帰船の上、此事を特に樺山総督閣下に陳述し置くべし。況や福建と台湾との間に澎湖列島の横はりあるに於てをや。閣下の遠慮は全く杞憂に属するならん。

李　肯諾〔承知した〕。

以上の協議からわかるように、日本側の割譲提案に対して、李経方が「付属島嶼」の範囲が「福建近傍の島嶼まで」及ぶものと拡大解釈されることを恐れて日本側の真意を質した。これに対して水野が①ここに島名を挙げるならば、脱漏の恐れがある、②無名島の如きは、何れの政府の所領にも属せざるに至らん、③「台湾付近の島嶼」を指して「台湾所属島嶼」と公認している、の三つの理由を挙げて、李経方の懸念は杞憂だと説き、かつ、この点は「特に樺山総督閣下に陳述し置く」と約束して、李経方の懸念を解いた経緯が以上の問答から理解できる。

なお、「日清講和条約付属地図」が付されているが、これは鴨緑江周辺から遼東半島を経て遼東湾に至る部分のみであり、台湾周辺の地図は含まれていない。講和条約が調印された一八九五年四月時点において、日本軍はまだ割譲を受ける台湾に上陸していなかった。それゆえ、付属島嶼について日清間で以上のような対話が行われたのは、十分に理解できることであろう。以上から推して、下関条約における「台湾の付属島嶼」には、無人島の尖閣は含まれていないと解してよい（尖閣諸島は、台湾割譲とは別の契機により、沖縄県に編入されたものである）。

楢崎議員は、尖閣列島は下関条約における割譲の範囲には含まれない事実を確認しつつ、「その場合は、福建省側に属することになりはしないか」と問題を提起したのである。尖閣列島が沖縄トラフの西側にあり、琉球列島に属していないことは明らかであるからだ。

3　日中国交回復へ——一九七二年五月～九月

話し合いで資源開発を——田中角栄通産相発言

一九七二年五月九日、佐藤内閣末期の通産相となった田中角栄は、こう述べた。「沖縄周辺には御承知のとおり、天然ガス及び石油の資源というのが相当大きなものが確認をされております。東シナ海を中心にしてエカフェが長いこと調査を行なった結果、われわれが考えておったよりも膨大もない石油資源が存在をするということが確認せられました。しかし、〔中略〕石油があるとか天然ガスがあるとかということが確認されないうちは、尖閣列島問題などたいしたことはなかったのですが、これは、相当膨大もない埋蔵量を有するということが公になってから、急遽いろいろな問題が起こってまいったわけでございます。しかも、ここは大陸だな問題としても、台湾との問題とか中国大陸との問題とか、日本に復帰する沖縄との境界線、非常にむずかしい問題が入り組んでいる〔中略〕これは話し合いをしながら、円満に地下資源というものは開発をしていかなければならない」「尖閣列島の周辺は、〔中略〕中華人民共和国の立場もございますから、そういう非常にむずかしいところ」もある。

田中はいかにも通産相らしく、沖縄周辺の石油・天然ガスに着目しつつ、同時に大陸棚をめぐって台湾政府と大陸政府との境界線引きが難しいことを意識した。

日中共同声明

一九七二年七月七日田中角栄内閣が成立するや、日中国交正常化に取り組む意向を明らかにし、九月二十五日訪中し、二十九日には共同声明に調印した。

国交正常化半年後の一九七三年四月二十日、國場幸昌議員はこう述べた。

「石油資源が豊富であるというようなことから、中華民国におきましても、中華人民共和国におきましても、尖閣列島は互いにわが領土であるとか、あるいは大陸だな問題がいろいろいわれておる〔中略〕領有権問題に対しまして率直に申し上げますと、日中正常化のときに、田中総理は、〔中略〕尖閣問題には深入りせずと」。「田中首相がこの十月一日、東京都下小平市のゴルフ場において、居合わせた記者団に対しまして、〔中略〕尖閣列島問題についても話し合った事実を明らかにした。共同通信によると、田中首相の話は次のとおりでございます。「周首相との会談で私〔田中〕の方から『尖閣列島の領有問題をはっきりさせたい』と持出したが、周首相は『ここで議論するのはやめましょう。地図にものっていないし、石油が出るので問題になったというわけですがね』と正面から議論するのを避けた。」こういうことを書いております」。「日中問題は正常化して、相互の理解の上に立って、それじゃという話し合いもできるかしれませんが、中華民国すなわち台湾政府との交渉をいかような方法でやっていけるのか」。

國場議員は、大陸との話し合いはルートができたとの認識のもとに、むしろ「断交した台湾政府との交渉」を尋ねている。

4　中国漁船集団の尖閣押し寄せ事件――一九七八年四月

田中訪中以後、日中関係は友好ムードに包まれたが、主役田中はロッキード事件で失脚し、共同声明に続くべき平和友好条約の交渉は遅々として進まなかった。そこへ突如発生したのが一九七八年四月の中国漁船集団の尖閣押し寄せ事件であった。

一九七八年四月十九日、園田直外相の答弁。「〔平和条約の〕交渉再開が間近に迫ったという環境の時期にこういう事件が起こったことは、本当に残念でございます。いままで台湾の漁船その他の漁船がこの領海を侵犯したことがございますが、これはこちらの警告によって直ちに退去している〔中略〕中国の船は今度が初めてでございますが、偶発的であると中国政府は言われておるわけでありますけれども、どうも数の多い点、〔中略〕いまなお領海に出たり入ったりされて、昨日〔七八年四月十八日〕の午後五時から本日にかけては領海内には一隻もいないわけでありますが、なお二百隻近い船が集団で領海外の間近なところに集結をしておる、こういう点から理解に苦しむ点がある」と当惑を隠さなかった。

上原康助議員（日本社会党）は、一九七二年九月の日中首脳会談において尖閣問題についてどういう話し合いがあったのか、と政府を質した。

同日、外務省の中江要介アジア局長はこう答えた。

「両国首脳の会談において、尖閣諸島の問題は議題とされたことはない〔中略〕首脳者会談の中で、この問題についてたな上げにするというような合意なり了解なり、そういったものがあったかというと、それもない〔中略〕それでは一体何があったのかといいますと、中国側は、この尖閣諸島の帰属の問題を取り上げたくないという態度を示していた〔中略〕日本政府といたしましては、〔中略〕固有の領土であるという確たる根拠の上に立って、かつ有効支配をしておるわけで〔中略〕相手の方から取り上げないものをこちらから取り上げるという筋合いのものでもございませんので、中国側がこれを取り上げないという態度を示したことは、〔中略〕結果として双方で何ら触れることなく正常化が行われた、そして今度の事件が起こりますまでそういう状態が続いていた、こういうことでございます」。

中江は、漁船事件の概略を次のように説明した。

「十二日に事件が起きまして、その翌日、十三日でございますが、東京で中国課長から、在京大使館の一等書記官に対しまして本件の概要、〔中略〕中国漁船の不法な操業や漂泊行為に対しては遺憾であるという遺憾の意を表明して、〔略〕直ちにわが国領海から立ち去るように、そして再びこういうことを繰り返さないように必要な措置を中国政府にとってもらいたいということを要請して、これを本国政府に取り次ぐように申し入れた」「先方は〔中略〕尖閣諸島は中国の領土であるということで一九七一年の声明に言及した」「翌日の四月十四日になりますと、北京におきましてわが方の堂ノ脇公使が先方の王暁雲アジア局次長に申し入れました」「尖閣諸島は中国の領土であるという従来どおりの態度を示しつつも、他方、事実関係については、実態を調査しますという返答があった」「現在その調査の結果を待っておる」「翌十五日の土曜日になりますと、〔中略〕社会民主連合の代表として訪中しておられました田〔英夫〕代表に対し耿ヒョウ〔飈〕副総理が〔偶発的な事件と〕説明しました」「日曜日にもまだ二十数隻朝残留しているということでございましたので、十六日の日曜日に、私〔中江〕が在京大使館の肖向前参事官を呼びまして、そしてお話をした」。

上原康助議員は、「自民党の党内事情などがあって三月にずれ」て、「もたもたしている段階でこの問題が起きたという政府の外交の失態についての責任は私は重大だと思う」と追及したのに対して、園田直外相は「本件を処理して、友好条約交渉を進めたい」と述べた（一九七八年四月十九日）。

園田・鄧小平会談（一九七八年八月十日）

九月二十九日、中村正雄議員（民社党）はこう質した。

「平和友好条約交渉では、尖閣諸島の領有権の明確化が国民にとっての関心事でありましたが、条約面において見る限りにおいては、これがたな上げされた結果となっております。領有権問題がたな上げされたまま条約が締結されたといたしまするど、ソ連が北方領土問題をたな上げにしたまいわゆる善隣協力条約の締結を迫ってきた場合、わが国の全方位外交の推進という立場から、日本政府としては今後どう対処する方針なのか」。

園田直外相はこう答えた。

「平和条約ではございませんので、この友好条約には国境並びに領土の個条はないばかりでなく、わが国と中国の間には、領土問題に対する紛争はございません。多分、尖閣諸島のことをおっしゃったのだと存じますけれども、これは歴史的に、法的に、日本の固有の領土であることは明確でありまして、現にわが国がこれを有効支配いたしております。〔中略〕鄧小平副主席との会談の際、尖閣諸島に対するわが国の立場を主張し、この前のような事件があったら困る、こういう事件は断じて起こしてもらわぬようにという要請をいたしました。〔中略〕鄧小平副主席は、この前の事件は偶発事件である、今後絶対にやらない、こういうお話でありますから、この問題がソ連との交渉に響く道理はない。ソ連の方は現に北方四島を占拠しているわけでありますから、今後ソ連との間では、いかなる条約を結ぶについても、この問題の解決が先決条件であると考えております」。

長田裕二議員（自由民主党）はこう質した。

「今回の交渉で、外務大臣からの申し立てに対し、中国政府は、再び先般のような事件を起こすことはないと申したと言われ〔中略〕尖閣諸島の領土問題についてどのようなやりとりがあったのか、それをどういうふうに理解しておるか、この点は将来日ソ間の領土問題にも影響を持つことになりかねませんので、明確な答弁をお願いいしたい」。

園田外相はこう答えた。

「尖閣列島は、北方四島、目の前に見えておる竹島、これとは全然違うわけでありまして、日本がちゃんと固有の支配をしている〔中略〕これに物言いはついておりますが、まだ紛争地帯にはなっていないわけであります。これをうかつに持ち出すことによって、いまの状態からさらに国益を損ずるおそれがある。外務大臣個人としては、この問題は正式の会談に最後まで出したくなかった問題でありますけれども、与党の皆様方の強い御意見でありますから、私は薄氷を踏む思いでこれを発言いたしました。鄧小平副主席は、私が一番最後に、尖閣列島の問題に対する日本の立場を述べ、先般のような偶発事件があっては困る、このようなことがないようにと要請したのに対し、〔中略〕副主席の言葉を言うと「あれは偶発事件である、漁師は魚を追うていくとつい先が見えなくなる」、笑いながら「今後はこういうことは絶対しない、今後はこういうことはない」、こういう発言をされたのが事実であります」。

「これをどのように解釈するか、それを外務大臣が本会議の席上で、これに対する解釈を言うのか言わぬのか、どちらが国益か、私は言わない方が国益であると思いますから、事実だけを御報告いたします。なおこの尖閣列島に固有支配を示すために施設をすることについてどうか——外務大臣としては反対であります。そもそも、〔中略〕この領土は〔中略〕日本の古来の領土とおっしゃるんですから、それをわざわざ、これはおれのものだ、間違いないだろう、おれのものだ、文句はないだろうというようなことをすることが果たして外交上いいことであるかどうか」。

あいまいさを残す日中国交回復

上田耕一郎議員（日本共産党）は七八年九月三十日、こう質した。

「六年前の日中国交回復に際しても、政府がこの点をあいまいにしたため、今日なお両国間に領土問題の不明確さが残ったままであります。政府は、はっきりと国際法上、台湾を中華人民共和国の領土と認めているのかどうか。また、中国は、尖閣列島を日本の領土だと明確に承認しているのかどうか。園田外務大臣は、鄧小平副首相が尖閣列島に対し、中国は二、三十年手を出さないと述べた事実を明らかにしましたけれども、その先は言わないでくれなどと、あいまいにすることがどうして国益に沿うことになるのですか」。

福田赳夫首相はこう答えた。

「台湾を中華人民共和国の領土と認めるのかというお話でありますが、〔中略〕日本政府の立場といたしましては、日中共同声明第三項の立場をとっておる、このように御理解を願います」。「中国は尖閣列島を日本の領土として承認しておるのかというお尋ねでございます。これは、尖閣列島はわが国の固有の領土である、〔中略〕現にわが国は実効的な支配を行っております。〔中略〕これに対しまして中国は、尖閣諸島の現状につきましてこれを問題にする姿勢は示しておりません」。

以上の問答から読み取れるように、中国は尖閣を日本の領土として認めたのかという問いに対して、日本の実効支配という現状について、これを〔中国が〕問題にする姿勢は示さないという現状維持が園田直・鄧小平会談の帰結であった。

ここから、現状維持とは、日本の実効支配を容認したものとする解釈と、単に議論を棚上げしたにすぎず、実効支配を容認したものではないとする二つの解釈がその後、日中間の新たな紛争として浮かび上がる。園田は「固有支配を示すために施設をすることについて、外務大臣としては反対であります」と強調した。このような園田の姿勢が日本側から失われたとき、中国は日本の実効支配に対して挑戦を始めた。

漁業における安全操業の問題

神田厚議員（民社党）七九年五月三十一日はこう質した。

「一昨日（四月二十九日）、中国政府は、わが国の尖閣諸島に対する調査について、中日両国間の了解に違反していることは明白であるとの抗議をしてまいりましたが、この調査は沖縄開発庁による漁業における安全操業の問題も含まれており、われわれとしても看過すべきでない（中略）日中条約締結時に日中両国において異なった見解が残ったのではないかという疑念を改めて持たざるを得ません。昨日の衆議院外務委員会の質疑等を通してうかがえることは、この点についての外務大臣と沖縄開発庁並びに運輸省との間に意思の疎通を欠き、この重要な問題について閣内不一致が見られたことはまことに遺憾であります」。

園田直外相はこう答弁した。

「わが国は尖閣列島については係争中のものではないという立場であり、中国はわが方の領土であると日本に主張しているという、基本的な立場の相違があります。そこで、これについて、私の方から鄧小平副主席に発言いたしました。その発言は、そのまま申し上げまするると、尖閣列島に対するわが国の従来の立場を主張し、その上、先般行われたような漁船団のような事件があっては困る、こう主張したのに対し、鄧小平副主席から、このような事件は今後やらない、このままでよろしい、こういう話でありました。それ以上は一言半句も両方から発言をいたしておりません。これで私は十分であると考えておるわけであります」。

園田はさらにこう付加した。

「尖閣列島でただいま政府がやっておりまする調査、これは、〔中略〕わざわざ有効支配を誇示するためのものであるならば不必要であるけれども、地域の漁民、住民の方々の避難、生命の安全等のために行う調査団ならば当然のことであるということで、閣内不統一はございません。なお、これに対する中国の申し入れに対しては、原理、原則と、感情、面目との別あることは、個人の交際、国の交際、当然であります。したがいまして、慎重に検討し、対処したいと考えております」。

尖閣列島の調査

丸谷金保議員（日本社会党）は七九年六月一日、こう質した。

「新聞で問題になっておりますす尖閣列島の調査の件についてお伺いしたいと思います。外交的な問題も入る非常に微妙な問題でございますので、〔中略〕心得ながら質問いたしたい。〔中略〕当委員会としては、やはりこの仕事を沖縄開発庁が調査するということでございますので、概要をまず御説明いただきたい」。

亀谷礼次沖縄開発庁総務局長はこう答えた。

「昭和五十四年度の予算の概算要求に、ご承知のように、三千万円の調査費を計上したところでございます。内容につきましては、尖閣諸島におきます自然的地理的条件を把握するということでございまして、主要三島の地質あるいは地形、あるいは生物、植生等、いわゆる地上の調査及び周辺海域の海流あるいは風向、風速、こういったものを一年間にわたりまして継続して一部調査するとともに、〔中略〕上陸いたしまして、大学の先生方にお願いをいたしまして、学術調査というテーマで行うことにいたしたわけでございます。〔中略〕期間といたしましては、〔中略〕約十日前後の期間で、現在すでに同島の調査に入っておる」。

丸谷議員「あの尖閣列島というのは沖縄県の行政区域としてはどこの市町村に属しておるのでございますか」。

亀谷総務局長「沖縄県の中で申しますと、市は石垣市でございまして、字で申しますと登野城という字名になっております」。

尖閣周辺の石油開発

佐々木良作議員（民社党）は七九年九月六日こう質した。「尖閣諸島の石油開発の問題がいま俎上に上ろうとしておるようであります。この進め方、中国との共同開発についての基本的な考え方、あわせて御説明をいただきたい」。

大平正芳首相はこう答えた。「尖閣諸島付近の大陸棚の開発につきましては、その尖閣諸島周辺を含む日中間の大陸棚の境界を画定する必要があると考えております。このためわが国は、従来から中国との話い合いに応ずる用意があるとの考えを中国側に繰り返し申し入れてございます。中国側も、かかるわが方の考え方は承知いたしておるものと推察いたします」。

十一月三十日、湯山勇議員（日本社会党）はこう質した。「尖閣列島の石油を日中共同で開発することについては、わが党の訪中使節団がその門戸を開いてまいりました。五日に〔大平〕総理は訪中されますが、この尖閣列島の石油の調査開発を速やかに進めるよう、その促進方を強く要望いたしまして、私の質問を終わります」。

大平首相はこう答えた。「わが国を取り巻く資源環境にかんがみまして、わが国といたしましても、尖閣諸島周辺を含む海域における石油の資源開発には大きな関心を持っております。しかし、〔中略〕踏むべき手順といたしまして、まず、日中間で大陸棚の境界画定につき話し合う必要があります。今後、日中間の境界画定問題等について中国側と意見交換を行った上で、共同開発の問題も含め、慎重に対処してまいりたい」。

井戸を掘った政治家の死去

一九八〇年六月十二日、大平首相が入院先で死去した。園田は鈴木善幸内閣で厚生相、外相を務めたが、八四年四月、急性腎不全で死去した。八五年二月二十七日、田中角栄は脳梗塞で倒れ、政治活動は不可能となった。八〇年代前半に、この三人の優れた政治家が政治の舞台から退くことによって、機微を要する尖閣問題の扱いは、事実上不可能になり、国交正常化後四〇年の記念すべき年に、日中は全面衝突に至る。

*1　一九四八年一月、京都市生まれ、大学卒後、沖縄に行き地元の予備校尚学院に漢文・古文の講師として一三年間勤務、この間、琉球漢詩の研究。京都へ戻り、河合塾、代々木ゼミナール、大阪予備校講師。一九九一年オフィス・コシイシを設立し、「琉球古典漢詩シリーズ」として『蔡大鼎集』『林世功・林世忠集』を刊行。

*2　琉球帰属については、大山梓「琉球帰属と日清紛議」『政経論叢』明治大学政治経済研究所、一九七〇年五月、山村健「琉球分島問題の結末」『戦史研究年報』第3号、二〇〇〇年三月、西里喜行『清末中琉球日関係史の研究』京都大学出版会、二〇〇五年、山城智史「琉球帰属問題と清露イリ境界問題」『沖縄文化研究』二〇一一年三月、などが詳しい。

*3　蔡温（一六八二年十月二十五日～一七六二年一月二十三日）は琉球王国の政治家。和名は具志頭親方文若（ぐしちゃんウェーカタぶんじゃく）。蔡氏具志頭殿内の小祖（蔡氏志多伯家一一世）。久米三十六姓の出身である。三司官に任ぜられ、河川工事や山林の保護に尽心竭力し琉球の農業の発展に貢献した。著作に『家内物語』『獨物語』『自叙傳』『圖治要傳』や『簑翁片言』等多数。

*4　東恩納寛惇（一八八二～一九六三）は、歴史学者。沖縄県那覇市出身。一九〇八年に東京帝国大学史学科卒業後、東京府立一中教諭、府立高等学校や法政大学、拓殖大学などの教授を務めた。主に歴代宝案を研究し、多くの著書を残した。その多くは沖縄県立図書館に寄贈され、東恩納寛惇文庫として保存されている。寛惇が集めた資料や著書は沖縄研究において重要な役割を果たしている。死後、琉球新報社によって『東恩納寛惇賞』が創設された。

*5　Okinawa Reversion Treaty, Hearings before the Committee of Foreign Relations, United States of Senate, Ninety-Second Congress, First Session on Ex. J. 92.1.（以下、Hearings と略記）。

＊6　いわゆるアルバニア決議（第26回国連総会2758号決議）は一九七一年十月二十五日に採択された（2758XXVI. Restoration of the lawful rights of the People's Republic of China in the United Nations）。米日などの親台湾派は、蔣介石に対して、常任理事国の一員ではなく、国連総会の加盟国の一員としてとどまるよう工作したが、これは蔣介石側が拒否した。日本は、中国の加盟を主張する一九六四年案と一九七〇年案に反対票を投じた。一九七一年総会においても、佐藤栄作内閣の「中華人民共和国の国連加盟は賛成するが、中華民国の議席追放反対」の方針により、「台湾追放反対決議案」の共同提案国に加わった。

＊7　一九四六年四月沖縄諮詢会を解散して、沖縄民政府議会に改組したときの投票結果。沖縄諮詢会（Okinawa Advisory Council）は、一九四五年八月十五日の石川民間人収容所における琉球列島米国軍政府の招集による住民代表者会議の結果、一九四五年八月二十日に美里村石川に設けられた琉球列島米国軍政府の諮問機関で、沖縄戦による沖縄県庁解体後、沖縄本島における最初の行政機構である。以後、一九四六年に「沖縄民政府」が創設されるまで、米軍政府と沖縄諸島住民との意思疎通機関としての役割を果たすことになった。

＊8　古賀辰四郎（一八五六～一九一八）、福岡県八女生まれ。実家は茶の栽培と販売。那覇に渡り、寄留商人として茶と海産物を扱う古賀商店を開業。一八九五年魚釣島、久場島、南小島、北小島の四島を明治政府から無料で借り受け、開拓に従事。一九三二年には辰四郎長男の古賀善次が四島を国から払い下げを受けたが、四〇年ころから戦時色が強まり、島々は放置されて、終戦を迎えた。平岡昭利『アホウドリと「帝国」日本の拡大』（明石書店、二〇一二年）を参照。なお久場島は一九五五年以来米軍が射爆撃場として使用し、翌一九五六年以来、大正島（国有地）も射爆撃場として使用され、沖縄返還の際は、非返還基地のAリストに掲げられた。一九七二年辰四郎の子古賀善次

は南小島、北小島を栗原国起に譲渡し、七八年には魚釣島も栗原に譲渡した。二〇一二年日本政府は、米軍射爆撃場の久場島をのぞき、栗原国起所有の魚釣島、南小島、北小島の三島を国有化した。

＊9　FRUS, 1969-1976, Volume XVII, China, 1969-1972, Department of State, United States Government Printing Office Washington, 2006（全一一三〇頁。FRUS, 45 のように文書番号で示す）。

＊10　春名幹男氏は「尖閣領有アメリカは日本を裏切った」（『文藝春秋』二〇一三年七月号）で、台湾との協議についてのロジャース長官の要請について、「会談冒頭とはいえ、極めて抽象的なやり取りで、外務省は虚を衝かれ、アメリカの真意を受け取り損ねたともいえる」と評しているが、それまでの経緯からしてロジャース長官の趣旨は明らかであって、春名氏の評価は、日本外務省の重大な責任を免罪するものと私には思われる。

＊11　日清戦争の敗北を踏まえて行われた下関条約＝馬関条約において、清国は台湾割譲にともない、初めて琉球諸島に対する日本主権を正式に認めた。この際、日本側は、尖閣諸島は琉球諸島に含まれているという立場から、尖閣を含む琉球列島の日本帰属を清国が認めたものと理解したのである。しかしながら、清国の継承国家である中華民国の蔣介石は一九四三年十一月二十三日カイロ会談翌日の『蔣介石日記』に戦後処理案として尖閣を含む琉球を「中華民国と米国の共同管理」とするよう提案した事実が重要だ。一九四五年八月の日本投降、中華民国から見ると十月十日の光復により、下関条約は再度見直されることになり、台湾および澎湖諸島の返還は当然のこととして、中華民国は沖縄諸島に対する主権回復も主張した。これは一九四三年中華民国外交部長宋子文の言明以来、日本の敗色が濃くなるにつれてしばしば強調された。

＊12　ダレス演説の概要は以下の通り。「第3条は、日本の南・西南に位置する琉球諸島を扱う。日本降伏以後、琉球諸島はアメリカ合衆国の施政権下にある。連合国の一部〔中華民国〕は日本の主権放棄を主張した。連合国の一部〔国務省のリベラル派〕は日本への主権返還を主張した。意見の

食い違いに直面して、合衆国として、「日本に琉球諸島の残存主権を許し、国連の信託統治制度のもとに置き、合衆国が施政権を行使する」ことが最良と判断した」(Foreign Relations of United States, American Foreign Policy, 1950-1955, Basic Documents, Vol. 1, Washington, D.C.: Government Printing Office, 1957, p. 453)。

＊13 署名国は、アルゼンチン、オーストラリア、ベルギー、ボリビア、ブラジル、カンボジア、カナダ、セイロン、チリ、コロンビア、コスタリカ、キューバ、ドミニカ、エクアドル、エジプト、エルサルバドル、エチオピア、フランス、ギリシャ、グアテマラ、ハイチ、ホンジュラス、インドネシア、イラン、イラク、ラオス、レバノン、リベリア、ルクセンブルク、メキシコ、オランダ、ニュージーランド、ニカラグア、ノルウェー、パキスタン、パナマ、パラグアイ、ペルー、フィリピン、サウジアラビア、シリア、トルコ、南アフリカ、英国、米国、ウルグアイ、ベネズエラ、ベトナムなど四八ヵ国であり、インド、台湾(中華民国)、ソ連および東欧諸国、韓国、中華人民共和国などとは、あとから個別に条約などを結んだ。北朝鮮とは依然として結ばれていない。これらの地域を見ると、アジアの冷戦がこの地域を境界としていたことがわかる。

＊14 ニミッツ布告――一九四五年三月二十六日に慶良間諸島に上陸したアメリカ軍は、太平洋艦隊司令長官・太平洋区域司令長官兼米国軍占領下の南西諸島及びその近海の軍政府総長チェスター・ニミッツ米国海軍元帥の名で米国海軍軍政府布告第1号(いわゆる「ニミッツ布告」)を公布した。つづいて沖縄本島に上陸した一九四五年四月一日にも同名の布告を公布、四月五日には読谷村比謝に軍政府を開設した。この布告第1号は日本政府のすべての行政権の行使を停止し、南西諸島および近海並びにその居住民に関するすべての政治および管轄権並びに最高行政責任が、占領軍司令官兼軍政府総長、米国海軍元帥であるニミッツの権能に帰属すると宣言した。植民地台湾に日本軍が駐屯している中で、無人島の尖閣諸島は、自動的に沖縄駐留米軍の管轄下に置かれることにな

った。

＊15　国連の設立に際して中華民国は創設メンバーとして参加し、拒否権をもつ安全保障理事会の常任理事国となった。しかし、その後国共内戦に敗れ、台湾に逃れ、亡命政権となった。亡命政権が中国大陸をも含めた全中国の代表とする虚構への批判は、国連総会の多数を占めるに至り、ついに一九七一年に中華人民共和国を支持するアルバニア案は多数派を制し、中華民国は安全保障理事会常任理事国のポストを奪われた。蔣介石はこれに抗議して、国連自体から脱退を決定した。米国などは安全保障理事会のポストは中華人民共和国に与えつつ、中華民国を台湾地域のみを代表する形で国連にとどまる道を模索したが、これは蔣介石の受け入れるところとならなかった。ここで重要なのは、台湾の脱退と北京政府の国連参加が、「国連における中国代表権」という議題で冷戦構造の枠組みの中で扱われたことである。戦勝五大国のもつ拒否権のために、安全保障理事会レベルでは、このような重要事項を決定することができず、結局は理事会ではなく、総会の決定事項とされ、しかも総会における三分の二の多数票を要する「重要事項」として扱われた。過半数から三分の二までの道のりは長かったが、ついに一九七一年秋に実現した。

＊16　西銘順治議員の十二月四日衆院外務委における発言は、尖閣列島の領有権については、中華民国も戦前から同諸島が沖縄県に所属していたことを認めていたはずだというもの。

＊17　この報告書は、K.O. Emery (Woods Hole Oceanographic Institution, U.S.A), Yoshikazu Hayashi (Japan Petroleum Development Corporation, Tokyo), Thomas W. C. Hilde (U.S. Naval Oceanographic Office), Kazuo Kobayashi (Japan Petroleum Development Corporation, Tokyo), Ja Hak Koo (Geographical Survey of Korea, South Korea), C. Y. Meng (Chinese Petroleum Corporation, Taipei), Hiroshi Niino (Tokyo University of Fisheries, Tokyo), J. H. Osterhagen (U.S. Naval Oceanographic Office), L. M. Reynolds (U.S. Naval Oceanographic Office), John M. Wageman (U.S. Naval Oceanographic Office), C. S. Wang (National Taiwan

University, Taipei), Sung Jin Yang (Geographical Survey of Korea, South Korea) の連名で発表された。

＊18 新野弘は、水産講習所助教授、東京水産大学教授を経て東海大学海洋学部名誉教授。海洋地質学、とくに日本近海の礁堆の研究で知られる。栃木県出身。東北帝大卒。著作は『海とその資源』（一九五一年）、『海の地学』『海洋湖沼』（一九五三年）など。エカフェ調査ののち、一九六九年六～七月、日本総理府が「尖閣列島周辺海域の海底地質等に関する学術調査隊」（隊長・東海大学新野弘名誉教授）を行い、さらに一九七〇年六月、総理府は「尖閣列島海底地質調査隊」（団長・東海大学星野通平教授）を行い、『尖閣列島周辺海底地質調査報告書』（一九七一年、総理府刊、東海大学編）が刊行されている。

（初出：『尖閣衝突は沖縄に始まる――日米中三角関係の頂点としての尖閣』花伝社、第5章、二〇一三年八月）

デヴィッド・グレーバー著『負債論——貨幣と暴力の5000年』が説くパックス・アメリカーナの崩壊

『情況』二〇一七年春号に掲載の「青木昌彦の最後のメッセージ「明治維新と辛亥革命の比較論」を読む」、同上二〇一七年夏号に掲載の「ジョバンニ・アリギ『北京のアダム・スミス——21世紀の諸系譜』を読む」、それに本稿を合わせた三つの論評はほぼ同時期に執筆されている。三つ目の論評末尾に記されている著者の言葉によれば「トランプ後の中国と世界をどのように見るかについて書評という形で探ったものである」。著者は多数の書評を執筆しているが、この三つの「書評」はチャイナウォッチの方法論に言及する点において異彩を放つ。

畏友勝股光政の主宰する以文社からグレーバー著『負債論』の邦訳が出版された。本が売れないという嘆きばかりが聞こえる昨今、八〇〇頁を超える六四八〇円の大著である。聞くところによると、著者は二〇〇八年リーマンショック後のウォール街座り込み運動を組織した活動家でもあるという。トランプのような異端派を大統領に選ぶアメリカで何が起きているのか。アメリカの覇権はこれからどうなるのか、それを考える大きな手がかりを本書は与えてくれると思われるので、早速手にとった。

"The Debt: The first 5000 years"[*1] **という本のグレーバー自身による総括**

二〇一四年版のあとがきで、グレーバーは歴史家と経済学者のそれぞれの欠陥を批判して人類学の効用を論じて、こう指摘した。

――人類学者は、『負債論』という仕事の適任者にはみえないかもしれない。だが実は、人類学者はその試みにまったくふさわしい立場にある。なぜか。歴史家と経済学者は、正反対の方向で道に迷う傾向があるからだ。経済学者たちは、すでに完成した数学的モデルと、それらに合致する人間本性にまつわる想定をもって歴史に立ち向かう。それは、いくつかの方程式に即してデータを配置する作業である。経済学者とは対照的に、歴史家は、あくまでも経験主義的なので、しばしば一切の推論を拒否する傾向がある。たとえば、「鋳貨の歴史」でしかないものに「貨幣の歴史」と銘打った無数の研究が現れる。

硬貨は痕跡を残すが信用の記録はたいてい残らないので、歴史家たちはしばしば、その存在の可能性をいっさい無視してしまう。対照的に人類学者は、経験主義的ではあるが（所定のモデルを適用するだけということはしないとしても）、非常に豊かな比較研究の素材をもっている。ヨーロッパ青銅器時代の村の集会あるいは古代中国の信用制度が、現実にどのようなものだったか、推測できる。さらに証拠資料を再検討することで、その評価が、裏づけ可能か矛盾をきたすかを確認できる。

　このような考察に際して、グレーバーが最も触発されたのは、二〇世紀初期のフランスの人類学者マルセル・モースだ。何に触発されたのか。一つには、すべての社会が矛盾するいくつもの原理の寄せ集めであることを認識した最初の人物がモースであること。もう一つは、近代経済学が基盤をおいている人間の生活と人間の本性についての奇怪な想定の仮面を剥がすため、古代史にかんする洞察と現代の民族誌学の洞察を結びつけようと試みた最初の人物であること。何よりも「物々交換の神話」とは、現代文明の創設神話にすぎぬと正確に特定したのがモースである。私は本書で、モースに依拠して「物々交換の神話」を終わらせることができた、とも言う。

　グレーバーのいう神話とは何か。グレーバーは資本なるものの仮面を暴き、それが負債にすぎないことを明らかにしたようだ。マルクスの『資本論』が商品に始まり、諸階級に終わることは誰でも知っている。しかしながら、諸階級が何故暴力的な支配、抑圧に陥るのかという重要問題を古今東西の知見から考察して、商品交換＝物物交換の神話性、虚構性を暴いたのはグレーバーだけだ。

　グレーバーが何を喝破したのか。酒井隆史[*2]と高祖岩三郎[*3]連名の解説を読んでみよう。原書の目次は注4の通りである。

1『負債論』の波紋

酒井はデヴィッド・グレーバーとは何者かについてこう愉快な紹介から始める。「グレーバーは、生身の人間である。より詳しくいうと、例外なく時間に遅れる困った奴である。だが友人である。そして情熱的な活動家でもあるそしてそんな人間が、幸運なことにすぐれた学者でもあった」。グレーバーは『負債論』で国際的にブレイクした。グレーバーの独自性を構成する資質が、本書で全面的に開花した。グレーバーの日本での紹介は二〇〇八年頃、G８洞爺湖サミットの反対行動にあわせて来日したあたりに始まる（なるほど、洞爺湖サミット反対派が来日したことは、新聞で知っていたが、そこに本書の著者もいたのか!!）。

英語版は、一〇ヵ月で六万部。海外でドイツでは、「一一週のベストセラー」を記録した。『フランクフルト・アルゲマイナー』や『シュピーゲル』のような大手紙にも書評が出て、こう評された。「グレーバーのテキストはひとつの啓示になる。もはや経済合理性の枠内で右往左往を強いられない」。

翻訳公刊後のグレーバーのドイツへの訪問は、思わぬ熱狂が待っていた由だ。グレーバーは講演に加えて、テレビ・ラジオ・雑誌のインタビューを一六本もこなした。討論番組に出演したときのエピソードが面白い。「わたしがスタジオに入るや、ほとんど解放されたかのような雰囲気に変わった。「これが例のアナキスト野郎か。いかれた君の思想を聞かせてくれ」。「資本主義は終わりつつあるのか?」というテレビキャスターの質問に、「システムの終焉を一度経験している人間」ならではのシリアスな問いであった（ここでシステムの終焉とは旧ソ連の解体に連動して東独ウルブリヒト政権が瓦解したことを指す)。

さてアメリカでは、二〇一一年にウォールストリート占拠運動(「オキュパイ運動」)が開始された。グレーバーは、訳者高祖たちとともに、「端緒からの参加者」であり、「アイデアの提供者」でもあった(「われわれは九九パーセントだ」というスローガン)。

シカゴ大学でグレーバーの指導教員であったマーシャル・サーリンズは、「もし人類学の営みが、他者の粗野な思考を、他者の固有の文化的条件のなかで論理的に必然性のあるものとし、人間の条件一般について知的に明らかにすることならば、グレーバーは無類の人類学者だ」と評した。

人類学者キース・ハート(一九七〇年代に「インフォーマル経済」を造語)は、グレーバーをルソーに始まる「不平等世界の人類学」の流れに位置づけ、「最高の人類学者だ」と評した。この負債論は、「途方もない知性」の産物である。資本主義は今日、ヴィクトリア朝時代よりも野放図な「レント取得(収益、超過利潤)体制」に復帰している。挑戦に立ち向かう人類学で、グレーバー以上にふさわしい人間はいない」。

グレーバーと経済学者トマ・ピケティとの対談も面白い(ピケティは『負債論』の次の著作『ルールのユートピア』のカバーに I love Debt. という賛辞をよせた)。ピケティは『負債論』への「唯一の不満」として、「負債と資本とを同一視している」こと、その欠陥がグレーバーの「債務帳消し」提案に結びついていると疑問を呈した。ピケティ自身の提案は大胆な所得税導入である。ピケティ提案、たとえば所得税八〇パーセントが可能になるためには、一九二〇~三〇年代のような戦闘的な労働運動が必要であること、富裕層が恐怖を抱くようなライバル、すなわち「社会主義圏」が必要であり、また成長経済の成果配分が必要ではないか。

グレーバーは「反グローバリゼーション」運動の活動家・理論家でもあり、ウォールストリート占拠は、活動家グレーバーをあらためて印象づけた。本書は、ウォールストリート占拠のみならず、その後の運動にも寄与した。学生ローン・住宅ローン・クレジットローンなど、負債がらみの「ストライク・デット（Strike Debt）」闘争は、本書のヒントを戦略化した。

「階級間の政治的抗争が出現したとき、拘束された者の解放、負債解消の申し立ての形をとり」、「(安息年に負債が無効になる）ヨベルの法（Law of Jubilee）における贖い（redemption）とは、負債を買い戻し、究極的には計算システム自体を解体した、と読む大胆解釈から、戦略が生まれた。本書は一四章[*4]からなり、第一部は負債原論、第二部はユーラシア大陸五〇〇〇年史である。

2「負債とモラルの関係」（第一章）

「借りたカネは返さねばならぬ」という経済とモラルの関わりで、著者は「常識を覆す」。負債史にはいつも、「借金返済はモラルだ」という考えと、「貸金業者は邪悪だ」という考えが共存している。「世俗世界のモラルとは、他者への義務をはたすことだ」。義務と負債は、本来異なるが、負債は「暴力」と結びつけられ、「暴力に基盤を置く諸関係」として正当化され、モラルで粉飾される。

3「物々交換の神話」（第二章）

負債論は同時に貨幣論である。貨幣は負債を可能にするだけではなく、負債と貨幣は同時に登場する。

貨幣の起源を負債に置く見方は、近年浸透してきた。グレーバーの考察は、メソポタミア研究に基づいて貨幣論を展開した経済史家マイケル・ハドソンに依拠している。第二章の主題は、物々交換神話の解体である。グレーバーによれば、「物々交換」から「貨幣を導く」のは、アダム・スミスが創作した経済学の神話にすぎない。神話に対応する「実体」は存在しない。

では、実在する「物々交換」は、どのように行われるのか。未開社会における物々交換は、象徴的儀礼に包まれている。共同体と共同体のはざまで行われる、よそ者同士のコミュニケーションである。それは暴力をみなぎらせた緊張をはらみ、ときに性的な交流をも含む饗宴の悦びに満ちた、非日常的な時間の断層である。

アダム・スミスが物々交換を見出したところに実際に存在したのは、「信用によるやりとり」にほかならない。メソポタミアで発見された世界最古の貨幣は、宮殿＝神殿複合体組織を介した「信用（貨幣）」であった。

4 「原初的負債」（第三章）

貨幣とは一つの商品であり、ある商品の価値測定のために使用されるとする「貨幣ベール」説によって、神話は完成する。貨幣を信用と見なす正論は神話によって周縁に追いやられる。ここから金属主義（メタリズム）対表券主義（チャータリズム）、あるいは、貨幣＝商品説と貨幣＝信用説の対立的見解が生まれる。異端派を代表するのが、ミッチェル・イネスとG・F・クナップである。近年、長らく忘却されていたイネスの貨幣＝信用説とクナップの貨幣＝国家説（貨幣国定説）が高く評価され、「国家＝信用説（state-credit theories of money）」

が甦えった。グレーバーは、借用証書が譲渡され、貨幣として流通する場面を想定する。そして、紙切れへの信用保証の限界を克服するものとして表券主義に至り、これこそが貨幣＝国家説だ、と位置づける。すなわち借用証に対して最終的に支払いを保証するのが国家ならば、信用の限界は克服できるはずだ。

ところが、これは税の発生を説明できない。そこでグレーバーは、現代フランスのレギュラシオン派の提起した原初的負債論に注目する。「神々にむけてひとが投影しているのは社会に対するこの負債である。続いて王たちや国民政府によって徴収されるのは、この同じ負債である」。こうして貨幣は、主権的保護機能をもつ。ひとは貨幣を介して社会への債務をもち、社会への帰属を確保し、逆に社会から保障をうる。

5「残酷さと償い」（第四章）

人類学者キース・ハートは、貨幣の金属主義と表券主義、貨幣＝商品説と貨幣＝信用説の対立に対して、その両立である、と認識した。硬貨の「表」には、鋳造した政治的権威の象徴が描かれ、「裏」には硬貨の支払い価格が描かれている。貨幣の二面性という発想が、グレーバーによって、本書後半で、壮大なユーラシア大陸の世界史を駆動する振幅運動の二極として展開される。ここで重要な論点は二つ。

まず、旧約新約を問わず、贖いという金融言語を「救済」の意味に転用したのをはじめ、負債と悲惨、借金と慈善の意義などの逸話に満ちた聖書に刻まれている事例だけでなく、仏教・イスラームなど、世界宗教はまさにこの両義性に満ちている。すなわち負債を通して「市場の言語」で語りながら「市場の論理」自体を否認するといった両義性に満ちている。グレーバーによれば、「世界宗教は市場に対する怒号である。他方で、そうした異議を商業的な観点から枠づけてしまう傾向をも世界宗教は有している」。

もう一点は、人類史における債務に対する抗議行動の異例性である。「階級間の公然たる政治的抗争が出現したとき、拘束された者の解放、土地のより公正な再分配のような、負債解消の申し立てというかたちをとっていた」。

歴史を通して、民衆蜂起の要因としては、負債をきっかけにすることがしばしば見られる。蜂起のなかで、債務帳消しが要求され、帳簿が破棄される行動も頻繁に見られる。なぜか、「負債を他の事柄から峻別するのは、平等という条件を仮定しているからだ」。それは怒りをかきたてやすい。日本の徳政令もその例に漏れない。

6 「経済的諸関係のモラル基盤」（第五章）

コミュニズムとは、「各人はその能力に応じて貢献し、各人にはその必要に応じて与えられる」という原理にもとづく「人間関係」と定義される。この定義は、マルクスの『ゴータ綱領批判』で有名だが、もともとフランス労働運動のなかで流通していた思想だ。マルクスよりも「相互扶助論」のクロポトキンの思想に近い。「コミュニズムは、魔術的ユートピアではないし、生産手段の所有とも関係ない。程度の差こそあれあらゆる人間社会に存在するものだ」。これをグレーバーは「基盤的コミュニズム」という。このようなコミュニズムの見方はモースに由来する。コミュニズムというモラル原理のみで成り立つ社会はないし、人間行動も存在しない。

次に交換を検討すると、商業的交換と贈与における交換との差異が強調されることが多いが、グレーバーは互酬性において同質と論ずる。交換において取引される対象は等価と見なされる。贈り物にお返しをしたり、金銭の持ち主が代わる瞬間にあっては、それ以上の負債や義務が存在せず、両者がそれぞれ等しく自由に立ち去ることができる場合は、そうである。

逆に見れば、等価と自律は、どちらの原理も君主との相性は悪い。不等価関係の潜在的解消可能性と究極的な等価性という全般的な見通しのもとでこそ、際限のない交換、果てしなきゲームの可能性が見出される。ここから負債とは、交換の論理によって成立することが分かる。

最後に検討されるのはヒエラルキーである。ヒエラルキーは「先例の論理」で機能する傾向にある。たとえば劣位者から優越者への貢物は、対価としての「保護」などの名目で互酬性の語彙で粉飾されたとしても、基本的には交換と関係なく、慣習によって捕獲されると固定される。これが「先例の論理」である。優越者と劣位者のあいだでのやりとりの際の主な原理は、「それぞれに与えられる物品が、その質において根本的に異なり、相対的価値を数量化することは不能である」。これはまさに中華思想における朝貢貿易の原理だ。

さて、このように三つの原理を峻別したあとで、それらがもつれて、たがいに移行し合う傾向が、さまざまな事例をもとにして論じられる。たとえばコミュニズムはヒエラルキーへと移行する傾向をもっているが、交換の論理による関係からコミュニズムによる関係への移行はきわめて困難である。総じて本章は、モースの影響がとりわけ強いと見てよい。二〇一四年版あとがきに「すべての社会が矛盾するいくつもの原理の寄せ集めであることを認識した最初の人物がモース」とあるが、その「原理の寄せ集め」の認識を独自に展開したのが第五章である。

7「性と死のゲーム」（第六章）

アフリカのレレ族、ティブ族の民族誌を利用しながら、重厚な考察が行われ、本書のひとつのキー概念があらわれる。すなわち、「人間経済」である。人間経済とは、「（経済システムの主要な関心が富の蓄積ではなく）人間存在の創造と破壊、再編成」であるような経済の体制であって、人類史のほとんどを占めている。この人間経済は、「原始貨幣」（布貨幣、羽根貨幣など）と呼ばれ、ここでグレーバーが「社会的貨幣」と呼び直している貨幣形態と結びつけられている。要するに、「原始貨幣」を使用する経済が人間経済である。なぜ原始貨幣ではだめか、それが現在の貨幣にやがて進化していくはずの粗野な形態の貨幣を含意してしまうからである。それらの違いは、二つの異質な体制、つまり人間経済と商業経済を示唆している。この経済の仕組みが富の蓄積を主要な関心とする商業経済ないし市場経済と対置される。この二つの仕組みのあいだの転換、飛躍がここできわめて複雑で繊細な契機としてたどられる。レレ族の人質制度が一見そう見える奴隷制度とは異なり、人間経済の論理のなかで動いていること。しかし、それがみずからの内包する論理の両義性と外的環境の作用のなかで、商業経済の論理へ移行すると奴隷制へと転換すること。人肉負債の奇怪な妄想にとり憑かれたティブ族の社会が、平等主義と権威主義への指向性のなかで、みずからの力への両義的な態度ともたらす緊張として現れること。そして、その緊張とギリギリの均衡がついに破れ、商業経済が導入されてしまうこと。そこに暴力という契機が不可避であることをたどっていく議論は、迫力に満ちている。

8「名誉と恥をかくこと」（第七章）

名誉とは「ゼロサム・ゲーム」である。メソポタミアでは、戦争と市場、通貨の浸透と結びついた商業経済の勃興が、負債の形を通じて、家父長制の形成に結びついていた。商業経済すなわち負債の導入は、女性の地位低下を招く。負債の抵当としての女性から、負債の不履行による女性の奴隷化に至るまでの地位低下を含む。この事態に対する危機意識と、家長男性の保護意識の高まり、商業経済によって女性を奪われることへの名誉失墜への異常なまでの過敏さの高まりは裏腹である。商業経済の導入によるモラルの危機が家父長制の形成を促進し、強化していく。

9ユーラシア大陸五〇〇〇年史の構成

ユーラシア大陸五〇〇〇年史が語られるが、人類学者キース・ハートのいう貨幣の二面性（商品貨幣と信用貨幣）の二面性が発展させられ、そのあいだの大きな振幅運動が基本的な構図である。グレーバーの提示する時代区分は以下のごとくである。

最初の農業諸帝国の時代（前三五〇〇年～前八〇〇年）――仮想信用貨幣（第八章）

枢軸時代（前八〇〇年～西暦六〇〇年）――鋳造貨幣、地金（第九章）

中世（六〇〇～一四五〇年）――仮想信用貨幣の回帰（第一〇章）

大資本主義帝国の時代（一四五〇年から一九七一年）――貴金属の回帰（第一一章）

現状（一九七一年から今日まで）――負債の帝国（第一二章）

10最初の農業諸帝国の時代（前三五〇〇年〜前八〇〇年）――仮想信用貨幣（第八章）

貨幣の起源はメソポタミアに求められる。メソポタミア経済は、神殿・宮殿といった大規模な公的制度によって支配されていた。それらの行政官たちは、銀と麦などのあいだに固定した等価を設定することで、計算貨幣を創造していた。主な負債は、取引の際の両者の側に、抵当として楔形文字の粘土板に記録されている。市場が存在していたのは確実である。神殿や宮殿の支配地内で生産されておらず、価格管理に服さない商品の価格は、需要供給の予想不可能な変動によって上下した。ただし、ほとんどの日常的購買は、信用によって行われた。利率は二〇パーセントに固定され、二〇〇〇年間変わらなかった。とはいえ政府による市場の統制の表現ではない。不作が続くと、貧者は富者に絶望的な負債を抱え、しばしば土地を手放し、家族を負債懲役人に追いやった。こうしたなかで債務帳消しを行い、束縛された人びとを家族に返すことが、新王にとっての慣習となった。

11　枢軸時代（前八〇〇年〜六〇〇年）――鋳造貨幣、地金（第九章）

枢軸時代とはヤスパースの定義である。ヤスパースは、この時代に、ユーラシア大陸の東西で、現在にまで人類の思考に影響をおよぼす、偉大な思想家たちが誕生したことをもって、枢軸時代と名づけた。グレーバーは紀元六〇〇年、ムハンマドとイスラーム登場の時代にまで拡大した。すなわち、地中海世界・中国・インド・中東で、主要な思想的潮流と世界宗教の誕生した時代である。グレーバーはその時代の中心に鋳貨の誕生を据える。この時代の特徴として恒常的な戦争と虐殺、それにともなう大規模な奴隷制が挙げられる。鋳貨の誕生によって、交換の媒体としての金銀の使用が可能になったが、同時に非人格的な意味での市場の形成も可能になった。貴金属はまた、全般化した戦争の時代に適合的だ。盗むのに便利だからだ。鋳貨が兵士への支払いのために発明されたのは確実だ。戦争と鋳貨との密接なつながりをもって「軍事＝鋳貨複合体」と呼ぶ、ジェフリー・インガムの研究に対して奴隷制の要素を加えて、「軍事＝鋳貨＝奴隷制複合体」とすれば、この時代の様相を特徴づけられる。新軍事技術の拡散は、常に奴隷の捕獲と市場化と密接に結びついていた。奴隷のもう一つの獲得源は、負債である。この時代には、国家はもはや定期的に債務帳消しを行うことはなくなり、主要な軍事都市国家の者が標的となった。近東の信用システムは、商業的競争による解体はまぬがれていたが、それもアレクサンドリアの軍隊によって解体される。この軍隊は一日あたり銀〇・五トンを賃金として必要とした。アレクサンドリア大王の国とローマ帝国の課税システムは、国家自身が採掘し、造幣した硬貨での支払いを要求した。みずからの臣民に、それ以外の流通様式を廃棄させ、市場の関係に参入するよう強制し、その硬貨で兵士が物品を購入できるように設計されていた。グレーバーは鋳貨の誕生が知にもたらした大きな影響を強調している。グレーバーは、地中海世界における哲学の誕生に加えて、インド・中国における同時代の世界宗教の誕生においても、硬貨の誕生をみたこと、その関連性を指摘する。慈善・利他性・利己性といった、世界宗教の新観念は、市場の論理の直接の反応によって生じたものだ。

12中世（六〇〇〜一四五〇年）――仮想信用貨幣の回帰（第一〇章）

中世は、枢軸時代に登場した商品市場と普遍的世界宗教が融合した時代であり、貨幣による取引が世界宗教によって規定され、統制された。ユーラシア大陸を通して、さまざまな仮想信用貨幣の回帰が見られる。西暦八〇〇年以降、すでに出回っていないカロリング朝の通貨、ポンド、シリング、ペンスからなる純粋に概念上の体系である「想像貨幣」でもって価格が計算され、帳簿も作成された。日常的取引は、割符、商品券、現物取引などを介して行われた。教会は、有利子貸付を厳格に統制し、債務による拘束を禁止しながら、そうした状況に法的枠組みを与えた。中世世界の経済の中枢は、中央アジアの隊商ルートとともに、インド洋であった。インド洋は、インド・中国・中東の、偉大な諸文明を結びつけていた。そこではイスラームが、商人の活動に高度に適合した法的構造を与えるだけではなく、洗練された信用手段を提供することで、地球上の広範にわたる領域において商人同士の平和的関係を可能にした。同じ時期の中国では、仏教の急速な拡大、紙幣の発明、信用と金融の複雑きわまりない諸形態の発展が見られる。

13大資本主義帝国の時代（一四五〇年から一九七一年）（第一一章）

最初はイベリア、それから北大西洋の、大ヨーロッパ諸帝国の進出によって、世界は、動産奴隷制の使用、掠奪・破壊的戦争への回帰と、そこから結果する主要な通貨形態としての金銀地金への急速な回帰が行われた。枢軸時代と同様、科学的、唯物論的知の台頭も、ともなった。ヨーロッパの新世界征服者たちの掠奪と搾取、虐殺の世界史上に類をみない暴力性・残虐性は、負債とそれにせきたてられた債怒と関連づけられる。明代の中国における民衆蜂起と紙幣の放棄、銀の通貨としての普及がひとつの原因になっていると見なければならない。それがヨーロッパからの銀の需要を支え、新世界の征服と開発の維持を可能にした。

14　現状一九七一年から今日まで（第一二章）

現代の始まりは、一九七一年八月一五日、ニクソン大統領が金ドルの交換を停止し、変動相場制に移行した日である。仮想貨幣時代に回帰した。国民経済は消費者債務によって動く。金融資本は生産・商業と直接的関係をもたない自律した領域を形成して、世界をゆるがせるようになった。

15『負債論』とアナキスト人類学――マルクスとモースのはざまで

二〇〇七〜〇八年の金融メルトダウンは、現代の経済的統治の脆弱さを赤裸々に暴露した。利潤は私有化され、損失は社会化される「資本家的社会主義」を、人々は目の当たりにした。オバマ大統領は、仕掛人であるはずのウォールストリート金融界の不良債権を緊急救済する決定をくだした。これこそが、ウォールストリート占拠運動のきっかけだった。今や、金融界と統治権力、市場と官僚機構といった旧来の制度的区別は、なし崩しに溶解した。このいわゆる金融危機は、わたしたちの日常的感性にとっては、あの手この手の金融手段による、万人の負債懲役人化という、組織的・制度的暴力の破綻としてあらわれた。そこで、わたしたちは、もはや「経済問題」を、そこから学者や専門家が政策を立案していくための素材としてではなく、わたしたち自身の実存的決断が賭けられた、主体的問題と感じるようになった。わたしたちは、いずれ世界と呼ばれる機構全体が破綻するまで、金融体制に統治された社会（国民国家）の浮沈に影響されながら、ひたすら受動的に生きていくのか？　このように、システムの次元では金融化の進行が見られ、日常生活の次元では借金あるいはローンの重みがいよいよ高まっていく文脈のなかで、負債を基軸に据えて現代世界を分析する理論化が試みられた。「ストライク・デット！」をはじめとして世界中で社会運動が形成されてきた。マウリツィオ・ラッツァラート『〈借金人間〉製造工場――負債の政治経済学』（杉村昌昭訳、作品社、二〇一二年）は、そのすぐれた一例である。この著作と本書は、本質的な共通性と決定的な差異性をもつ。実際に、ラッツァラートは続編にあたる著書では、本書をとりあげ批判を加えている。すなわち①グレーバーは、信用貨幣と商品貨幣とを正しく区別しているものの、その長期の歴史哲学によって、資本主義固有の力学が見えなくなっている。つまり、グレーバーが捉え損ねているのは、資本主義がもたらした信用貨幣と商品貨幣の歴史に対する切断である。ここには、本来の資本主義の形成の契機は産業資本主義にある、というマルクス主義的前提があって、産業資本主義こそ、信用貨幣を金融資本へ、商品貨幣を商業資本へと転態させながら二つの貨幣形態を再編成することで、要するに、最も脱領土的な信用貨幣の組織化を介してすべての他の資本を再編することで、生産のための生産、蓄積のための蓄積のプロセスを始動させる、という主張がある。ラッツァラートによれば、この二つの貨幣の異質性を強調することは出発点として重要である。信用貨幣は資本家の権力を表現し、商品貨幣は支配される者、賃労働者の無力を表現しているのであって、産業資本主義の段階に至って、このように主要に銀行を中心に流れる金銭の流れと、賃労働者ないし失業者、家事労働者のポケットを流れる金銭の流れは、リジッドにヒエラルキー化し、生産と流通に統制を与え、無力な人びとのすべての時間を構造化し、かつ支配する。銀行はその仲介点にあって、二つの貨幣の異質性を隠蔽することによって、ヒエラルキーを不可視にさせる。

16　ニーチェの『道徳の系譜学』の解釈

中心となるのは、グレーバーの負債に対する論点、負債とは「遅延された交換」であり、原則的には「対等である人間間の約束」「返済可能な有限であるもの」という認識に批判を向ける。ニーチェのいう負債は無限であり、主人と服従者のあいだにあり、人間を「約束のできる動物、記憶を刻印された身体」に仕立て、服従を強いる力である。この無限の負債こそ、現代の金融資本主義がその統治の戦略として活用する核心的技術にほかならない。負債がラッツァラートのいうように、今この社会をほとんど全面的に支配するに至っているならば、形式的には自由で対等であるはずの諸個人がすべてのふるまいの前提となる資本主義社会に存するからであるはずだ。それゆえ無限に服従を要請する。一見、主人と奴隷のような支配関係が、本来、自由な個人を基礎に据えたはずの、現代資本主義社会においても許容される。グレーバーが問うているのは、ときに経済合理性の見地からも不合理な負債が、それにもかかわらず「借りたお金は返さねばならない」というモラルで正当化されてしまうのは、なぜか、である。この、経済合理性によって貫徹されたような世界ですら、実は、それを駆動しているのはモラル、より厳密にいえば、人間経済と商業経済の葛藤に由来するモラル上の混乱であり、資本主義は、それを常に数学的装いなどで覆い、見えにくくしている（以下、略）。

『負債論』への矢吹コメント

(1) 商品交換の市場経済と資本主義経済を峻別する思想について

アリギは中国の伝統思想を分析して、市場経済を尊重したが、資本家的生産は否定した、と論じた。この点でグレーバーの認識も、基本的に同じである。グレーバーはブローデルに依拠しつつ、商品－貨幣－商品（C－M－C′）を尊重するが、貨幣－貨幣（M－M′）を否定する中国の思想を肯定的に論じている。しかも（C－M－C′）の枠によって（M－M′）の資本増殖欲を批判する文脈もまったく同じだ。ラディカルなアナキスト経済学者アリギとラディカルな文化人類学者グレーバーは、現代資本主義を批判し、中国の歴史的市場経済を評価するうえで、まったく同じ論理なのだ。これは古典経済学を評価しつつ、そこから発展したマルクス経済学に否定的な学派に共通の発想かもしれない。

(2) 中国の古典的政治思想（徳治、華夷秩序）**の肯定的評価について**

念のために、グレーバーの儒教評価論を引用すれば、以下の通りである。

――儒教の学説が商人の利潤動機に対して、あからさまに敵対していたにしても、事情は変わらなかった。商業的利潤は「投機の成果」としてではなく、商品をある場所からべつの場所へ運搬する「商人の労働への報酬」としてのみ合法的と認められた。これは何を意味しているか。彼らは市場には肯定的だが、反資本主義的だった（三八八頁）[*5]。これは奇妙に見える。私たちは「資本主義と市場」を同じものと想定することに慣れているからだ。だが、フランスの大歴史家フェルナン・ブローデルが指摘したように、「市場と資本主義」は、多くの点において対立物である。「市場」とは、貨幣の仲介によって財を交換する方法である。歴史的には、穀物の剰余を保持する者がロウソクを購入し、ロウソクの剰余を保持する者が穀物を購入する方法である。経済学の図式では商品－貨幣－商品（C－M－C′）で表現される。それに対してブローデルにとって「資本」とは、何よりも「貨幣を用いてより多くの貨幣を獲得する術策（M－C－M′）だ。普通、この目標達成（M－M′）のための最も簡単な方法は、何らかの独占を制度化することだ。このために資本家は、豪商であれ、金融家であれ、産業家であれ、例外なく政治権力と手を組んで、「市場の自由を規制する」（三八八頁）[*6]。

――この視点から見ると中国は、その歴史を通して究極の反資本主義（**the ultimate anti-capitalist market state**）であった。のちのヨーロッパの君主たちと異なって中国の皇帝たちは、意図的に資本家を志向する者たちと手を組むことを拒絶した。皇帝は、彼ら（資本家）を官吏同類の、破壊的な寄生者と見なした――その根本的に利己的かつ反社会的な動機も、高利貸とは違って、うまく活用できたかもしれないのだが（三八八～三八九頁）[*7]。儒教の観点からすれば、商人は兵士に類似しており、軍事にキャリアを求める者は、おおよそ暴力愛に駆り立てられていると見なされた（「武は文に劣る」と軽視するのは、中華思想の一部である）。兵士は国境を守るためには必要だが、人間としては尊い存在ではない。兵士に似て、商人たちは貪欲に支配され本性的にモラルに反しているが、注意深く統制管理されるならば、公共の善に奉仕できる。この思想への評価はさておき、その帰結は否定しがたい。歴史の大部分を通じて、中国は世界で最も高い生活水準を維持してきた。イギリスでさえも、中国に本当に追いついたのは、多分一八二〇年代、産業革命期を過ぎて以後のことだ（三八九頁）[*8]。儒教はおそらく厳密には宗教ではない。どちらかというと倫理・哲学体系と考えられている。だから中国はこの文脈でも、商業取引が宗教の統制下にあった中世型からはみでている。だが完全にはみ出たわけではない。この時期における仏教の役割を考慮に入れるだけで、それが分かる。仏教は中央アジアのシルクロードを通じて中国に到達したが、初期においては主として商人のあいだに普及した宗教だった。そして二二〇年の漢王朝の崩壊後の混乱のあと、大衆に浸透していく（三八九頁[*9]）。

グレーバーは儒教の反資本主義思想を道徳的見地から批判したと解しているが、これは誤解であろう。皇帝が諸公による資本蓄積を警戒して、これに抑制的立場を堅持したのは、蓄積によって政治力を備えた大諸公が皇帝の権力に挑戦して、易姓革命を起こすことを警戒したことによる。徳治による王化思想の裏側には、皇帝権力の維持のために諸公を対立させ、皇帝権力のライバルの成長を防ぐ思惑が秘められていた。朝河貫一（一八七三〜一九四八）は、この政治思想を次のように解説している。――中国の政治哲学はその広大な領域のゆえに、ひとりの君主が多くを統治する方法が初期に発展したことを繰り返しておく必要がある。それらの君主は順番に祖先崇拝の農民を支配してきた。野心家の諸侯を監督する方法が王にとっての問題であり、人々に平和と安心を与えることが王と諸侯双方の関心であった。政治思想家たちは共通に適用すべき原則として、ある学派は美徳を唱え、他の学派は法を唱えた。人々の状態一般により適合していたために、初期には美徳派が現れた。諸侯のあいだでの競争が鋭くなり、君主の利害が政治における最高の地位を占めたのちの時代に、法学派が発展した。しかしながら、それらの違いにもかかわらず、政府における統治者と人民との協同性を認めることが実行不能と考えることについては、程度の差こそあれ両者一致した。人民は食を保証され、国内的社会的な美徳の基礎をよく教えられたが、情け深い親かあるいは厳しい師であるような統治者の子供にすぎなかった。土地を細かく分け、それぞれに住民の一部を含めて、権利と義務がたがいに均衡する封建制度は、人々の政治的訓練の欠如という中国政治制度の根本的欠陥を治療できるかに見えた。しかしそれでも中国に幸運はもたらされなかった。というのは領土があまりにも大きく、ばらばらに離れる傾向が大きすぎたからだ。そこでどの王朝の創設者も、その王国における封建的な発展の抑圧を第一の目的としたのであり、解体を導く他の組織を作らないようにした。封建契約の原則をいかなる形であれ国法に組み込むことをしなかったことは、中国の人々にとって幸運どころではなかった。中国の人々が不幸にも政治的訓練を行う機会を奪われてきたのは、これらの理由による。法の前の平等という教義は、それ自体諸公のあいだでの競争の成果であった。それが紀元前二二一年に秦始皇帝が全国を統一し、絶対的専制政治または専制政治の絶対性を確立する結果となった。政治の次の発展において、人々は国の支配装置との実際の接触からますます切り離された。その結果、皇帝によるワンマン支配の考えは、中国の人々にとって第二の天性になった（朝河貫一／矢吹晋訳『大化改新』柏書房、一二三五〜二三六頁。原書（英文）はイェール大学出版局、一九〇三年）

英国とほとんど同じ生産力水準に到達しながら、なぜ産業革命への突破が実現できなかったかについて、二〇世紀末までは、突破できなかった理由を探ることに努力が重ねられてきたが、中国経済が離陸した今、研究者たちの関心は、なぜ高度成長を実現したかという原因分析に関心が集中している。これは当然の成り行きではあるが、中国の古典的政治思想に対する十分な知識を欠いたままに一面的な観察を重ねるのは、批判されてしかるべきだ。

(3) アメリカの財政赤字と国防予算

グレーバーの負債論から、もう一つ論点を挙げておきたい。次の図二つがすべてを物語る。

図1は、米国の連邦債務が国防予算とどのように関連しているかについて、一九五〇～二〇〇八年の資料をグラフ化したものだ。特に二〇〇〇～二〇〇八年において国防予算が連邦赤字を牽引していること、しかも二一世紀の約一〇年、国防費が四〇〇〇億ドルから八〇〇〇億ドル強へ、連邦債務は六兆ドルから一二兆ドル強へ、急増している姿を理解できよう。

図2は、労働生産性と賃金の関係を一九四七～二〇〇四年について見たものである。労働生産性はこの間、一貫して伸び続けてきたが、賃金はニクソンショック以後、約三〇年間ほとんど横ばいである。労働分配率は約二分の一に減少した。グレーバーの説く「対内圧力」がここに典型的に示されている。ウォールストリートにおける若者の座り込みも、トランプの勝利をもたらした労働者階級の不満も、ここから読み取ることができよう。これら二つの図は、経済アナリストにとって、あまりにも周知の事実だが、そこからアメリカ覇権の不可逆的崩壊過程をグレーバーが予測するのは、人類史五〇〇〇年の発展を踏まえてのことであり、そこに人類史家の英知が光る。

図１　国防費が赤字をもたらした

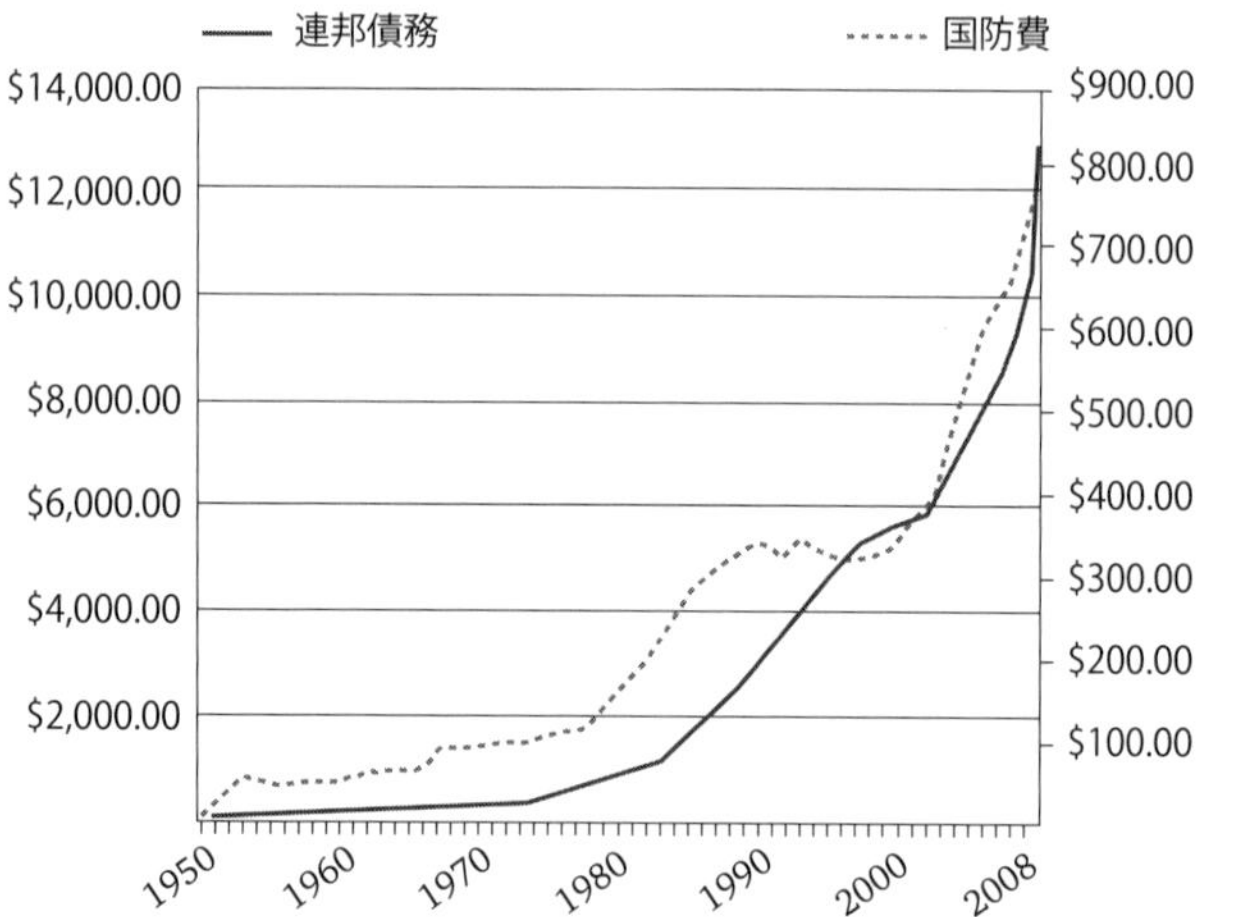

図２　生産費は伸びたが賃金は据え置かれた

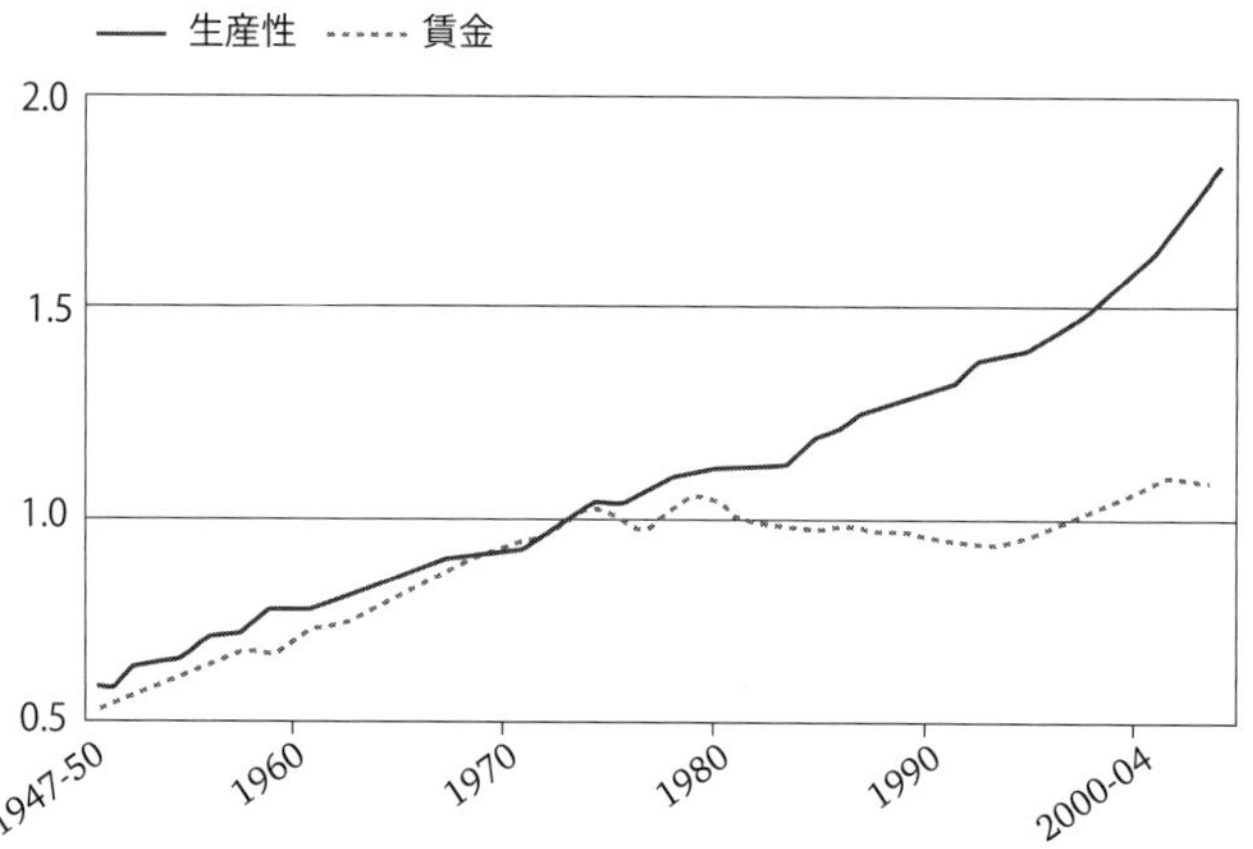

＊1　David Graeber, *The Debt: The First 5000 years*, Melville House, 2011. 2012, 2014.

＊2　監訳者・酒井隆史（一九六五〜）は、日本の社会学者、大阪府立大学准教授。専門は、社会思想史。早稲田大学大学院文学研究科修士課程修了。大阪女子大学講師、二〇〇七年大阪府立大学人間社会学部准教授。二〇一二年、『通天閣　新・日本資本主義発達史』で第三四回サントリー学芸賞受賞。

＊3　訳者の一人である高祖岩三郎は二〇〇九年に『新しいアナキズムの系譜学』（河出書房新社）を問うた。高祖は三・一一以降、ニューヨークに在り、日本発の情報を英訳発信し、その反応を和訳して配信している。高度成長期以降、長らく多様な先駆的継承を世界に発してきた日本が三・一一によって理想像を「内破」させた。この内破は、「世界原子力体制」（ワールドニュークリア・レジーム）の統治形態との共食い状態に限界を突き付け、技術文明そのものの崩壊を決定づけたと見ている。高祖はフクシマ事故を、二〇一〇年四月にボリビアのコチャバンバで開かれた「世界民衆の気候変化と母なる地球の権利をめぐる会議」と連動する対極的なモデルだととらえている。

＊4　CONTENTS: 1 On the Experience of Moral Confusion, 2 The Myth of Barter, 3 Primordial Debts, 4 Cruelty and Redemption 5 A Brief Treatise on the Moral Grounds of Economic Relations, 6 Games with Sex and Death, 7 Honor and Degradation, or, On the Foundations of Contemporary Civilization, 8 Credit Versus Bullion, And the Cycles of History, 9 The Axial Age (800 BC-600 AD), 10 The Middle Ages (600 AD-1450 AD), 11 Age of the Great Capitalist Empires (1450-1971), 12 The Beginning of Something Yet to Be Determined (1971 - present), Afterword.

＊5　This despite the fact that Confucian orthodoxy was overtly hostile to merchants and even the profit motive itself. Commercial profit was seen as legitimate only as compensation for the labor that merchants expended in transporting goods from one place to another, but never as fruits of speculation. What this meant in practice was that they were pro-market but anti-capitalist.

＊6 Again, this seems bizarre, since we're used to assuming that capitalism and markets are the same thing, but, as the great French historian Fernand Braudel pointed out, in many ways they could equally well be conceived as opposites. While markets are ways of exchanging goods through the medium of money-historically, ways for those with a surplus of grain to acquire candles and vice versa (in economic shorthand, C-M-C', for commodity-money-other commodity)—capitalism for Braudel is first and foremost the art of using money to get more money (M-C-M'). Normally, the easiest way to do this is by establishing some kind of formal or de -facto monopoly. For this reason, capitalists, whether merchant princes, financiers, or industrialists, invariably try to ally themselves with political authorities to limit the freedom of the market, so as to make it easier for them to do so.

＊7 From this perspective, China was for most of its history the ultimate anti-capitalist market state. Unlike later European: princes, Chinese rulers systematically refused to team up with would-be Chinese capitalists (who always existed). Instead, like their officials, they saw them as destructive parasites-though, unlike the usurers, ones whose fundamentally selfish and anti-social motivations could still be put to use in certain ways.

＊8 In Confucian terms, merchants were like soldiers. Those drawn to a career in the military were assumed to be driven largely by a love of violence. As individuals, they were not good people, but they were also necessary to defend the frontiers. Similarly, merchants were driven by greed and basically immoral; yet if kept under careful administrative supervision, they could be made to serve the public good. Whatever one might think of the principles, the results are hard to deny. For most of its history, China maintained the highest standard of living in the world--even England only really overtook it in perhaps the 1820s, well past the time of the Industrial

Revolution.

＊９ Confucianism is not precisely a religion, perhaps; it is usually considered more an ethical and philosophical system. So China too could be considered something of a departure from the common medieval pattern, whereby commerce was, almost everywhere, brought under the control of religion. But it wasn't a complete departure. One need only consider the remarkable economic role of Buddhism in this same period. Buddhism had arrived in China through the Central Asia caravan routes and in its early days was largely a religion promoted by merchants, but in the chaos following the collapse of the Han dynasty in 220 AD, it began to take popular roots.

（初出・・『情況』二〇一六年No３）

QRコード・5G・量子——米中覇権の行方

「二〇一九年五月、北京八日間の旅でさまざまの人々と会ったが、私を最も驚かせたのは、「アリババのジャック・マー会長も矢吹教授と同じような話をしていたね」と聞かされたことであった」で始まる本稿は、QRコードのキャッシュレス決済への活用、ブロックチェーン技術の送金システムへの活用、北京国家体育場（鳥の巣）で行われた中国政府主催「アジア文明カーニバル」における5G技術の実験等々、北京を駆け回って目の当たりにしたデジタル社会中国の実状を報告する。勃興する中国、停滞する米国、両国は国際社会を制するべくデジタル経済化にしのぎをけずる。関心は尽きない。

1　デジタル化する「一帯一路」

QRコードから「二維碼」へ

二〇一九年五月、北京八日間の旅でさまざまの人々と会ったが、私を最も驚かせたのは、「阿里巴巴（アリババ）のジャック・マー会長も矢吹教授と同じような話をしていたね」と聞かされたことであった。名だたるマー会長と私の持論が似ているとは痛快だ。日本の高度成長期にトヨタ式「看板方式」が大活躍したことは広く知られている。それは各製造車間の部品在庫を必要かつ十分なものに限り、「余分の原材料・部品を一切置かない」という徹底した「在庫管理」による合理化策であった。この種の合理化追求と比べて、まったく逆のパターンが広く行われたのが旧ソ連東欧の計画経済システムであった。ハンガリーの経済学者ヤーノシュ・コルナイは『不足の経済学』を書いたが、それは各車間が「ノルマの超過達成」のために、各種部品をあちこちに隠しておく作風のために「不足が不足を呼ぶ」メカニズムの分析であった。計画経済は元来必要な部品を計画当局が手当てする建前であるから、「部品不足はありえない」はずなのだ。ところが政府は一方で計画ノルマの厳守を命じながら、他方で「ノルマの超過達成」を奨励し、超過達成企業の経営者を昇進させ、その労働者たちにボーナスをはずんだ。それに起因する「ノルマ達成」と「ノルマの超過達成」との矛盾を解決できなかった。末端では「超過達成」

のために、余分の原材料を確保しておく悪習が生まれる。万一それらが当面不要な場合には、「他の物資と交換する」ことによって、役立つ別の現物を得られる。こうしてモノ不足ゆえに現場では部品や原材料を隠匿する悪習が蔓延し、「不足が不足を呼ぶ」悪循環が止まらなかった。これがコルナイの説いた『不足の経済学』の論理だ。まさにトヨタ自動車が「部品在庫の適正化」によって合理化を進めたケースと「真逆のメカニズム」が働いて、生産性の低迷がもたらされた。換言すれば「計画経済の非合理性」の核心とは、「不足が不足を呼ぶ悪循環」にほかならない。

トヨタ流看板方式は、その後子会社デンソー技術者の開発した「ＱＲ（Quick Response）コード」に変身した。自動車は二〇〇〇種以上の部品組立から成る組立産業だ。その規格に合う安価な部品を世界各地から調達するために、部品ごとのＱＲコードと部品のスペックが公開された。これによってトヨタは世界中から安価で良質の部品を調達し世界企業に成長した。一連のトヨタ式合理化の秘密に触発され、ＱＲコードの活用に着目したのが中国人の智慧であった。スマホの写真機能をＱＲコードに結びつけて、「キャッシュレス決済」に活用した。ＱＲコードは中国で「二維碼（アルウェイマー）」と呼ばれ、あまりにも普及した結果、その原型が「デンソーＱＲコード」と知らされて驚く中国人が多い。

キャッシュレス経済の効用はいくつも数えられる。支払いや割り勘計算が便利なことはいうまでもないが、隠れた効用も大きい。たとえば財布を持ち歩かないのでコソ泥（小偸）がいなくなった。盗もうにも人々は財布を携帯しない。そもそも現金を持たないので、偽札も激減した。コソ泥が消え、偽札が消えたのは中国社会にとって歴史的な快挙であろう。「盗むなかれ」という道徳教育よりは、財布や偽札なしに交換を行うシステム作りのほうが優れている。こうして中国経済全体がデジタル化・合理化の道を歩んでおり、その一端はマネーサプライの動向に顕著に現れている。市場経済体制のもとでは、経済成長率の伸びとマネーサプライの伸びは深く連動しており、経済成長のもとでマネーサプライが減少した例は皆無だ。しかしながら、二〇一〇～二〇一八年は、二桁成長の段階は過ぎたとはいえ、依然六～八％の成長は維持してきた。その成長過程でマネーサプライは減少し、現金通貨の広義の通貨に占める比率（M0/M2）は、二〇一〇年の六・一％から二〇一八年の三・九％へ二・一ポイント減少した。「マネーサプライの減少や現金通貨比率の低下」という事実は、中国経済全体におけるキャシュレス化・デジタル経済化の進展を端的に物語るものであり、既存の金融論では説明のつかない新事態だ。

マネーサプライの減少から知られるように、デジタル経済化は急展開している。中国のＧＤＰは購買力平価換算で日本の約三～四倍である。国務院商務部の統計によれば、中国ＧＤＰの約三分の一が電子決済されている。ということは日本のＧＤＰ全体に匹敵する規模がすでに電子化されているわけだ。このビッグデータの活用はまだ始まったばかりだ。新ベンチャー企業「太一雲」は内外の多くのハイテク企業（たとえば米アマゾン）等と合作して「ビッグデータ解析」の新ビジネスをスタートさせた。

さて中国経済のデジタル化がこのように急展開するなかで、「一帯一路」の展開もまたその影響を受けないわけにはいかない。ここで一つ紹介したいのは、阿里巴巴の在香港支社、アリペイ香港が開発した送金システムだ。フィリピンはインド・中国に次いで世界第三の出稼ぎ大国であり、フィリピンが受け取った送金額は二〇一七年、三〇〇億ドルを超える（世界銀行、ＩＭＦ）。その一端を知るには、香港セントラル広場に日曜終日たむろするフィリピン人メイドたちを観察するのがよい。中国で改革開放が始まると、中国大陸に雇用が生まれ、香港に「アマさん」としてやってくる若い女性たちは激減し、それをカバーしたのが件のフィリピン人メイドたちだ。住み込みで働く彼女たちにとって日曜だけが休日であり、広場にあつまりおしゃべりしながら、雇用情報の交換やらその他、「家内労働解放の一日」を楽しむ。筆者はかつて香港で暮らした当時、しばしばこの風景を観察し、時にはヒアリングも試みた。このメイドたちの家族送金にとって銀行の手数料は一〇％程度であり、かなりの負担であった。そこへ近年割り込んだのがアリペイ香港の割安・快速の送金システムだ。

二〇一七年五月、阿里巴巴のジャック・マー会長がある新サービスの発表会に顔を出した。「香港――フィリピン間の国際送金を、スマホからスマホ宛にわずか三秒で行う」というフレコミであった。阿里巴巴の在香港支社「アリペイ香港」がブロックチェーン技術を駆使した新しいアプリを開発した。このアプリをスマホにインストールして、宛て先と金額をインプットし、コンビニ店頭で現金を渡せばおしまい。彼女たちは銀行窓口での長蛇の行列から解放される。他方、フィリピンの家族は、阿里巴巴グループと提携する両替所でフィリピン・ペソを受けとる。家族がガラケイ携帯しか持たなければ、「送金番号」で受取人を確認する。もし家族がスマホをもっていれば、もっと簡単に送金を受け取れる。

ブロックチェーンといえば、日本ではビットコインのブームがあり、そこで数百億円がだまし取られる事件が起こり、熱が醒めた印象が強い。しかしながら、香港や中国では、ブロックチェーン技術を「仮想通貨」ではなく、確実・快速・安価な送金システムに活用して、人気を博している。「生活者のための小口送金」を銀行に依頼する者はまもなく消えて、ブロックチェーン方式にすべて移るであろう。

もう一つ。大陸から日本や東南アジア諸国に観光旅行にでかけた中国人たちは、ほとんど全員が「銀聯カード」を用いる。中国国内で財布を持たない者は外国でも財布を携帯しない。旅行者の大陸にある銀行口座は多くの場合「元建て」だ。こうして人民元は、売買の価値尺度としても支払い手段としても、一帯一路で結ばれた経済圏でじわりじわりと広がり深まる。人民元はこうした形で、「辺境貿易・越境電子取引」を通じて国際化しつつある。

ＩＭＦレベルでの「資本取引の自由化」を含めた「元の自由化」の展望は不透明だが、人民元の「事実上の国際化」は深く静かに末端から浸透しつつある。この文脈で注目すべき点がもう一つある。米フェイスブックは仮想通貨「リブラ」の発行を目指しているが、周小川（前人民銀行総裁）は中国外国為替の管理改革シンポジウムで「リブラのような仮想グローバル通貨の発展と人民元の需要について探求すべきだ」とその可能性に言及している（財新網）。米ドルの凋落をどのようにカバーしてグローバル経済を発展させるかという模索はすでに始まっている。

5Gの祭典

二〇一九年は、次世代通信網5Gの商業実験のスタート年として記録されることになろう。筆者は習近平自身の肝入りで開かれたド派手イベント（二〇一九年五月十四〜二十一日）に村田忠禧教授らとともに招かれてその威力の一端を痛感させられた。五月十五日夜、北京五輪の開会・閉会式に用いられた俗称「鳥の巣」なる体育館で行われた中国政府主催「アジア文明カーニバル」を参観する機会を得た。この体育館は建設当時約九万人を収容したが、現在は八万人収容に再整備されている。その半分ならば観客数はおよそ四万人になる計算だ。しかし貴賓席から見た実際の観客はたぶんおよそ三万人ほどであったと思われる。これだけの大舞台を用いて、マスゲームに始まり、一四プログラムからなる一大ショーを、外国賓客（五〇カ国の首脳、日本は福田康夫元首相）数千名を含む中国全国から招待した各界エリートに見せる出し物を九〇分余にわたって演じた。『北京青年報』（二〇一九年五月十六日）[*1]によると、プログラムのうち半数はアルメニア、インドネシア、レバノン、トルコ、アゼルバイジャン、タジキスタン、ロシア、朝鮮と中国チームとの合作であり、日本は「日中韓太鼓」演奏に和太鼓が参加した由だ。

このイベントは米中「新冷戦」と呼ばれるような国際環境に直面して、中国が「世界運命共同体」の大義名分を掲げて、米国に対抗する意図が随所に現れた大イベントであったが、なによりも5G技術の実験として行われた点で注目された。既存の4Gでは通信容量の制約からして、これだけの観衆がスマホで動画を撮影し、それを仲間に送る事態を想定した場合に対応できない。5G技術だからこそ実現できた、きめ細かなLED照明や瞬時の場面転換を目の当たりにして大いに驚かされた。実現に近づきつつあるEV車の自動運転や心臓手術の遠隔指導などには、大量の情報を瞬時に送る必要があり、これは既存の4Gでは不可能なのだ。5G通信実用化の最先進国の一つとして、そのデモンストレーション祭典をここであえて挙行した習近平指導部の決意を改めて感じさせられた。彼は冒頭に短いスピーチを行っただけでなく、最後までロイヤルボックスで観賞した。終幕に際して手を振りながら帰る夫妻の姿を中国中央テレビが映して、その陣頭指揮ぶりを際立たせていた。

他方、華為技術は二〇一九年一月二十四日、第五世代移動体通信（5G）基地局向けに設計された世界初のコアチップ「華為天罡（北斗七星柄の意）」を発表した。曰く、「華為技術は現在までに、世界三〇の5Gネットワーク構築に向けた商用契約を締結し、二・五万局の5G基地局を出荷している。このエンド・ツー・エンドの5Gチップセットはすべての標準規格ならびに周波数（Cバンド、3.5GHz、

2.6GHz）に対応する。弊社は、エンド・ツー・エンドで5Gネットワークを支える能力において、世界の5G展開をリードし、産業エコシステムの構築を進めている。最新のアルゴリズムとビームフォーミング技術を活かすことで、一つのコアチップで業界最多の六四チャネルの周波数帯域に対応する。5G基地局の小型化（従来品の五〇％）、軽量化（同二三％）、低消費電力化（同二一％）に貢献する」。

そして二〇一九年十一月一日、中国の主要都市では5G商業サービスがスタートした。十一月の運用開始を控えて大手メーカーは秋口から5Gスマホの発表ラッシュを迎えた。九月二十四日には、小米が中国で価格三千六百九十九元（約五・六万円）からの「小米 9Pro」と最高価格一万九千九百九十九元（約三十万円）に至る「小米 MIX Alpha」の二機種を発売すると発表した。二日後には、華為がMate30 シリーズの発売を発表した。華為5Gモデルの中国内価格は四千九百九十九元（七・五万円）からで、「Mate30 ポルシェコラボモデル」は一万二千九百九十九元（約二十万円）である。[*2]

中国の携帯キャリア大手三社、中国電信（チャイナテレコム）、中国移動（チャイナモバイル）、中国聯通（チャイナユニコム）は一日、北京や上海など主要都市で高速通信規格5Gの商業サービスを始めた。これによって、5G問題を一つの争点として争われてきた米中摩擦は、どのような影響を受けるであろうか。華為技術は、通信機器メーカーの大手であるとともに、端末スマホのメーカーでもあるという「二つの顔」をもつ。これは華為技術にとって、強力な追い風となりつつある。すなわち5Gのスタートに伴い、欧州でも華為製品の採用が広がりつつあり、トランプ大統領の華為「包囲網」は、随所にほころびが見えてきた。

中国では、年末までに十三万ヵ所以上の基地局を整備すると報じられており、5G普及で最も利益を得るのが、安価で効率的な基地局セットを開発した華為技術であることは明らかだ。ちなみに一～九月期に基地局向けアンテナユニットは、世界に向けて四十万台以上出荷中と報じられている（国内向け十三万台を含む）。これにより、一～九月の売上高は前年同期比二十四・四％増と公表されている。

欧州でも風向きは変わり始めた。安価な華為通信設備を排除する調達先の切り替えは、価格の面でも、5Gサービスの遅れを招きかねない事情からしても避けるのが当然の成り行きであろう。すでに七月にサービスを始めた英通信大手ボーダフォンは、「アンテナなどで華為を採用している」事実を公表している。

英国の半導体設計会社アーム社（ソフトバンク傘下）も十月には、停止していた華為技術との取引を再開した[*3]。民間の動きと連動しつつ、ドイツ政府は十月、「特定企業を排除しない」との指針を公表した。

英『サンデータイムス』（二〇一九年十月二十七日）によると、ジョンソン首相は5G網の「非係争部分（non-contentious parts）」について、華為導入を認める政府決定をした。すなわち万一、「中国による監視が行われたとしても、予想される損害が限定的にとどまる部分」の意である。この方針に基づいて四大通信会社（EE、O2、スリー、ボーダフォン）に華為製品の導入を容認する方針を決定したわけだ。華為の設備が割高なエリクソンやノキアの価格を牽制する上で役立つというビジネス・インセンチブを考慮した判断だと同紙は伝えた。

他方、米国は封じ込めのほころびを認識しつつも、制裁を一段と強める構えを崩していない。米連邦通信委員会FCC（The Federal Communications Commission）は十月二十八日、ネット整備の地方補助金を受ける通信業者に対し、既存の華為製品の撤去や新規購入の禁止を命じる新たな規制案を二〇二〇年から実施すると発表した。[*4]
5G通信の初期段階は旧4G技術の改良にとどまるが、二〇二〇年から十年計画で進展する5G通信の後半は現行コンピュータではなく、量子コンピュータに依拠することが想定されている。その量子コンピュータの開発競争をめぐって米中両国間で密かに進められている「開発競争」の前哨戦こそが現在の米中冷戦の核心にほかならない。

2 「量子」覇権戦争

中国発「第二次量子革命」

ニールス・ボーアは一九五七年に「初めて量子理論に遭遇してショックを受けなかった者は、たぶんそれを理解することができない」と書いた。[*5] それから五九年後、二〇一六年八月に世界初の量子衛星・墨子号が打ち上げられ、いまや第二次量子革命 The Second Quantum Revolution を迎えた。

墨子号を打ち上げた二〇一六年八月十六日、プロジェクトの責任者潘建偉（中国科学技術大学教授）は、記者の問いにこう答えている。「理論的には量子暗号は解読不能である」とその軍事的意味を強調しつつ、量子通信暗号は「敵が解読できない」ばかりでなく、敵の伝統的暗号は量子通信によって容易に解読でき、米軍ステルス戦闘機は丸裸にされる。これが「無敵の量子通信」と呼ばれる所以だ、と解説した。[*6]

量子通信が真に解読不能か否か、その後内外で論争は続いているが、中国の人々から見ると、この世界最先端の技術を外国から導入するのではなく、中国の科学者たちが自力で世界に先駆けて実現したことで、墨子衛星は「誇りの核心」なのだ。これが誰の模倣でもなく、「メイド・イン・チャイナ」であることは、誇り高いアメリカ人も認めざるをえない。量子コンピュータによって既存のステルス戦闘機は丸裸にされて「ステルス性」を失う。他方、これを解読中の中国側の暗号システムを米国は解読できない――これが量子コンピュータを軍事技術に用いた場合の効用であり、これが成功すれば、米国の軍事的優位喪失は明らかだ。トランプや米国タカ派が中国の科学技術に脅威を感じてなりふりかまわずこれを阻止しようと「華為いびり」の前哨戦を始めたのはこのためではないか。

世界初の光量子コンピュータは二〇一七年五月三日、中国で誕生した。量子衛星を成功させた潘建偉チームにとって、第二の成功だ。「光量子コンピュータの試作機のサンプル計算速度は、世界の同業者による実験の二・四万倍以上に達した」と報じられた（同日付新華社電）。この光量子コンピュータは、中国科学技術大学・中国科学院・阿里巴巴（アリババ）量子実験室・浙江大学・中国科学院物理研究所が協同して研究開発に参加した。民間企業では、阿里巴巴のほかに、騰訊控股（テンセント）、百度（バイドゥ）の二大IT大手も先を争って前進しようとしている。

二〇一七年九月二十九日午後に行われた中国科学院院長白春礼とオーストリア科学院院長アントン・ツァイリンガーとの間で行われた量子通信によるテレビ対話も象徴的事件だった。

まず京滬（上海）量子幹線の北京コントロール・センターで墨子号の地上センター（河北省興隆）と

つなぐ。それから衛星・墨子号を通じて、オーストリア地上ステーション（グラーツ）へ衛星量子通信を送り、それは中国から七千キロ離れた欧州に届いた。京滬幹線プロジェクトの責任者も務める潘建偉によれば、北京・上海・済南・合肥が量子通信の骨格であり、全長二千余キロに達する。一万を超えるユーザーが同時に暗号通信を送る能力をもつ。量子通信には「分割できない」、「正しく測定できない」、「コピーできない」特性があり、原理上安全で、第三者（敵）による解読は不可能だとここでも強調した。

中国側の躍進に抗するように、二〇一八年三月、グーグルと米航空宇宙局（ＮＡＳＡ）などが連携して設立した米国量子人工知能実験室は、ロサンゼルスで開かれた米国物理学会年次総会で七十二量子ビットの量子芯片（CPU chips）を発表し、「ブリストルコーン（Bristlecone）」と命名された。この性能について、中国阿里巴巴の研究者施廃転（ミシガン大学教授から転身）は、エラー率が〇・五％以下になっていないと、その量子超越性（Quantum Supremacy）を批判している。

量子超越性とは、従来型コンピュータの限界を超える計算量の処理が量子コンピュータで可能になることを意味する。グーグルは、量子、ビットが四十九個以上になれば量子超越性が可能になるとしている。その条件は、四十九量子ビットで量子回路の深さが四十以上、二つの量子ビットの量子ゲートのエラー率が〇・五％以下という。グーグルは、七十二量子ビットというサイズを選んだ理由を、量子超越性を実証し、実際のハードウェア上での量子アルゴリズム開発を容易にするのに適しているためと説明した。ブリストルコーンの二つの量子ビットによる量子ゲートのエラー率は〇・六％で、量子超越性にはまだ届かないが、グーグルは「慎重かつ楽観的にブリストルコーンで量子超越性を達成できる」と発表した。

潘建偉をリーダーとする中国科学技術大学のチームは二〇一九年一月三十一日、米国科学振興協会（AAAS）から二〇一八年のニューカム・クリーブランド賞（Newcomb Cleveland Prize）を授与された。同賞の九〇年以上の歴史のなかで、中国人科学者が受賞したのは初めてである。受賞者は、科技大の播建偉教授が率いる「量子科学実験衛星・墨子号」の建設に参加したチームである。中国古代の科学者墨子は「兼愛論」などの哲学思想で有名だが、科学思想家としても知られている。そこで潘建偉チームは「量子通信」の実験用として二〇一六年八月に打ち上げた人工衛星に墨子号と名付けた。

この量子衛星打ち上げは、世界の量子通信ネットワークに技術面の保障を与える重要な衛星と紹介されてきたが、世界初の実験衛星なので、その評価は分かれていた。つまり、潘建偉らの発表をそのまま受け取る見方と、その内容に懐疑的な見方である。このような状況でAAASは権威のあるニューカム・クリーブランド賞を授与することによって、研究と打ち上げ実験の確かさを保証したことになる。同賞はAAASが一九二三年に設立した、米国で最も歴史ある賞だ。その前年六月から翌年五月までに米科学誌『サイエンス』に発表された研究論文のなかから「学術価値と影響力」の両面で審査して「最も優れた論文」を選ぶ。潘建偉らの研究は「この審査に堪えた」のであり、その成果が保証されたものと見てよい。潘建偉はこの授賞式に出席するため渡米の準備を進めていたが、米国務省はトランプの中国封じ込め政策に従い、潘建偉への米入国ビザの発行をしぶり、授賞式に参列できず、代わりに研究グループの一人、印娟女史が参列した。

覇権への体制整備

第二次量子革命を推進するために、中国科技大学の位置する安徽省合肥では、民間から資金を募り、墨子量子賞を設けた。基金は一億元で毎年六名に百万元＝十五万ドルずつ授与する計画だ。「金満中国」にふさわしく、他の各種賞と比べて高額だと話題になっている。受賞者を見ると、すでにノーベル賞を得た研究者も含まれており、「ノーベル賞級の研究レベル」を基準としていることが分かる。中国人として初の受賞者は、あの潘建偉である。

量子革命によって、中国はいまアインシュタインの「百年の謎」にどのように答えるのか。そこに世界の視線が注がれている。量子革命は第三次産業革命をもたらすが、ここには二つの問題が指摘されている。一つは安全性の問題である。情報の送信過程において、計算能力の向上に伴い、既成の暗号はすべて破られる運命にある。二つはビッグデータ（大数拠）のもたらす計算能力の隘路である。

二〇一三年九月三十日、習近平ら中南海の指導者たちは、「政治局学習会議」で、潘建偉教授から量子通信の講義を聞くとともにそのデモンストレーションを見学した。[*7] 二〇一六年十月九日、習近平はネットワーク通信技術の「自主創新を加速せよ」と指示した。[*8] 二〇一七年十月二十七日、習近平は中国共産党第十九次全国代表大会報告で人工知能と量子技術の突破を含む新技術革命の戦略的意義を強調した。[*9] 曰く、「米中はいま平等な足どりで競争している。中国の量子科学が成功するならば、先行者利益を得て未来の市場と軍事的優勢を獲得できる」。二〇一八年一月の新年賀詞で、習近平は量子コンピュータの開発を特に取り上げ、成果を讃えている。[*10]

顧みると、一九八三年に量子光学の研究を開始した郭光燦教授が中国科学院に量子信息重点実験室を設けたのは一九九九年である。[*11] 翌々年二〇〇一年に三十一歳の潘建偉がウィーン大学で博士号を得て帰国し、[*12] 勤務先の中国科技大学に量子物理・量子信息実験室を設けた。[*13] 二〇一六年五月十九日、中共中央・国務院は「国家創新駆動（イノベーション）発展戦略綱要」を全国に発出した。[*14] 二〇一六年八月八日、国務院は第十三次五カ年計画期の国家科技創新規劃的通知」を全国に通知した。[*15] この通知は「二〇三〇年までに主要都市間で量子通信を発展させる」よう指示している。[*16]

一連の指示に基づき、中国は二〇一三年から一五年にかけて、十九億元（約三億ドル）を第三次産業革命のために投資した。二〇一六〜一七年の二年間は、国家の重点プロジェクトだけで、各年十億元（約一・六億ドル）が十八部門、三十六プロジェクトのために投資された。[*17] これに加えて二〇一七〜二〇年には量子衛星のための予算一・六億元（二千五百万ドル）が追加される。[*18] 阿里巴巴は百五十億ドルを新設の阿里巴巴傘下のＤＡＭＯアカデミー（Discovery, Adventure, Momentum, and Outlook）に投資すると発表したが、これは民間企業独自の計画であり、国家プロジェクトには含まれない。[*19] 国家レベルの計画のほかに、省政府レベルの計画も先進地域では目立つ。たとえば安徽省には安徽省量子科学産業発展基金がある。これは二〇一七年十二月に設けられたもので、予算百億元（約十六億ドル）である。[*20] 二〇一八年三月、山東省では「山東省量子技術創新発展規格（二〇一八〜二五年）」を発表した。[*21] この済南ハイテクゾーンは、「量子バレー」の建設を目指しており、予算は千億元、その七割以上は国防産業市場向けである。[*22] 二〇一七年七月十二日、中国科学院は「量子信息・量子科技創新研究院」を新設し、合肥でその除幕式が行われた。[*23]

二〇一七年九月には、「量子信息科学国家実験室」が安徽省に設立された。[*24] これは七十億元（十億ドル）でスタートしたが、二〇二〇年に完成すれば世界最大の量子研究施設になる予定だ。[*25]

量子研究の際立った特徴の一つは、「軍民融合」システムでこれが行われている点である。中国において軍の地位の特異性はしばしば語られるが、量子研究においてはとりわけ「軍民融合」が語られ、実践されているのは、この技術革新がただちに国家の安全保障に直結するからにほかならない。二〇一七年九月二十六日、「十三次五カ年計画科技軍民融合発展専項規格」が発表されたが、「軍民融合発展」はここで強調されている。[*26] 山東省では、その省レベル版も発表している。[*27] 二〇一七年十一月末に、科技大学は中国船舶重工と共同して「量子連合実験室」を設立した。[*28]

その一カ月後、「北京量子信息科学研究院」が発足したが、量子情報に関わるこの研究院が軍事科学院内に設けられた事実に注目したい。この研究院は、二〇一七年十二月二十五日、北京市政府・中国科学院・北京大学・清華大学・北京航天大学が共同して設立したが、その事務局が軍事科学院内に設けられたのは、軍民融合を象徴していよう。ちなみにこの院長は科学院院士・薛其坤[*29]である。科学院士・清華大副学長をトップに据えて、北京大学・清華大学・北京航天大学等の責任者が集うこの研究院は、たぶん世界の量子研究情報を集めて分析する情報連絡・分析会議であり、司令塔の役割を果たすのではないか。[*30]

なお、二〇一七年七月、軍事科学院は「国防科技創新研究院」を設立し、「世界級研究院を建設するために世界一流の人材をリクルートする」ことを決めている。これは軍事科学院独自の技術革新研究プロジェクトである。[*31] 二〇一八年二月四日『解放軍報』は前沿交叉技術（Front Line Cross-Disciplinary

Technologies）センターの設立を報じた。[*32] なお同年一月二十六日、軍事科学院は百二十名からなる研究者を擁して、彼らはロボット兵器と量子技術の軍事的応用を研究する博士号取得者だと香港『サウスチャイナ モーニング ポスト』紙が報じている。酒泉衛星打ち上げセンターで墨子衛星を打ち上げたあと、解放軍政治部は世界初の「空間（宇宙）科学先導」プロジェクトの宣伝戦略分析を行っていると報じられた。[*33]

焦るアメリカ

米中の貿易摩擦や赤字問題は、所詮は経済的利害の対立であり、争いは双方にとって共倒れをもたらすので、妥協は可能である。しかしながら、「安全保障上の脅威」は深刻だ。その焦点は量子技術をめぐる米中覇権競争にほかならない。ＪＳＴ研究開発戦略センター・曽根純一のまとめた三つの表を紹介したい。

表1は、主要国の量子技術政策一覧である。
表2は、世界の代表的な量子拠点を示す。
表3は、中国の量子技術研究体制とその成果を概観したものだ。

表１　主要国の量子技術施策

	政策動向	内容・予算規模
米	「量子情報科学の国家戦略概要」発表（2018.9） 「国家量子イニシャチブ法」成立（2018.12）	1,400億円／５年「国家量子イニシャチブプログラム」 DOE：140億円／年　量子情報研究センター（最大数5） NSF：56億円／年　量子研究・教育センター（最大数5） NIST：89億円／年　量子情報研究・計量標準、ワークショップ
中	「科学技術イノベーション第13次５カ年計画」（2016～20）	1,200億円／５年 「国家重点研究計画」 「量子情報科学国家実験室」 （合肥市）建設中 2020年完成予定（～１兆円）
EU	「量子宣言」（2016.5）	＞1,250億円／10年 「Quantum Technology Flagship」 20課題を採択（2019～28）
独	「ハイテク戦略2025」（2018） 連邦教育研究省「量子技術」公表（2018.9）	＞860億円／４年（2018～22） 量子コンピューティング、量子コミュニケーション、計測、量子分野の技術移転と産業の参画推進
英	工学・物理科学研究評議会「National Strategy for Quantum Technologies」（2014.12）	＞390億円／５年 「UK National Quantum Technologies Programme」（2014～19）

出所：曽根純一「量子技術分野の研究動向について」国立研究開発法人科学技術振興機構（JST）研究開発戦略センター、2019年３月29日、３頁。

表2　世界の代表的な量子拠点

米	・**Joint Quantum Institute（JQI）**　メリーランド大学と国立標準技術研究所により2006年に設立。「量子多体物理学」「量子制御・計測・センシング」「量子コンピューティングと情報科学」の3分野 ・**Chicago Quantum Exchange**　シカゴ大学分子工学研究所内に設置。アルゴンヌ国立研究所、イリノイ大学などと共同。「量子コンピューティング」「量子センシング」「量子通信」の3分野。 ・**NSF "Psysics Frontier Centers"**　5〜15億円／5年で各大学内に設置されたセンターや研究所を支援。カリフォルニア工科大学、コロラド大学&NIST、MIT、JQIが対象。
中	・**量子計算実験室**　中国科学院とAlibabaで設立された量子コンピュータ開発センター ・**量子情報科学国家実験室**　2020年完成予定
EU	・**Quantum Community Network**　Quantum Technologies Flagshipで採択された20課題のバーチャル研究拠点
独	・**Center for Integrated Quantum Science and Technology（IQST）**　2014年に設立。シュトゥットガルト大学、ウルム大学、マックスプランク個体物性研究所で構成。「量子センシング」「複雑量子系」「物質の量子状態制御」「量子電気・光工学」「光-物質界面」の5分野
英	・**UK National Quantum Technology Hubs**　「量子センサ・計測」（バーミンガム大学）、「量子イメージング」（グラスゴー大学）、「量子情報ネットワーク」（オックスフォード大学）、「量子通信」（ヨーク大学）の各分野でハブ拠点が形成。
加	・**Institute for Quantum Computing（IQC）**　2002年にウォータールー大学内に設立。「量子コンピューティング」「量子通信」「量子センシング」「量子マテリアル」の4分野
蘭	・**QuTech**　デルフト工科大学内に設置。「誤り訂正量子コンピューティング」、「量子インターネット・ネットワークコンピューティング」、「トポロジカル量子コンピューティング」の3分野 ・**QuSoft**　量子ソフトウェアの研究組織として国立数学情報科学研究所、アムステルダム大学、アムステルダム自由大学で2015年に設立

出所：曽根純一「量子技術分野の研究動向について」、4頁。

表3　中国の量子技術研究体制とその成果

- 「国家中長期科学技術発展計画綱要 2006 〜 2020」国務院（2006年2月）における重大科学研究の1項目として「量子制御」を位置づけ
- 「科学技術イノベーション第13次5ヶ年計画（2016 〜 2020年）」国務院（2016年8月）の重点領域の1つとして「量子通信・量子コンピュータ」を指定
- 中国科学院と Alibaba が共同で「量子計算実験室」を設立し、量子コンピュータのクラウド提供を開始（2015年）
- 人工衛星（墨子）を用いた1200km 離れた青海省と雲南省間の大規模量子暗号通信の実証実験に成功（2017年）
- 「量子情報科学国家実験室」を合肥市に建設中。2020年完成予定。総工費760億元（約1兆2160億円）

出所：曽根純一「量子技術分野の研究動向について」14頁。

米国は二〇一八年九月に「量子情報科学の国家戦略概要」を発表し、同年十二月に「国家量子イニシャチブ法」を成立させ、翌二〇一九年三月にホワイトハウス科学技術政策局（ＯＳＴＰ）が国家量子調整室（National Quantum Coordination Office）を発足させ、ＯＳＴＰ量子情報科学担当部長のＪ・テイラー（JakeTaylor）博士が、国家量子調整室の暫定室長を務めると発表したが、この一連の動きから米国の脅威認識が読み取れる。

中国が二〇一六〜二〇年に千二百億円投下すると発表したのを意識して、米国は二〇一九〜二三年に千四百億円投下する目論見だ。中国よりも三カ年遅れて基本戦略を決定した米国が中国より二百億円多い予算を投下するという事態は、量子技術の研究において一歩先行する中国に対する焦燥感を象徴しているように、著者には見える。

トランプの煽る「米国の安全保障上の脅威」とは、まさにこれが核心であろう。一九五七年当時、旧ソ連はスプートニクの打ち上げに成功し、立ち遅れた米国はアポロ計画を展開、一九六九年七月に月面着陸を成功させ、ようやく面目を施した。二十一世紀一〇年代の今日、中国の量子技術研究は、往時のスプートニク騒動を想起させるほどに酷似している。ただし、当時の米ソ対抗と比べて、現在の米中量子覇権争いは、中国側にR&Dの面でより余裕がある点でかつての米ソ競争とは異なる。それがトランプの疑心暗鬼の核心ではないか。

量子通信が実用化に成功すれば、米軍の誇るステルス戦闘機は丸裸にされ、米国の軍事的優位は失われる。繰り返しになるが、世界初の量子衛星・墨子号打ち上げを公表したとき、このプロジェクトの責任者・潘建偉教授は記者の問いにこう答えた。量子暗号は「敵軍が解読できない」ばかりでなく、敵の伝統的暗号は量子通信によって容易に解読でき、ステルス戦闘機は丸裸にされる。[*34] この発言に最も強く刺激されたのがホワイトハウスであった模様である。

「量子覇権」の意味するもの

米国有数の中国量子科学研究者で、『量子覇権』(Quantum Hegemony) と題した報告書をまとめたエルサ・カニアは、その結論で次のように中国の量子研究を総括している——。

曰く、中国が量子研究に高い優先順位を置いているのは、この技術が軍事と経済の対外競争力を強化できるからにほかならない。米国と並ぶ超科学大国の地位を求めて、中国は量子科学技術のイノベーションに全力を挙げている。戦略的競争が深まるにつれて、中国は蛙飛びのごとく、米国を追い越して新興分野の「制高点」、すなわちバイオ技術、人工知能、量子技術を把握しようとしている。これらのメガプロジェクトは、中国の技術愛国主義に支えられ、「両弾一星」(ミサイルと人工衛星) の経験が教訓となっている。[*35]

米国はこれまでは技術的優位性を誇ってきたが、新領域においては追随を許さない立場にあるのではない。もし中国が成功すれば、米国の優位性を覆し、経済と軍事の競争力を転換できよう。中国は人的資源と製造基盤を活用して、次の産業革命を担う量子技術においてグローバルなリーダーシップを維持できる。

現代史において米国は初めて真の技術的危機に直面している。それは量子技術だけではない。人工知能やバイオ技術においても同じだ。むろん米国の量子技術は公開されているものがすべてではない。にもかかわらず、中国が基礎研究への投資を倍増させているときに、米国では投資が減少しつつある事実が問題の核心だ。いくつかの米国の報告は、米国の量子技術研究開発の弱点を指摘している。それは長期的な研究開発を支える煙突がつまり、学際的研究開発が妨げられていることだ。[*36] 米国チームや企業が量子コンピュータを追求しているのは事実だが、その優先順位、インセンチブ、時間射程は政府や軍と歩調があっていない。ワシントンとシリコンバレーは協力し合う方法で争っている。[*37] このように分析したうえで、エルサ・カニアの結論はこう指摘する。

米国が採るべき対策は、①米国としての競争力を強めること、②重要なインフラにとっての量子コンピュータのリスクを評価して、そのコストを計算すること、③量子サプライズのインパクトを評価し、その先導者となること、④量子技術の軍事適用を完全に研究し評価すること、⑤米国の量子研究計画の反諜報リスクをレビューし、その任務とすること、⑥米国議会に科学技術と専門見識を回復すること——である。

彼女は、さらにこう付加した。「第二次量子革命の到来は、新しい不確実性を導く。米国は伝統的科学技術が先例のない挑戦を受けることに備えるべきである。前進するためには、中国との技術戦略的競争に挑戦しなければならない。未来の国家的競争力を統合することによって、技術革新のダイナミズムを強化しなければならない。量子科学の衝撃は、幽霊のように、そして魔法のように見えるが、これは真実なのだ」[*38]。本書の著者矢吹は文系人間であり、理系、とりわけ量子科学技術のような最先端の分野は不案内だが、このコメントには深く共感できる。

量子科学自体がこれまでしばしば解説されてきたように、常識的な物理学の知識では理解しにくい構造を解明する科学である。加えて中国における量子科学の研究状況の半分は軍事機密として扱われている。そのため、中国の量子科学研究は二重の意味で幽霊のように、魔法のように見える。しかしながら、幽霊は非現実だが、中国の量子研究は現実であることを忘れてはなるまい。これら一連の事実を日本のメディアは軽視するばかりか、ほとんど黙殺してきた。その結果として日本メディア界の「周回遅れ」報道が定着し、自縄自縛となった。5G基準で事実上敗退した「米国側の視点」から事態を見てきたので、中国の実力を的確に評価できなかったのであろう。しかしながら今回のコロナ禍は日本の科学技術の立ち遅れを容赦なく暴く。

日米半導体協定によって日本のIT業界が手足を縛られ、その後経営者の無為無策によって今日の壊滅に至るまで、日本はこの分野で世界のリーダーであった。いまや見る影もないほどに落ちぶれた。この失敗の教訓を活かすどころか、反省さえせずに、過去の幻影に酔い、隣国における量子科学技術研究の動向に目を閉ざしてきた日々は終わる。

3　超現代社会へ疾走する中国

ＥＴ革命と中国の夢

吉野彰氏がノーベル化学賞を受賞したことを私は「一喜一憂」の気持ちで迎えた。受賞を素直に喜ぶ点で人後に落ちるものではない。私は受賞を半ば予期しつつ、その業績に注目してきた。二〇一八年に出版した『中国の夢』（花伝社）でこう書いた──「中国の夢」とは、ＩＴ革命からＥＴ革命（Embedded Technology Revolution）への転換を全世界に先駆けて疾走することによって実現されるであろう。ＥＴ革命の首唱者・吉野彰の「未来社会論」で著者が最も共感するのは、「人工知能つきＥＶ車」（ＡＩ・ＥＶ）が、マイカーを不要ならしめ、「共有ＡＩ・ＥＶ」によるシェアリング経済推進のキャリアになるという未来予測である。この技術は地球環境の「制約条件下での持続的発展」を可能にし、現代人の生活需要を満たしうる点で実現可能性をもつ。現代社会主義は二一世紀初頭の今日、人類史上初めて、それを実現する生産力の基盤を備えたことになる。

二〇二五年には、吉野彰によれば、人工知能ＡＩの技術と結びついて、電動車の「無人自動運転」さえ普及し、車社会が一変する。その時、「三種の鈍器」に陥るのは、①エンジン車（ＥＶ車代替）、②白熱灯（ＬＥＤ代替）、③交流送電（直流代替）である。二〇一七年時点で「ＥＶ車に用いられる電池容量の総和がモバイルＩＴ用電池容量の総和を上回り、ＥＴ革命が始まった」と吉野は説いている。

ＥＶ車の課題は、モーター自体ではなく、そのモーターを回すリチウムイオン電池ＬＩＢにあり、これを開発したことが吉野の功績だ。主な要素技術は以下の通りである。①炭素を負極とし、コバルト酸リチウムを正極とするＬＩＢの基本構成を確立したこと。②電極、電解液、セパレータなどの本質的構成要素に関する技術を確立したこと。③安全素子・保護回路・充放電などの実用化技術を確立したこと――これら三カ条である。

吉野は、①大規模集積回路（ＬＳＩ）、②液晶ディスプレイ、③ＬＩＢを「新三種の神器」と名付けた。このような可能性を秘めた技術の発明を歓迎するのは当然であろう。では「一憂」とはなにか。その素晴らしい技術の企業化、産業化で日本が遅れをとったことだ。

吉野彰らが炭素材料を負極とし、リチウムを含有するコバルト酸リチウムを正極とする新しい充電型電池（ＬＩＢ）の基本概念を確立したのは、一九八五年である。九三年に旭化成と東芝との合弁会社エイ・ティーバッテリーが商品化し、九四年には三洋電機により黒鉛炭素質を負極材料とするＬＩＢが商品化された。その後、トヨタ・日産・ホンダなど自動車メーカーでも研究開発が進み、電解質に固体材料を使う全固体リチウムイオン電池が次世代型として注目されている。かつてＬＩＢは日本メーカーのシェアが高く、一時は九割以上を占めた時代もあった。しかしながら、韓国（サムスンＳＤＩ、ＬＧ化学）、中国（ＢＹＤ、ＣＡＴＬ）、台湾などが急追し、シェアを拡大している。

業界誌 Adamas Intelligence Reports によると、各種ＥＶ車（バッテリー型ＢＥＶ、プラグイン型ＰＨＥＶ、ハイブリッド型ＨＥＶ）の二〇一九年上期における充電池容量は 46.3GWh（ギガワット時、対前年同期比八九％増）であった。高価なコバルトの代わりにニッケルへの代替が進行中だが、両者はいずれも正極材として用いられる。

まずコバルトを見ると、二〇一九年上期におけるコバルトの使用量は、七二〇〇トン（対前年同期比八一％増）、うち六一％はアジア太平洋地区で用いられた（対前年同期比五〇％増）。電池メーカーはコバルト使用の代替策に努めているが、依然増え続けている。型別に見ると、①電池型は一〇七％増えて六一〇〇トン、②ハイプラグ型は四％増、③ハイブリッド型は一一％増であった。コバルト使用量の七五％以上は、以下の五社が占めている。すなわち①ＬＧ化学（韓）の市場シェアは二一％で一〇〇四トン、②寧徳時代（中）のシェアは四倍増して八％から一九％に増え、③パナソニック（日）は三五％増えたものの市場シェアは二一％から一五％に六ポイント減少。次いで④ＢＹＤ（中）、⑤サムソンＳＤＩ（韓）の順位になる。

コバルトに代替しつつあるニッケルの使用量を見よう。二〇一九年上期のニッケルの使用量は二七、三五〇トンであり、対前年同期比七八％増であった。うち五二％はアジア太平洋地区における消費であり、対前年同期比四九％から三ポイント増えた。①電池型は一一九％増えて二〇、六〇〇トンとなった。②ハイプラグ型は八％増えた。③ハイブリッド型は一三％増えた。

その要因を見ると、電池の平均容量が増え、メーカーはより高性能のニッケル極を採用したので、ニッケル消費量が増えた。世界三大電気自動車メーカーがその五五％を消費した。すなわち①テスラ（米）は七〇〇〇トン以上で対前年同期比九〇％増、②トヨタ（日）は五〇〇〇トンで一一％増、③ＢＹＤ（中）は約二五〇〇トンで三〇〇％増であった。ニッケル消費の八五％以上は、次の五大電池メーカーの生産需要による。すなわち①パナソニック（日）一二、五〇〇トン以上（シェアは四八％）、②

寧徳時代（中）のシェアは五％から一三％へ増えた。それに③ＬＧ化学（韓）、④ＢＹＤ（中）、⑤Envision AESC（日、日産リーフ用バッテリーを生産）が続く。

車載用電池メーカーにおいては、「中国・韓国勢の躍進」が目立ち、電気自動車メーカーでは、テスラ（米）、トヨタ（日）、ＢＹＤ（中）が激しい市場シェア争いを演じている現実の一端がコバルトやニッケルの使用量から見えてくる。日本はＬＩＢの基本構造を発見しながら、その企業化・産業化で立ち遅れた姿がそこに浮かぶ。

取り残される日本

これは先ほど触れたＱＲ（Quick Response）コードの発明と全く同じ構造である。中国でモバイル決済がクレジットカードやデビットカード系に勝利した理由を整理すると、次の事情がある。モバイル決済は、クレジットカード決済に比べて導入コスト（たとえば店頭の読み取り装置は不要）が安く、決済後の入金期間が短いといった特徴がある。ちなみにクレジットカード決済は銀行預金口座をベースとしてカード発行しているので、それぞれの銀行ごとに設定された預金保護システムが、相互乗り入れ、発展の足枷となっている。ネットバンキングとの比較では、銀行のウェブサイトを使った決済は操作が煩わしいうえに、「なりすましサイト」に誘導され、詐欺被害が続出している。パスワード変更や「ワンタイム・パスワード」など対策も進められたが、詐欺犯人とのイタチごっこが人々を悩ませている。モバイル決済が銀行系、交通系、飲食系カードに勝利した、決定的な要素は読取りにＱＲコードを選択したことだ。

QRコードは、元来日本の自動車部品メーカー・デンソーが開発したもので、この技術を同社は公開している。ユーザーの利用と教育にかかるコスト（すなわち技術性や利便性）では、Suica（スイカ）やPASMO（パスモ）のような電子マネー（非接触通信型NFC＝Near Field communication）に劣る。というのはスイカやパスモのような電子マネーは、①「利用者がかざす」だけという簡単な動作で利用可能であり、②応答スピードが早く時間の短縮化ができ、さらに③非接触のため摩耗による製品故障が少ない——といったメリットをもつ。にもかかわらず、QRコード採用のメリットは大きい。それは、①ハードウェア装置（たとえば店頭の読み取り装置）に依存しないので「普及のコスト」が電子マネーよりも安い、②利用者が無線通信（Wi-Fi）できる環境でスマートフォンを使うと、無料でアクセスでき、しかも異なるオペレーティングシステムやハードウェアの環境でも共通して利用できるので、全体的なコストは電子マネーよりもはるかに安い。もう一つ、その普及にとって決め手があった。それは③スマートフォンが、QRコードを瞬時に完璧に読み取ってくれることだ。これはガラ系では利用できない技術で、スマホの普及と連動している。

日本では二〇一九年十月から消費税が一〇％に引き上げられ、それに伴って導入された軽減税率やポイント還元をめぐって小さからぬ混乱が全国で引き起こされ、社会生活面でのエネルギーの浪費現象が随所で見られた。にもかかわらず日本のキャッシュレス化は約二割にとどまり、韓国の九割台、中国の六割台と比べて著しく劣っている。日本では相変わらず「やはり現金へのなじみ」等々の「なつメロ」世論が幅を効かせている。

「なつメロ」心情に介入するつもりはないが、日本の労働生産性の低さがいまや世界的に見て際立っている事実は看過しがたい。その一因が「キャッシュレス化における後進性」のような社会的インフラの貧困に起因する事実に対する反省が欠けているのは致命的だ。半世紀前のオイルショック当時は、「世界に冠たる省エネ」を実現し称賛を浴びたが、いまや日本経済は、生産性の低さや社会インフラの貧困という面で、国民の知らぬうちにとんでもない後進国に落伍した現実を直視しなければなるまい。台風水害はむろん自然災害には違いないが、都市に電柱が林立する姿は先進国にはない風景だ。

ここで特に指摘したいのは、LIBやQRコードは、両者ともに日本人の創意性が発明した技術・ノウハウでありながら、日本社会・日本経済は「その企業化・産業化に失敗した」ことの意味である。「負の教訓」から深く学ぶことがなければ、日本経済の再生への希望は見えてこないのではないか。

翻って隣国の中国や韓国、あるいは台湾を見ると、彼らは日本の失敗を「反面教師」として、鮮やかな展開をなしとげ、まずIT技術の企業化・社会化に成功し、それによってGDPを成長させ、一人当たりのGDPで、日本に迫り、一部は日本を追い越しつつある。為替レート比較ではまだ日本が上だが、生活実感を体現するのは、「購買力平価による比較」であり、これによると台湾はすでに日本をはるかに超えており、韓国も日本に迫りつつある（北朝鮮との統一問題を考えると、可能性はいよいよ大きい）。人口大国の中国は、一人当たりベースではまだ世界の低位レベルにあるが、その地位は加速的に向上しつつある。勃興する中国と停滞する米国との狭間で様々なグローバル現象が生まれている。その焦点がトランプ大統領による「新冷戦」、すなわち米中デカップリング（分断）作戦である。

＊1　私は、身近に旧知の海南省南海研究院呉士存院長、武漢大学前副学長胡徳坤教授の顔などを

確認した。

＊2　『人民網』日本語版、二〇一九年九月三十日。

＊3　なお、アーム社の中国における子会社の株式は過半数が中国政府系企業連合に売却済みだ（米『ウォールストリートジャーナル』二〇一八年六月六日）。

＊4　U. S. regulator to bar China's Huawei and ZTE from government subsidy program, WASHINGTON, Reuters, October 29, 2019. なお華為技術について魏向虹（アジア連合大学院研究員）から数々の教示を受けた。

＊5　Niels Bohr, *Essays 1932, 1957 on Atomic Physics and Human Knowledge*, Dover Books on Physics,1957.

＊6　趙金竜・王暁亮・本報記者鄒維栄「我国将力争在二〇三〇年前后建成全球量子通信網——訪我国量子科学実験衛星首席科学家潘建」『解放軍報』。

＊7　安徽量子通信創新成果、亮相中央政治局集体学習活動。二〇一三年九月三十日。

＊8　習近平「加快推進網絡信息技術自主創新」新華社、二〇一六年十月九日（http:news.xinhuanet.com/politics/2016-10/09/c_1119682204.htm）。

＊9　習近平「在中国共産党第一九次全国代表大会上的報告」新華社、二〇一七年十月二十七日（http://www.gov.cn/zhuanti/2017-10/27/content_5234876.htm）。

＊10　「国家主席習近平発表二〇一八年新年賀詞」新華社、二〇一八年十二月三十一日（http://www.gov.cn/xinwen/2017-12/31/content_5252083.htm）。

＊11　「記中国科技大学創新研究群体」『科学報』二〇〇六年三月六日。

＊12　指導教授は量子物理学者Anton Zeilingerであり、墨子号で師弟対話が行われた。

＊13　「中国将力争在二〇三〇年前后建成全球量子通信網」新華社、二〇一六年八月十六日（http://news.sina.com.cn/c/sd/2016-08-16/doc-ifxuxnpy9658879.shtml）。

＊14 http://news.xinhuanet.com/politics/2016-05/19/c_1118898033.htm

＊15 http://www.gov.cn/zhengce/content/2016-08/08/content_5098072.htm

＊16 「量子計算・第四次工業革命的引擎」新華社、二〇一八年一月十日。

＊17 量子調控与量子信息重点専項二〇一七年度項目申報指南、国務院科技部。

＊18 「空間科学衛星科学研究基金啓動」新華社、二〇一七年五月二十四日。

＊19 "Alibaba to spend more than US$15bn on technology research with launch of collaborative academy," South China Morning Post, October 11, 2017.

＊20 百億元安徽量子科学産業発展基金啓動運営（China News Network https://www.chinanews.com.cn/cj/2017/12-12/8398817.shtml）二〇一七年十二月十二日。

＊21 山東省量子技術創新発展規劃、二〇一八年三月六日。

＊22 「済南将為量子通信安全做〝国標〟」『大公報』二〇一八年三月二十四日（http://news.takungpao.com/mainland/topnews/2018-03/3554886.html）。

＊23 中国科学院量子信息与量子科技創新研究院掲牌儀式在合肥挙行、七月十一日上午、中国科学院量子信息与量子科技創新研究院掲牌儀式在中国科学技術大学先進技術研究院挙行。

＊24 合肥建設国家科学中心従設計図〝転為〟施工図（China News Network http://www.chinanews.com/gn/2017/09-13/8330201.shtml）、二〇一七年九月十三日。

＊25 安徽擬申報建設量子信息科学国家実験室、総投資約七十億元、二〇一七年七月十一日。

＊26 〝十三五〟科技群民融合発展専項規劃（http://www.aisixiang.com/data/106161.html）。

＊27 山東省量子技術創新発展規劃、二〇一八年三月六日。

＊28 中船重工与中国科大成立量子連合実験室、新浪、二〇一七年十一月二十八日（http://news.sina.com.cn/o/2017-11-28/doc-ifypacti8966967.shtml）。

＊29　薛其坤、一九六三年十二月出生。山東省出身、材料物理学者、中国科学院院士、中国科学院物理研究所研究員、清華大学教授、博士生導師、二〇一七年十二月北京量子信息科学研究院院長に就任。

＊30　http://www.sohu.com/a/212602971_473283

＊31　「軍科院国防科技創新研究院多措並挙凝聚創新力量」『中国軍網』（http://www.81.cn/jwgz/2018-02/04/content_7931564.htm）。

＊32　http://www.mod.gov.cn/mobilization/2018-02/04/content_4804117.htm

＊33　空間科学先導専項伝播策略分析、二〇一七年六月二十二日。

＊34　「我国将力争在二〇三〇年前后建成全球量子通信網――訪我国量子科学実験衛星首席科学家潘建偉」『解放軍報』二〇一六年八月十六日）。私は「５Ｇ量子覇権――米中冷戦のゆくえ」『中国情報ハンドブック［２０１９年版］』（蒼蒼社、二〇一九年、五七～九五頁）で、この発言を引用した。

＊35　"China Builds 'two bombs, one satellite' Memorial Museum," Chinese Academy of Sciences, September 14, 2015.

＊36　"Advancing Quantum Information Science: National Challenges and Opportunities," *National Science and Technology Council*, July 22, 2017.

＊37　Kate Conger, "Google Employees Resign in Protest Against Pentagon Contract, " *Gizmodo*, May 14, 2018. http://gizmodo.com/google-employee-resign-in-protest-against-pentagon-con-1825729300/amp

＊38　Elsa B. Kania, "Tech Entanglement-China, the United States, and Artificial Intelligence," *Bulletin of the Atomic Scientists*, February 6, 2018. https://thebulletin.org/tech-entanglement%E2%80%94chi-na-united-states-and-artificial-intelligence11490

（初出・『〈中国の時代〉の越え方——一九六〇年の世界革命から二〇二〇年の米中衝突』白水社、第六章、二〇二〇年八月）

やぶき すすむ

1938年福島県郡山市生まれ。県立安積高校在学時に朝河貫一を知る。1958年東京大学教養学部に入学し、第2外国語として中国語を学ぶ。1962年東京大学経済学部卒業。東洋経済新報社記者となり、石橋湛山の謦咳に接する。1967年アジア経済研究所研究員、1971～1973年シンガポール南洋大学客員研究員、香港大学客員研究員。1976年横浜市立大学助教授・教授を経て、2004年横浜市立大学名誉教授。現在、21世紀中国総研ディレクター、公益財団法人東洋文庫研究員、朝河貫一博士顕彰協会会長。

著書は単著だけでも40書を超え、共著・編著を合わせると70書をゆうに超える。ここでは本シリーズ「チャイナウォッチ」からははずれる朝河貫一の英文著作を編訳した『ポーツマスから消された男――朝河貫一の日露戦争論』（東信堂、2002年）、『入来文書』（柏書房、2005年）、『大化改新』（同上、2006年）、『朝河貫一比較封建制論集』（同上、2007年）、『中世日本の土地と社会』（同上、2015年）、『明治小史』（『横浜市立大学論叢』、2019年）の6書、朝河を主題とする『朝河貫一とその時代』（花伝社、2007年）、『日本の発見――朝河貫一と歴史学』（同上、2008年）、『天皇制と日本史――朝河貫一から学ぶ』（集広舎、2021年）の3書を挙げておきたい。

チャイナウオッチ
矢吹晋著作選集
4
日本－中国－米国、台湾

2022年10月11日初版印刷
2022年10月25日初版発行

著者　矢吹晋
発行者　飯島徹
発行所　未知谷
東京都千代田区神田猿楽町 2 丁目 5-9　〒 101-0064
Tel. 03-5281-3751 / Fax. 03-5281-3752
［振替］ 00130-4-653627

編者　朝浩之
編集協力　(株)デコ
組版　柏木薫
印刷・製本　モリモト印刷

Publisher Michitani Co, Ltd., Tokyo
Printed in Japan
ISBN 978-4-89642-674-8　C0322

2022年9月29日　日中国交正常化50周年　記念出版

チャイナウオッチ
矢吹晋著作選集
全五巻

第四巻　日本－中国－米国、台湾（本書）

第一巻　文化大革命（既刊）

以下、続刊

第二巻　天安門事件

第三巻　市場経済

第五巻　電脳社会主義

四六判並製函入　各巻平均 400 頁
各巻予価本体 2700 円＋税

未知谷